御金座破り

鎌倉河岸捕物控〈三の巻〉

新装版

佐伯泰英

時代小説文庫

角川春樹事務所

目次

鎌倉河岸周辺
鎌倉河岸
豊島屋
しほの長屋
弁天湯
龍閑橋
青物市場
むじな長屋
彦四郎の長屋
舘市右衛門屋敷
常盤橋
船宿綱定
金座
金座裏
樽屋藤左衛門屋敷
龍閑川
林道場
政次の長屋
0
200m
西
南
北
東

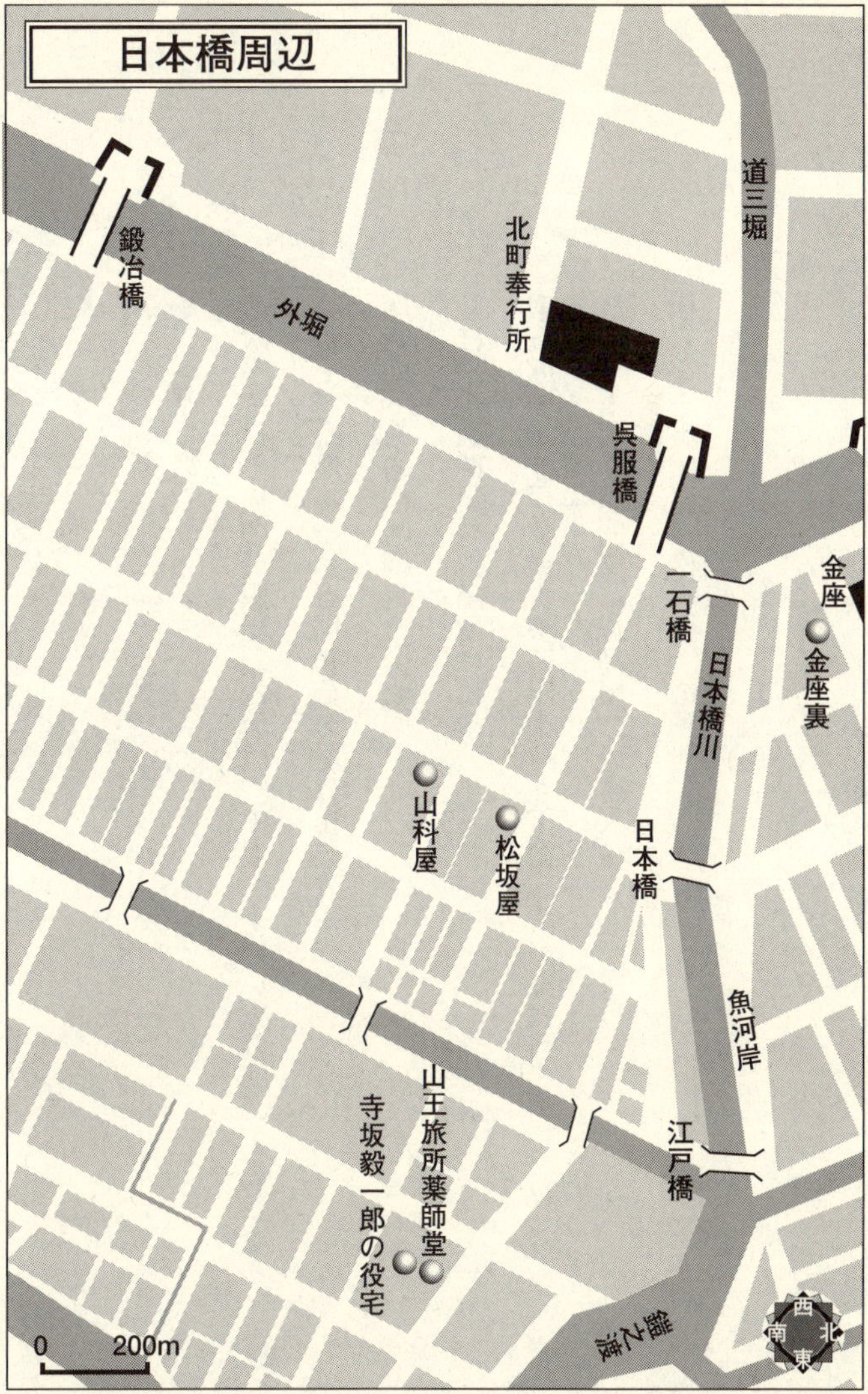

日本橋周辺
鍛冶橋
外堀
北町奉行所
道三堀
呉服橋
一石橋
金座
金座裏
日本橋川
山科屋
松坂屋
日本橋
魚河岸
江戸橋
山王旅所薬師堂
寺坂毅一郎の役宅
鎧之渡
0
200m
西
南
北
東

●主な登場人物

政次……日本橋の呉服屋『松坂屋』のもと手代。宗五郎の手先となる。
亮吉……金座裏の宗五郎親分の駆け出しの手先。
彦四郎……船宿『綱定』の船頭。
しほ……酒問屋『豊島屋』に奉公する娘。
宗五郎……江戸で最古参の十手持ち、金座裏の九代目。
清蔵……大手酒問屋『豊島屋』の主人。
松六……呉服屋『松坂屋』の隠居。

御金座破り

鎌倉河岸捕物控〈三の巻〉

序章

寛政《かんせい》十年（一七九八）の初夏、金座裏《きんざうら》でお上《かみ》の御用を務める十手持《じつても》ちの宗五郎《そうごろう》の玄関先を金座の後藤《ごとう》家の用人《ようにん》後藤喜十郎《きじゅうろう》が訪れた。早朝のことである。顔見知りの老用人が言った。

「おみつさん、長官がぜひとも親分さんにご足労《そくろう》をとおっしゃっておられる」

「承知しましてございます」

応対に出た宗五郎の女房おみつは二つ返事で請《う》け合い、用人を金座屋敷に帰した。

金座は徳川幕府が小判、一分金《いちぶきん》などの金貨の鋳造《ちゅうぞう》、勘定《かんじょう》、引替、地金類の買収、監察を行うために設けていた機関で、勘定奉行《ぶぎょう》の支配下である。つまりは役所である。

ところが金座は歩一《ぶいち》と称して、扱い高の百分の一を鍛造《たんぞう》手数料として受け取り、座役人、職人らを雇用《こよう》する商家でもあった。

この歩一の権利を有するのが後藤家である。

幕府開設の折り、家康は京都の金匠《きんしょう》後藤光次《みつつぐ》を招いて金貨を鋳造させた。以来、金座役人を後藤庄三郎《しょうざぶろう》が世襲として引き継いできた。

御金改《ごきんあらため》役の後藤庄三郎は十代を数える。

この後藤家と江戸開闢《かいびゃく》以来の十手持ち九代目宗五郎の家との付き合いは深い。

初代宗五郎は後藤光次に従った使用人であったとか。それがどういうわけで金座裏に家を構え、お上の御用を承《うけたまわ》るようになったか、今となっては子細は分からない。寛永《かんえい》十年（一六三三）、二代目宗五郎のとき、金座に浪人団の押し込み強盗が入った。

宗五郎は強盗と取っ組み合いになり、左手首を斬《き》り落とされながらも、一味を捕縛《ほばく》して金座を守り通した。

後藤家では二代目の豪胆な勇気に玉鋼《たまはがね》に金を流した一尺六寸（約四十八センチ）の長十手を贈り、感謝した。この一件は、三代将軍家光《いえみつ》の耳に入り、金座裏を守る宗五郎の金流しの十手はお上の公認するところになった。

この事件以来、さらに両家の結び付きは深くなった。年々後藤家から少なからぬ額の御《お》番《ばん》代が宗五郎のところに届けられ、宗五郎のところでも金座を守るために常時五、六人の手《て》先《さき》たちを住み込ませていた。

（金座裏には金の大黒《だいこく》がついてなさる）

と、同業の十手持ちが江戸でも一番古い十手持ちをうらやましがる。

宗五郎は神棚の水を取り換え、仏壇に灯明《とうみよう》を点《とも》して、先祖にお参りするのを毎朝の日課とした。その後、縁側に座りこみ、煙管《キセル》をくゆらす。この朝も煙草《タバコ》を一服したとき、おみつから金座呼び出しの件を告げられた。

「ほう、金座からお呼び出しかえ」

「それも用人の喜十郎様ですよ」

早朝の訪問といい、後藤家の奥を仕切る老用人直々《じきじき》の使いといい、緊急な用事と察せられた。

「おみつ、羽織《はおり》だ」

「あいよ」

おみつが亭主の仕度《したく》に奥座敷に姿を消した。すると入れ替わりに住み込みの手先常《つね》丸《まる》が顔を見せた。

「親分、金座から使いが見えたようだが、何か事件ですかえ」

宗五郎の家に住み込む手先たちは、朝一番で金座の周りから町内の掃除をするのが習わしだ。常丸は金座の裏口から通りを横切ってきた用人の姿を目にとめていたのだろう。

「おお、常、なんぞ金座を騒がすような聞きこみがあったか」

常丸は煙管を手に思案する体《てい》の宗五郎を見た。

縁側には昼間は葦簀《よしず》がかけてあるが、朝の間は巻き上げていて、庭石の上の朝顔が蔓《つる》を伸ばし始めた鉢が見られた。

「いやさ、そんな話はとんと聞かないね」

常丸が首を捻《ひね》った。

この年の初夏の騒ぎは屋台店の取締りだ。

幕府では江戸市中に増え過ぎたそば、てんぷら、田楽《でんがく》などの煮売屋台《にうりやたい》を防火上の理由で禁止にした。その数、およそ七百軒。禁止を免《まぬか》れた浅草、上野周辺に屋台を移動させる者が相次ぎ、役人の目を盗んで店を出した者が捕縛されるなど騒然としていた。

「おれの勘《かん》も働かねえ」

「おまえさん」とおみつが金座長官の前に出るにふさわしい絹物の羽織を乱れ箱に載《の》せて運んできた。

「常、何があってもすぐに対応できるよう仕度しておけ」

と命じて宗五郎は仕度を始めた。

奥行七十二間《けん》、間口四十六間、長屋門《ながやもん》の黒板塀《いたべい》に囲まれた金座には常盤橋《ときわばし》に臨む御堀に向かった表門と本両替町《ほんりょうがえちょう》の裏門の二つがあった。表門は長官の後藤をはじめ、座役人たちの出入り口で、槍《やり》を構えた門番が控えていた。

宗五郎の門前にある裏門は下僚や職人たちが利用した。

宗五郎は通りを渡って裏門を潜《くぐ》った。裏門とはいえ幕府の金貨を鋳造する金座である。顔見知りの門番がいて、

「親分さん、ご苦労に存じます」

と挨拶《あいさつ》した。用人の喜十郎から宗五郎の来訪を知らされていたのだろう。

敷地三千三百十二坪に後藤の役宅と金局、金吹所の三つがあった。

金局は常式方、並役など事務方がつめる役所である。

金吹所は文字通りに山から集まってきた吹金を、焼金場で焼いて銀などの含有物を除去し、純金に仕上げるところから始まって小判、一分金を仕上げる作業場である。

この三つを称して金座といった。

宗五郎が裏門を潜るとちょうど職人たちの出勤時刻にぶつかった。

鑑札を指し示して座役人の許しをえて、職人たちが金吹所の建物に入っていく。

「親分さん」

座役人の一人が素早く立つと、後藤の許《もと》へ案内に立った。

十代金座長官後藤庄三郎は役宅の座敷で宗五郎を迎えた。険《けわ》しい顔だ。

「宗五郎、ちといぶかしげな事が起こった」

先程、宗五郎の家に使いに来た老用人の喜十郎も控えていた。

金座の主《あるじ》たる座役人は後藤一族であり、金吹所の頭分たちも累代《るいだい》二十戸が世襲した。

喜十郎も庄三郎と縁戚《えんせき》にあたる。

「なんなりと申しつけを願います」

庄三郎が喜十郎を見た。

「宗五郎、私から話そう」

喜十郎が言い、汗をかいた顔を手で撫《な》でた。

「手代《てだい》の助蔵《すけぞう》をそなたは知っておるか」

宗五郎は曖昧《あいまい》にうなずいた。三十いくつかの手代で並役の一人ということまでは分かったが、はっきりした風貌《ふうぼう》も言葉つきも思い浮かばなかった。

「であろうな。毎日一緒に顔を合わせるわれらとて、助蔵の顔は咄嗟《とっさ》に浮かばぬ。それほどに影が薄い人物じゃ」

喜十郎はそう言うと、助蔵が二月《ふたつき》も前に京へ出張を命じられたと言った。

幕府創設時、金座は江戸、駿河《するが》、佐渡《さど》、京都の四箇所にあった。が、駿河は慶長《けいちょう》年間に、佐渡は享保《きょうほう》年間に廃止され、江戸の他には京都だけが規模を縮小して存続していた。

「そろそろ江戸へ戻る頃合《ころあい》であったが、昨夜、なんと戸田川《とだがわ》の川役人から使いが来て、助蔵とおぼしき死体が発見されたと知らせてくれた。そこで昨夜のうちに長官の命《めい》で若い手代を二人、戸田川まで走らせた……」

老用人は深い吐息《といき》を一つ漏らした。

「宗五郎、先程な、その一人が戻って参って、死体は助蔵に間違いないと知らせてきた」

「戸田の渡しと申されましたが、死体が発見されたのは板橋《いたばし》宿側にございますか、それとも蕨《わらび》宿にございますか」

板橋宿ならまだ江戸の町奉行所が代官所と共同して支配監督する地だ。川向こうとなると十手持ちの管轄外《かんかつがい》、厄介《やっかい》であった。

「宗五郎、板橋宿である」

庄三郎が苛立《いらだ》って言った。

「死因はなんでございますな」

宗五郎がさらに聞いた。

「刀傷と申しておる。それも手練《てだ》れの仕業《しわざ》という」

喜十郎が答え、宗五郎、と庄三郎がまた口をはさんだ。

「戸田川まで行ってくれるな」

「畏《かしこ》まりましてございます」

と即座に受けた宗五郎は、

「後藤様、京に行かれた助蔵さんがなぜ戸田の渡しなんぞ行かれたのでございましょうな」

と聞いた。

庄三郎と喜十郎が顔を見合わせ、

「京から中山道《なかせんどう》を使って江戸に戻る途中と考えられなくもないが、われら金座役人の移動は東海道《とうかいどう》が決まり、解《げ》せぬ」

と溜《た》め息をついた。

「助蔵さんが御用金を京から持参されたということはありませぬな」

「いや、こたびの出張は事務方の打ち合わせであった。懐《ふところ》には路銀《ろぎん》の残りくらいしか持ち合わせてはいまい」

と喜十郎が答えた。

江戸期、旅の途中で危難に遭《あ》うのは珍しいことではない。だが、二人の心配は一金座役人の死を超えているように思えた。

「後藤様、用人さん、腹を割ってくだされ。そのほうが探索も無駄なく進む」

宗五郎は二人の顔を正視した。

庄三郎がふうっと一つ息を吐き、

「そなたに隠すつもりはなかった」

と言い訳した。

「幕府ではこの度、小判改鋳《かいちゅう》を考えておられる。助蔵の京都出張は改鋳される新小判の意匠《いしょう》を京の職人らと考えることにあった」

庄三郎に代わって喜十郎が補った。

「助蔵は吹所棟梁《とうりょう》のよき相談相手でな、長官はこのたびの新小判の意匠を助蔵に任せようとなさっておられたのだ。そのための京行きであった」

江戸に政治の実権が移った今も、京都は意匠に関して、はるかに江戸の感覚を凌駕《りょうが》していた。着物、袋物、化粧、文房具などの意匠、柄《がら》、造りは残念ながら江戸職人では太刀打ちできなかった。

後藤庄三郎は新小判の意匠を京の感覚に頼り、信頼すべき部下を派遣していた。

「その助蔵が京から手紙を寄越《よこ》して、なんとか新小判の設計意匠の思案がなったと言ってきた。その仕様図を持参して江戸に戻れと京の金座長官に頼まれたと十五、六日前の手紙で知らせてきたところだ」

と庄三郎が言い足した。

「後藤様、その仕様図があれば新小判を造ることができますかえ」

二人はうなずいた。

「この度の改鋳は、金の量目が極端に少ないものだ。それだけに小判の意匠は大事であった。もし意匠を盗まれ、それを真似《まね》た含有量の少ない偽《にせ》小判が造られて、市中に出回ったら、空恐《そらおそ》ろしい」

新小判が出回る前に市中に流れて、一気に莫大《ばくだい》な利益を上げるとしたら……金座長官といわずとも戦慄《せんりつ》すべき事態である。幕府の貨幣《かへい》制度を揺るがす事件に発展する可能性もあった。

「昨夜のうちに戸田川へ行かれた手代さんは助蔵さんの持ち物について何か申しておりますかえ」

「持ち物一切《いっさい》を奪われている様子じゃとか」

「むろん今そなたに話したことは手代には告げておらぬ」

喜十郎と庄三郎が代わる代わる説明した。

「分かりましてございます。ともかく戸田へ飛んでみます」

きびきびと立ち上がった宗五郎に金座の長官後藤庄三郎が、

「宗五郎、町奉行所にも仕様図の一件、当分極秘にしてくれぬか、頼む」

と哀願するようなまなざしを向けた。

宗五郎は北町奉行所《きたまちぶぎょうしょ》定廻《じょうまわり》同心《どうしん》寺坂《てらさか》毅一郎《きいちろう》から鑑札《かんさつ》を受けた十手持ちだ。だが、江戸開闢以来の御用聞き、金座とのつながりを考えれば、

「まずは京の金座にそのことを確認するのが先決にございます。それまでいくらか時間も稼げます」

といったん承り、

「もし京から助蔵に仕様図を託したと言ってきたときには、後藤様、勘定奉行にお話しくださいますな」

と念を押した。

「分かっておる」

庄三郎が厳しい顔で承諾《しょうだく》した。

道一本を跨《また》いで家に戻った宗五郎の耳に賑《にぎ》やかな声が台所から聞こえてきた。母親独《ひと》りが待つむじな長屋に戻らずに常丸らの部屋に潜りこんでいた亮吉《りょうきち》の声だ。

宗五郎はそちらに足を向けた。

「親分、お帰りなせえ」

目敏《めざと》く親分の帰りを察した亮吉が言った。

おみつと通いのめし炊きの給仕で手先《てさき》ら六人が箱膳《はこぜん》を前にめしを食っていた。

おみつが黙って立ち上がった。

「親分、なんぞ厄介《やっかい》なことが出来《しゅったい》しましたかえ」

常丸が聞いた。

「並役の助蔵さんが京出張の帰路、戸田川で殺されなさったそうだ」

「なんとぶっちょうづらの助蔵さんがね」

亮吉が並役をそう評した。

「助蔵は独り者か」

「嫁の成《な》り手があるとも思えねえ」

亮吉が悪態をついた。

「東海道を通らずに中山道を抜けてこられたのかな」

常丸が呟《つぶや》く。

「常丸、亮吉、めしをかき込んだら戸田までのすぜ」

二人が箸《はし》を投げ出すと立ち上がった。

「八百亀《やおかめ》が面《つら》を出したらな、あいつの指揮でおめえたちは屋台の取締りに精を出せ」

宗五郎は残った手先たちに指示すると着替えのために奥へ通った。おみつがすでに用意の一式を居間に運んできながら、

「おまえさん、明朝には手先、下《した》っ引《ぴ》き全員を呼んであるけど」

「夕刻前には戻ってこられよう」

と宗五郎は応じた。

明朝、日本橋《にほんばし》の老舗《しにせ》呉服屋松坂屋《まつざかや》の手代政次《せいじ》が金座裏に十手持ちの見習いに上がることになっていた。松坂屋の隠居《いんきょ》の松六《しょうろく》は、

「うちにいた手代が金座裏に上がる日だ。私が介添《かいぞ》えで行きます」

と張り切っていた。

宗五郎は手早く身仕度を整《ととの》えると、神棚の金流しの十手を腰帯に差し落とした。一尺六寸の長十手は懐に入りきらない。

おみつは金流しの十手を持参する亭主に探索の重大さを察した。

宗五郎、常丸、そして亮吉の三人がおみつの切り火に送られて金座裏を出立《しゅったつ》したのは朝の五つ（午前八時）前のことだった。

第一話　屋台騒動

一

日本橋《にほんばし》を起点とした五街道の一つ、中山道《なかせんどう》の第一の宿場が板橋宿《いたばし》だ。品川《しながわ》、千住《せんじゅ》、内藤新宿《ないとうしんじゅく》と合わせて四宿《ししゅく》と呼ばれ、江戸に戻った仲間を出迎えた人々が賑《にぎ》やかに遊び場に繰りこむ、あるいは江戸を離れる人間が馴染《なじ》みの遊女と別れをしんみりと惜しんだりした。そんなところから、四宿はどこも大勢の遊女、飯盛《めしも》りを抱えて、繁盛していた。

日本橋からおよそ二里八丁（約八・九キロ）、板橋の由来は宿場を分かつ石神井川《しゃくじいがわ》の流れに板の橋が架《か》けられていたところから出たといわれる。

金座《きんざ》裏《うら》の宗五郎《そうごろう》は常丸《つねまる》、亮吉《りょうきち》の二人の手先《てさき》を連れてまず板橋宿の番屋《ばんや》を訪ねた。すると土地の岡《おか》っ引《ぴ》きの銀蔵《ぎんぞう》が番屋の上がりかまちに腰を下ろして煙草《タバコ》を吸っていた。小さな髷《まげ》が白髪《しらが》頭にちょこんと乗っていた。

「女男松《めおとのまつ》の親父さん、元気そうでなによりだ」

「金座裏、おまえが江戸外《はず》れまでのしてくるだろうと待っていたんだ」

と老十手持《じっても》ちが笑いかけた。

境内《けいだい》の女男松と相生杉《あいおいのすぎ》の大木二本が名物の乗蓮寺《じょうれんじ》の門前に銀蔵が一家を構えているので、女男松の親分と呼ばれていた。

銀蔵は先代の宗五郎と兄弟分の仲、当代の宗五郎など洟《はな》を垂《た》らしていたときからの知り合いだ。遊び回っていた若い時分、親父には内緒で随分と助けられていた。

「なにしろ殺されたのが金座の手代《てだい》さんだ。後藤《ごとう》家じゃおめえに相談かけるのがまず筋《すじ》」

「ありがてえことだ」

宗五郎はまず大先輩に感謝し、

「仏《ほとけ》を見せてもらおう」

と三和土《たたき》で戸板に載《の》せられ、筵《むしろ》をかけられた死骸《しがい》に視線を移した。代官所の役人の姿が見えないところをみると、検死は済んだということだろう。

宗五郎がそのかたわらに片膝《ひざ》をついたとき、番屋の片隅にいた男が、

「親分さん、ご苦労に存じます」

と声をかけてきた。

「なんだ、鞍吉《くらきち》さんじゃねえか」

と宗五郎より先に亮吉が声を張り上げた。

後藤家から使いに出された若い奉公人のようだ。宗五郎は顔を見知った程度だが、亮吉は親しいらしい。

「おめえもご苦労だったな」

不安げな鞍吉に声をかけると宗五郎は戸板をはさんで反対側に膝をついた常丸に合図した。

常丸が筵の端《はし》を持つとめくった。

すると蟹《かに》のような横広の顔に苦悶《くもん》の表情を残した男が横たわっていた。土気色《つちけいろ》の顔は泥と血で汚れていた。

「死因は心臓《しんのぞう》の一突きだ。まずは腕のいい二本差しだな」

と銀蔵が言った。

棒縞《ぼうじま》の単衣《ひとえ》の胸に血が染みた跡が残って、止どめに首筋を刎《は》ね斬《き》っていた。

常丸が襟《えり》を広げた。すると薄い胸に迷いのない刀の突き傷が深く残っていた。首筋の止どめは必要ないほどの腕前の者の仕業《しわざ》と想像された。

「金座裏、どう見るな」

「血が少ないね」

単衣の染みは死に傷にしてはさほど汚れてなかった。

「そこだ。まあ、殺された場所は別だ」

「どこぞから運ばれてきたと言いなさるか」

「どうもそんな塩梅《あんばい》だ。夜明け前、草刈りに出た近くの百姓が見つけたんだ。あたりに血の跡もねえし、争った様子もねえ」

「助蔵《すけぞう》は持ち物は持ってましたかえ」

「宗五郎、手代は京に御用で出ていたそうだな」

銀蔵は鞍吉から聞き取ったか、言った。

「十五、六日前、京での用事が済んだので江戸に戻ると手紙を寄越《よこ》していた」

「宗五郎、路銀《ろぎん》はもちろんのこと、道中合羽《どうちゅうがっぱ》さえ身につけてねえ。死骸には褌《ふんどし》に単衣、それだけだ。あとは何にも持ってねえ」

「よう金座の手代助蔵と分かりましたね」

宗五郎が聞くと、銀蔵は番屋の片隅に控えていた手先に顎《あご》をしゃくった。三十三、四か、きびきびした手先が常丸のかたわらに座ると、

「親分さん、お久し振りにございます」

と挨拶《あいさつ》した。宗五郎がそう言われて顔を見ると見知った顔だった。

「新橋の佃八《でんぱち》親分のところにいなさった仁左《じんざ》さんだね」

「へえ、佃八親分が亡《な》くなられたあと、お上《かみ》さんが十手を南町《みなみまち》に返上なさり、手先もちりぢりになりました。わっしは故郷の蕨《わらび》に戻ろうと板橋宿を通りかかり、銀蔵親分に挨拶に立ち寄ったのですよ」

「それで女男松にうちで働けと誘われなすったか」

「へえ、三年前のことにございます」

「金座裏、その話はあとでうちに寄ってくんな、おめえに相談があらあ」

銀蔵が言い、仁左がごめんなすってと言いながら、筵を引き剝《は》がし、単衣の裾《すそ》をめくり上げた。右腿《もも》の付け根に下手《へた》な字で、

「金座、助蔵」

と入《い》れ墨《ずみ》が施されてあった。まだ墨が肉に馴染んでいないところを見ると、墨を入れたのは最近のこと、それも自らの手と思えた。

「よう見つけなすった」

宗五郎は銀蔵に言った。

「仁左の手柄《てがら》だ」

ほう、と間近に控える手先を見た。仁左は手柄を誇る風《ふう》でもなく照れたように静かな笑いを頬《ほお》に浮かべていた。

「仁左さんを借りていいかえ、女男松」

「おお、好きにしねえ。ただしだ、金座裏に戻る前にうちに寄ってくんな」

「お上さんにご挨拶に参りますよ」

「この一件、在の十手持ちがしゃしゃり出る幕はなさそうだ。金座裏、おめえに頼んだぜ」

戸田川の土堤《どて》には遅咲きの桜草《さくらそう》が二、三輪可憐《かれん》にも風に吹かれていた。向こう岸の上戸田《かみとだ》村、下戸田《しもとだ》村の土堤は桜草の自生地で、

桜草四五輪浮いて戸田の川

と古川柳《こせんりゅう》にも読まれるほど愛された野花だ。この時代、鉢《はち》植えにして江戸市中に出荷され、

「ええっ、桜草や桜草……」

と響かせる売り声が春の風物詩であった。

風に胞子が乗って戸田川（荒川）を渡り、土堤に移植されて季節外《はず》れに咲いた桜草か。

宗五郎と常丸の二人は仁左の案内で、咲き残った桜草を踏まないように土堤を下りた。

番屋には亮吉を残してあった。鞍吉と協力して、助蔵の死骸を金座に運んでいく算段を命じたからだ。

戸田の渡しは現在の戸田橋の下流およそ一丁（約百九メートル）のところにあった。

助蔵の死体が発見されたのは渡しからさらに二丁ばかり下った河原であった。

「親分さん、ここなんで」

仁左は河原からほんの数間《けん》入った葦《あし》の茂みを指した。

助蔵の死骸が放り出されていた場所だけ、葦が倒れていた。

河原から葦原にものを引きずったような跡がかすかに残っていた。が、血が飛び散った痕跡《こんせき》などどこにもない。

「どう見てもここで殺されたとは思えませんね」

常丸が河原や葦原を眺《なが》めながら言った。

「ああ、旅の者が迷いこむ場所でもなさそうだ」

「となると昨夜のうちに向こう岸から運ばれてきたか」

常丸が言い、仁左が答えた。

「蕨から戸田あたりの持ち船が使われた形跡はねえか、調べました。ですが、土地の船がなくなったり、場所が違って舫《もや》われたりしている様子はないんで」

「仁左さん、よう調べてくださった」

宗五郎は手間を省《はぶ》いてくれた仁左に礼を言った。

「いえ、まだ手ぬかりはございましょう。金座裏の命に従えとうちの親分の指示なんで、なんでも言いつけてくだせえな」

「土地の者の働きに敵《かな》うものか。助蔵がどこで殺されたか、持ち物がどこぞに捨てられてねえか、すまねえが仁左さん、調べを続けてくれめえか」

へえ、と仁左が畏《かしこ》まった。

十手持ちの女男松の銀蔵は、板橋仲宿の乗蓮寺門前で女房のおかねに二八蕎麦屋《にはちそば》をやらしていた。

蕎麦屋といっても旅の者や馬方に酒やめしも出せば、白玉《しらたま》なんぞの甘いものも供するという安直な茶店《ちゃみせ》だ。

「金座裏の親分さん」

目敏《めざと》く宗五郎の姿を目にとめたのは、土地の飛脚《ひきゃく》屋に嫁に行き、亭主が若死にしたので出戻った一人娘のはるだ。年は二十八のはずだが、小柄なせいもあって見た目には娘のように若々しい。

「はる坊、元気でなによりだ」

「出戻りにはる坊もないもんだわ」

そう笑いかけて、

「お父つあんが待ち兼ねているわ。仁左さん、頼んだよ」

とお袋と一緒に店を切り盛りするはるが仁左に命じた。

「へえっ」

と畏まった仁左がはるをちらりと見返した。

「親分さん、こちらへ」

すぐに視線を戻した仁左が店の横を回って、宗五郎と常丸の二人を裏の住まいへと案内した。すると、藤棚のある庭に臨む縁側に、好々爺《こうこうや》然とした銀蔵が初夏の日射しを浴びて座っていた。

「女男松、仁左さんのおかげで手間が省けた、礼を言うぜ」

なんのなんのと応じた銀蔵が、

「探索の見込みはついたか」

と笑いかけた。

「そうそう簡単に目処《めど》が立ちゃあ、十手持ちは苦労しねえ」

「もっともだ」

「女男松の親父さん、この一件、通りがかりの浪人が助蔵の懐《ふところ》を狙《ねら》った事件ではなさそうだ。根はどうやら江戸と京にある」

銀蔵がうなずいた。

「助蔵が中山道を辿《たど》って江戸入りしようとしたのなら、殺害されたのはそう遠くではあるまい」

「金座裏、そいつが戸田川の両岸なら、なんとしても見つけ出すぜ」

「頼もう」

旧知の間柄、御用の話はすぐに済んだ。

そこへおかねが膳《ぜん》にそばを運んできた。さらにはるが盆《ぼん》に茶碗《ちゃわん》を三つ載せてきた。

縁側にぷうんと酒の香りが漂った。

「朝飯抜きだ。そばはありがてぇが酒は遠慮しよう」

「宗五郎、そう邪険《じゃけん》にするねえ。ちっとばかりおめえに飲んでもらわねえと言い出せねえ話がある」

宗五郎と常丸の前にそばと冷や酒が置かれた。

「またなんだえ、女男松はおれの亡くなったお父つあんの兄弟分だ。してみりゃ、おれの叔父《おじ》ご、なんの遠慮がいるものか」

うーんと答えた銀蔵は、茶碗を手にすると一口啜《すす》った。

宗五郎も付き合いに嘗《な》めた。

「せっかくのそばが伸びるといけねえ、ご馳走《ちそう》になります」

常丸は茶碗酒に見向きもせずにそばの丼《どんぶり》を手にした。

「金座裏、おれも年だ。いつお迎えが来てもふしぎじゃねえ」

「冗談を言っちゃいけねえな。おれの親父が早死にしたんだ。その分、叔父貴には長生きしてもらわなきゃあ困るぜ」

「いやさ、孫を相手の隠居《いんきょ》なら長生きもできよう。だがな、血を見るような商売を続けるには根気も体力もうせた、正直なところよ」

と言った銀蔵が続けた。

「おれは隠居しようと思う」

「跡目《あとめ》をどうしなさるか、おれが占ってみようか」

宗五郎はなんとなく相談の内容が予測できた。

「ほう、聞きてえね」

銀蔵が笑った。

「はる坊に婿《むこ》をとって、女男松の跡目を譲るというのはどうだ。相手は仁左さんかねえ」

はるが顔を赤らめ、仁左が困惑《こんわく》の表情をした。

「おれが何年も気がつかなかったのを、おめえは半日もしねえであてなすったねえ」

「うちの人は御用にしか、頭が向かないんですよ」

おかねが笑った。

「仁左もそこそこの年だ、はるは出戻りだ。破《わ》れ鍋《なべ》に綴《と》じ蓋《ぶた》、いい組み合わせじゃねえか」

「なんのなんの似合いの夫婦だよ、親父さん」

「そう思うかえ、ならば頼みだ」

「おれでやれますかえ」

「秋にも祝言《しゅうげん》をと考えたんだがな、金座裏、おめえとおみつさんで仲人《なこうど》やっちゃあくれめえか」

「わっしが仲人を……」

土地の人がいようという言葉が宗五郎の口を出かかった。が、江戸でも一番の古手の御用聞き、金流しの宗五郎とおみつ夫婦をわざわざ仲人に立てるにはそれなりの理由《いわく》があるはずだと思った。

「わっしとおみつでよければ喜んで引き受けましょう」

「そうしてくれるか。これでおれの肩の荷もおりた」

そう言った銀蔵は残った茶碗酒を一息に飲み干《ほ》した。そして仁左とはるも宗五郎に深々と頭を下げた。

「親分、助蔵さんを江戸に送り出したぜ」

庭先に番屋で手配を終えた亮吉の声が響き渡った。

「おかね、はる、若い手先さんにもそばを誂《あつら》えてやりな」

と銀蔵の言葉が飛び、母娘と仁左が急いで店に立っていった。

宗五郎と二人の手先は女男松の銀蔵親分の家を八つ半（午後三時）過ぎに出た。久し振りによもやま話をしたせいだ。

板橋宿から巣鴨《すがも》の庚申塚《こうしんづか》、とげ抜き地蔵で有名な高岩寺《こうがんじ》の前を通り、六義園《りくぎえん》のかたわらまで戻ってきたとき、常丸が言い出した。

「銀蔵親分が仁左さんとはるさんの仲人に親分を願いなすった裏にはなんぞ考えがありそうですね」

「女男松の手先の古手は橋三《はしぞう》って四十男じゃなかったか」

「へえ、その橋三さんの顔が今日は見えませんでしたね」

「親分、常兄い、そいつはおれに聞いてくんな」

と亮吉が言い出した。

「ほう、おめえが知っているか」

「へえ、番太《ばんた》がねえ、暇《ひま》つぶしに話してくれたんで。なんでもはるさんと仁左さんを夫婦にして跡目を継がせようとしたら、橋三さんが、三年にもならねえ新入りが跡目じゃ筋が通らねえ、ものには順序があるとかないとか言い出してねえ、弟分らと語って叛旗《はんき》を翻《ひるがえ》していなさるそうで……」

「そんなこったと思ったぜ」

「もうひとつ、橋三さんがはるさんに傍《おか》っ惚《ぽ》れして、何度もちょっかいを出したがよ、肘鉄《ひじてつ》を食らわされたらしいや」

「そうか、それで親分に二人の仲人をしてもらって橋三さんやら土地の贔屓《ひいき》筋に四《し》の五《ご》の言わせねえという算段かねえ」

常丸が推量した。

江戸でも名代《なだい》の御用聞き、金座裏の宗五郎の仲人となれば、仁左とはるは金看板を背負ったようなものだ。だれも文句を言うことはできまい。

「だが、仁左さんはちっとばかり苦労なさるね」

「まあ、あの仁左なら切り抜けようぜ」

そう答えた宗五郎は、

「亮吉、おめえに話がある」

と言い出した。

「なんでえ、親分」

「松坂屋《まつざかや》の政次《せいじ》がどうしてるか知っているか」

「おお、それだ。ここんとこよ、政次の野郎、お店《たな》にいねえんだ。なんでも隠居の松《しょう》六《ろく》さんの供で湯治《とうじ》に行ってなさるって話だがねえ」

松坂屋の隠居はこの年の正月に年始参りに行った帰路に危難に見舞われ、記憶を失った。が、記憶が戻ったあとも過去を忘れた振りをして、病気を装《よそお》っていた。そんな隠居を松坂屋では上州《じょうしゅう》の草津《くさつ》温泉に湯治にやった。その供が政次といわれていた。

「長い湯治だ。年寄り相手じゃ政次もうんざりだろうぜ」

「亮吉、松六さんの湯治は確かだが、政次の行く先は違う」

「へえ、どこに政次は行ったんで」

「赤坂田町《あかさかたまち》の神谷《かみや》道場でな、住み込みの修行だ」

「なんだって呉服屋の手代がヤットウの稽古《けいこ》なんぞするんで」

常丸がはっとして足を止めた。が、再び何事もなかったように歩き続ける。

「政次は隠居が襲われた事件の責めを負って松坂屋を暇《いとま》されたんだ」

「なんですって！　政次に責めはねえぜ。けえってよ、ご隠居さんの命を助けたんじゃねえか」

亮吉が素《す》っ頓狂《とんきょう》な声を上げた。

「亮吉、政次は呉服屋の手代にしては才気があり過ぎる。早晩、どこかで朋輩《ほうばい》とぶつかる」

「政次はどうなるんで」

「そこで相談だ、亮吉」

「へえ、なんですね」

「政次の身柄はこの宗五郎が松坂屋から貰《もら》いうけた。あいつに力量があるかどうか、常丸、亮吉、おめえらで引き回してくれ」

「親分、政次が手先になろうというのかえ」

「そういうことだ。明日の朝には、松坂屋の隠居が政次を伴って挨拶に見える」

「驚いた」

「彦四郎《ひこしろう》としほには亮吉、おめえから話しておいてくれ」

彦四郎は龍閑橋《りゅうかんばし》際の船宿綱定《つなさだ》の船頭、しほは鎌倉河岸《かまくらがし》の酒問屋豊島屋《としまや》の女中だ。

政次、亮吉、彦四郎は鎌倉河岸裏のむじな長屋で育った幼馴染《おさななじ》みの二十歳、十七のしほを互いに張り合う仲でもあった。

「今晩にも知らせておくぜ。あいつら、驚くだろうな」

亮吉は屈託《くったく》なく言った。

宗五郎は少しばかり安堵《あんど》し、常丸は黙ったまま、江戸府内と府外の境、かねやすの土蔵の前を歩いていった。

二

宗五郎らが金座裏に戻ってきたのは夕刻前、宗五郎はその足で金座の後藤家に助蔵事件の報告に行った。

親分と金座の裏口で別れた常丸と亮吉が格子戸《こうしど》を開けると内玄関の前が騒がしい。

「下駄貫《げたかん》の兄い、何かあったかえ」

常丸が外から戻った様子の下駄貫こと下駄屋の倅《せがれ》の貫六《かんろく》に声をかけた。

「おおっ、戻ったか」

下駄貫は宗五郎の姿を求めるように二人の手先の後ろを見た。

「親分は金座だ」

「柳原《やなぎはら》土堤に屋台を出していた、若いてんぷら屋が殺されやがった。どうやら屋台禁止のあおりじゃねえかと思う」

「それで親分の知恵を借りようって算段か」

亮吉が言うと金座裏では中堅の手先の下駄貫が、

「半端《はんぱ》もんがいっぱしの口を利《き》きやがって」

と嫌《いや》な顔をした。下駄貫は亮吉の小生意気《こなまいき》が気に入らない様子で、何かにつけ嫌味を言った。が、亮吉は平気の平左《へいざ》だ。

「常、そっちはどうだ」

「簡単にいきそうにないね。まずは殺し場所を女男松の親分さんのお手先が突き止めることが先決だろうぜ」

下駄貫がうなずき、裾を払って上がりかまちから玄関座敷に上がっていった。

常丸と亮吉は裏庭に回り、井戸端《いどばた》で汗をかいた顔と手足を井戸水で流した。

「亮吉、政次がうちに来てもうまくやれるな」

常丸が心配げな顔で聞いた。

「兄い、おれたち、生まれたときから一緒だぜ。うまくも何も、うまくいくに決まっていらあ」

亮吉は屈託なく答えた。

常丸は何も分かっちゃいないなと小さな吐息《といき》を漏らした。が、それ以上のことを今話したところで仕方あるまいと口を噤《つぐ》んだ。

台所からは魚を焼く匂《にお》いが漂ってきた。

金座裏には住み込みの手先が五、六人もいるうえ、事件があると通いの手先までが一緒にめしを食うことになる。めしもお菜《かず》もめし屋並に大量に炊き、用意する。それを通いの女中たちを使って、おみつが陣頭指揮する。

亮吉は、今晩、鎌倉河岸の豊島屋に顔を出せるかなと思いながら、裏口から手先たちがたむろする広間に行った。すると番頭格の八百亀《やおかめ》をはじめ、金座裏の手先の大半が顔を揃《そろ》えて、探索から戻った若い手先たちから報告を受けていた。

大きな神棚のある居間には未《ま》だ宗五郎の姿はない。

「八百亀の兄い、新橋の佃八親分のところにいた仁左さんとは親しかったね」

常丸が八百亀に聞いた。

「親しいかどうか、気は合ったな。何度か酒を飲んだこともあらあ。それがどうしたな」

「女男松の親分さんのところで手先をやってなさるんだ。いろいろと世話になったぜ」

「そうか、在所の蕨に帰って、なんぞ小商《こあきな》いでも始めると聞いていたが、銀蔵親分の手先になりなすったか」

「話はそれで終わらねえ。ねえ、常丸兄い」

と得意げに亮吉が口をはさんだ。常丸が困った顔をして、亮吉の口を封じた。

「常丸、亮吉、もったいぶらねえで話せ」

「喋《しゃべ》っちゃ駄目《だめ》な話かねえ、おめでたいことだぜ」

　と亮吉が言ったとき、

「亮吉、おめでたい話たあ、なんだね」

　とおみつが居間に姿を見せて聞いた。

「姐《あね》さんの声がかりだ、話せ」

　と八百亀に促《うなが》されて亮吉が言った。

「仁左さんと一人娘のはるさんが所帯を持つのさ」

「ほう、そいつは確かにめでたいね。はるちゃんは嫁に行ってすぐに亭主に死なれたからね、いい話じゃないか」

「それでよ、親分と姐さんが仲人だ」

「なんだって、うちのひとと私が仲人かえ」

　おみつが両眼を真ん丸にして驚いた。

「ああ、親分は二つ返事で引き受けなさったのさ。そうだよね、常丸兄い」

　帰り道、聞き知った亮吉が常丸に返答を促した。

「姐さん、確かにめでてえ話だが厄介《やっかい》もねえわけじゃねえ、それで銀蔵親分がうちの親分に仲人を頼みなさったのだ。姐さん、この先のことは親分に聞いてくんねえ」

おみつが常丸の思慮深さにうなずき、そうしようかと答えた。

玄関の格子戸が開く音がした。

座に緊張が漂った。

「戻ったぜ」

と宗五郎が迎えに出たおみつに脱いだ羽織《はおり》を手渡し、背の帯に差し落とした金流しの十手を神棚の三方《さんぼう》に戻すと柏手《かしわで》を打って拝礼した。外から戻ってきたときの宗五郎の習わしだ。その後、長火鉢の前にどっかと座った宗五郎が、

「八百亀、雁首《がんくび》揃えているところを見ると、なんぞ出来《しゅったい》したかえ」

と聞き、

「縄張り内で殺しだ」

と八百亀が答えた。

「どこだえ」

「塗《ぬ》師町《しちょう》の勝兵衛《かつべえ》長屋で屋台の若いてんぷら屋が殺されやがった」

「屋台だと」

宗五郎は幕府が防火を盾《たて》に七百軒の屋台店の商いを禁じたことがとうとう事件を引き起こしたかと眉《まゆ》を曇《くも》らせた。

「そうなんで、お上の取締りにあった矢先のことだ。廃業《はいぎょう》を決めた新六《しんろく》が朝起きてこないんでよ、隣《となり》の住人が長屋を覗《のぞ》きこんだところ、出刃を鳩尾《みぞおち》の下に突っこまれた新六が布団の上で死んでいたって寸法だ。大家の勝兵衛の知らせがうちに来たのが昼過ぎでさ、寺坂《てらさか》の旦那《だんな》にお知らせすると、おれっちが勝兵衛長屋に出張ったのさ……」

八百亀が手際よく報告した。

寺坂の旦那とは宗五郎が鑑札《かんさつ》をもらう北町奉行所《きたまちぶぎょうしょ》定廻《じょうまわり》同心《どうしん》寺坂毅《き》一郎《いちろう》のことだ。

屋台のてんぷら屋を幕府の意向で禁じられた新六は、昨晩、どこかで酒を飲み、ほろ酔いで長屋に戻ったとか。町内の木戸が閉まる四つ（午後十時）時分であったという。

その物音を隣の住人、左官の久三《きゅうぞう》の女房やえが聞いていた。

新六の長屋はお馴染みの九尺《くしゃく》二間《にけん》の広さ、小さな三和土に右手に竈《かまど》、水瓶《みずがめ》の置かれた狭い板の間、その奥に四畳半といった造りだ。三和土の隅には砥石《といし》が置かれてあった。商売物の刃物を研《と》いだ様子がある。

独り者の新六は家財道具といっても夜具に炊事道具が持ち物だ。きちんと整理された部屋の布団の上で新六は、仰向《あおむ》けの姿勢で顔に苦悶の表情を残して死んでいた。

凶行に使われた出刃は新六の商売道具であった。

布団だけが乱れて、新六が激しく抵抗した跡があった。だが、部屋はそれ以上、荒らされておらず、物盗りの犯行とも思えない。

「兄い、これだけ暴れていればよ、長屋じゅうが起きそうなもんだぜ」

下駄貫が新六を見ながら言った。

「一人の仕業じゃねえな、おそらく一人が新六の研いだばかりの刃物を使い、もう一人が声が出ねえように口を押さえていたんだろうよ。見てみねえ」

新六の唇《くちびる》には血がにじんでいた。

「相手も新六に指を嚙《か》まれて怪我《けが》しているかもしれねえな」

そう言った八百亀は下駄貫らに部屋の捜索を命じた。そうしておいて第一の発見者の隣の長屋の戸を叩《たた》いた。

左官の久三はとっくに仕事に出ていた。やえが一人、内職の袋貼りの仕事をしていた。

「やえさん、大変なことが起こったねえ」

八百亀が上がりかまちに腰を下ろしながら、柔らかな口調で聞いた。

塗師町は八百亀の女房が小さな八百屋を開く横大工町《よこだいくちよう》の近く、八百亀も顔を知っていた。

「驚いたのなんのって。いくら仕事がなくなったといっても、昼前まで起きてこないのはおかしいからね、新さん、もう刻限だよって声をかけてさ、戸を開けたら、胸の下に出刃の柄《え》が突っ立っているじゃないか。腰が抜けたまま、大家さんの家までよたついて走って行ったのさ」

「礼を言うぜ、おめえのおかげで仏《ほとけ》が早く見つかったんだからな」

そう言って八百亀は聞いた。

「ところで新六は昨日どうしていたね」

「昼間には井戸端で刃物を研いでいたね。そのあと、木戸口に屋台を引き出してさ、きれいに掃除して、夕方には上野池之端《いけのはた》の親分のところに返しに行ったんだ」

「新六の屋台は自前じゃねえのか」

「屋台を自前で持っている者がこんな長屋に住んでいるものかね。池之端の青吾郎《せいごろう》親分から一晩いくらで借りていたのさ」

「香具師《やし》の青吾郎か。新六が戻ってきたのはいつのことだ」

「四つの刻限かねえ。うちの人はさ、ちっとばかり飲んだ酒の勢いで高鼾《たかいびき》だ。でね、わたしゃ、寝そびれてうつらうつらしていたら、新六さんの引戸が開いたのさ」

八百亀の聞き込みに鬢《びん》に膏薬《こうやく》を貼りつけたやえが言った。

「遅いじゃねえか、連れがいるのかと言う新六さんの声を聞いたんだけど、あとはねむっちまってねえ」

「新六はだれか訪れるのを待っていたというわけか」

「そんな塩梅だったがねえ、あとは眠りこんで何も気がつきゃしない。亭主が戻ったら腰を抜かすよ」

やえの長屋を出た八百亀は長屋の木戸口を見た。するとそこに小者《こもの》を連れた寺坂毅一郎が立っていた。たった今、着いたばかりという風情《ふぜい》で長屋を見回している。

「旦那、ご苦労様にございます」

寺坂が、腰を屈《かが》めた金座裏の老練な手先にうなずき返した。

「宗五郎は、外出だそうだな」

「へえ、女男松の親分のところに呼ばれてましてね、野暮用《やぼよう》と聞いてます」

寺坂がにたりと笑った。

「金座の手代が殺されたって話じゃないか、野暮用もなかろうぜ」

八百亀が当惑の顔をした。

「土地の代官所から知らせが入ったのさ。まあ、いい、そっちの事情は宗五郎から聞こう」

八百亀はこれまでの状況を手短に告げた。

「これから大家を訪ねるってのか、おれも行こう」

勝兵衛は手ぐすね引いて待っていた。

「寺坂の旦那、八百亀、うちの長屋で殺しなんぞを起こしやがって、どこのどいつだ」

勝兵衛はこの辺《あた》りでも怒りっぽい名物大家として知られ、薬罐《やかん》大家だの、火吹《ひふ》き竹《だけ》だの言われていた。

番屋にもなにやかやと文句を言ってくるから寺坂も顔馴染みだ。

「大家さん、そいつを調べようとこうして面《つら》出したんだ」

「もう科人《とがにん》をしょっ引いてきたのかと思ったぜ。何が知りてえ」

「新六のことだ」

「真面目《まじめ》一辺倒、殺しに巻きこまれるような男じゃねえ、おれが保証する」

「屋台引きを辞《や》めて何をしようとしていたんだえ」

「辞めてだと、お上《かみ》に辞めさせられたんだ。八百亀、間違えるな」

八百亀がちらりと寺坂の顔を見た。

寺坂は素知《そし》らぬ顔で顎の無精鬚《ぶしょうひげ》を抜いていた。

「あいつはな、間口《まぐち》一間《けん》でもいい、店持ちのてんぷら屋を始めたいと考えていたのさ。これならお上もいちゃもんはつけられめえ」

勝兵衛は嫌味を言った。

「それには先立つものがいらあ、長屋の部屋に大金があったのかねえ」

八百亀はその金を目当てに殺されたのかと一瞬思った。

勝兵衛は、手で顎を何度か撫《な》でたが素直に答えようとはしなかった。

「勝兵衛、おまえにいくらか預けていたか」

寺坂が聞いた。

「へえ、若いのに感心な野郎でね、酒も付きあい程度、博奕《ばくち》も手を出さねえ。まあ、女郎買《じょろうか》いくらい行ったでしょうが、遊女におぼれることもなかった。そんな風《ふう》にして、稼ぎ残した百文二百文をこの三年余り、辛抱《しんぼう》強くおれに預けていたのさ」

「いくら溜《た》まった」

「三両三分と銭が二千五、六百文ばかり……」

「小店ならできそうだな」

「足りない分はこの勝兵衛が貸そうと考えていた」

「身内は」

「お袋が五年前に死んで身寄りはねえはずだ」

「金をおめえに預けていたのを知っていたのはだれだ」

「うちのばあさんの他にはいねえよ」

勝兵衛が明言したとき、

「兄い、部屋から怪《あや》しいものは出ねえぜ」

と下駄貫が顔を見せ、

「馬鹿《ばか》野郎！　うちの長屋から怪しげなものが出てたまるか」

と勝兵衛にいきなり怒鳴られた。

「親分、新六が屋台を借りていた上野池之端の青吾郎だがね、新六に、浅草か上野で屋台を続けるのなら手配すると言ったらしい。それほど新六は腕のいい職人なんだ。だがよ、新六はちょいと考えていることがあるからと断ったそうだ。まあ、店を開くつもりなら、断るわな」

と勝兵衛に怒られた下駄貫が池之端の香具師に会った経緯を告げた。

青吾郎は真っ当な香具師だ、これまでお上に厄介をかけたこともない。

宗五郎はうなずいた。

「青吾郎の家を出たのがかれこれ六つ半（午後七時）時分、池之端に出ている仲間の屋台で一杯ひっかけて、塗師町に戻ってきた。そこまでは調べた……」

「仲間の屋台とは何屋だ」

「田楽《でんがく》屋だ。今度の取締りには引っ掛からなかった運のいい野郎でね、繁松《しげまつ》ってじい様だ。繁松も、おれの店を手伝えって言ったらしいが、ここでもしばらく考えたいと答えたそうな。二合ばかりの酒を芥子《からし》をのせた田楽一皿で飲んで、一刻《いっとき》（二時間）余りをつぶして立ったらしいや。親分、新六は約束の男が来る刻限まで田楽の屋台でつぶしていたんじゃあるまいか」

「そんなところだろうな」

そう答えた宗五郎は、煙管《キセル》の火皿に刻みを詰めて火を点《つ》けた。一服吸って考えをまとめると、

「新六のてんぷら屋はどこへ出ていたえ」

と聞いた。

「芝居のかかるときにゃ、だいたい葺屋町《ふきやちょう》と堺町《さかいちょう》の角だ。芝居客が立ち寄ることもあったし、職人やら芝居小屋の若い衆らでいつもにぎわっていたぜ」

一、二度は食べたことがありそうな亮吉が答えた。
「八百亀、明日っから屋台の馴染みの客で小さな店を仲介してくれそうな人間がいねえか、探ってみねえ」

「へえ」

と畏まったとき、

「おや、兄い方、お揃いだ」

と言いながら、下っ引《したぴ》きの、旦那の源太《げんた》が顔を見せた。

「おめえが面《つら》を見せるのは明日じゃなかったかえ」

宗五郎が笑いかけた。

下っ引きとは八百亀たちのように十手持ちの正体を晒《さら》すことなく、それとなく情報を集めてくる隠密《おんみつ》のことだ。だから、風采《ふうさい》のいい旦那の源太は普段、小僧に荷を背負わせて
「江州伊吹山《ごうしゅういぶきやま》のふもと柏原《かしわばら》本家亀屋《かめや》左京《さきょう》の……」

と呼び声を上げながら、もぐさ売りをしていた。

「明日でいいかと思ったがさ、なんとなく金座裏に足が向いたのさ。親分、てんぷら屋が殺されたってねえ」

「おれも今知ったところだ」

「お上の都合で七百軒の屋台が職を失ったろう。こいつらの中で稼ぎのいい者に店を出さねえかと声をかけて回っている野郎がいるって話だぜ」

「奇特な野郎はどこのだれだえ」

「それがさ、深川辺りの半端者というだけでまだよく分からねえ。なんでも店の資金も出すし、分け前もいいらしい」

「怪しげな話だな。新六の長屋に面を見せた二人目の男がそやつとも限らねえ、明日《あした》っから、おめえらもそこいらを考えに入れて精を出せ」

手先たちがへえっと畏まった。

「台所に酒がつけてあるよ」

とおみつの声がして、手先たちがぞろぞろと広間から台所に姿を消した。すると旦那の源太がへらへら笑いながら、両手を差し出して長火鉢の前に詰めてきた。

「親分、懐が空《から》っけつだ」

「おまえの懐が温まったという話はとんと聞かねえぜ」

と言いながら、長火鉢の引き出しから一両を出した宗五郎が、

「今晩のところ、これで我慢しねえ」

と渡した。

「ありがてえ。これで姐さんの酌《しゃく》でうまい酒が飲めらあ」

と台所に貫禄《かんろく》のある巨体を揺すって消えた。

しほはなんとなくやるせない気持ちを抱えて彦四郎の相手をしていた。

酒がうまくて、安い。それに大ぶりの味噌《みそ》田楽《でんがく》が名物とあって、鎌倉河岸の豊島屋は店の奥も外も馴染みの客で盛況だった。

白酒が名物の老舗《しにせ》豊島屋は、一日に何十樽《たる》も酒を消費する。

江戸じゅうから馬を引いたり、船に乗ったりして上方《かみがた》からの下《くだ》り酒《ざけ》を買い出しにくるほどの酒問屋でもある。さらに豊島屋では空いた樽を一つ七十文で売る。これが豊島屋の儲《もう》けにもなっていて、主《あるじ》の清蔵《せいぞう》は店で出す酒や田楽には儲けをのせていない。

安い値の秘密だ。

そんなわけで御城近くの鎌倉河岸でも一番の賑わいを見せていた。

しほは鎌倉河岸の裏手の長屋に住んで、豊島屋の女中をしながら独り暮らしを続けていた。そんなしほを政次、彦四郎、亮吉の幼馴染み三人は互いに張り合っている。

「政次の野郎、騒ぎを起こしたと思ったらよ、今度は隠居の供で草津の湯なんぞに行きやがった。なんだかつまんないね」

彦四郎がしほの気持ちを察したように言う。

政次は日本橋二丁目の老舗の呉服屋松坂屋の手代だ。彦四郎と亮吉は毎晩のように現われるが、政次はこのところ姿を見せていない。

しほはまた一段と背丈が伸びた大男の彦四郎にうなずき返すと、河岸のそばに立つ老桜を眺めた。

享保《きょうほう》二年（一七一七）、八代将軍吉宗《よしむね》お手植えの桜とか、八十余年を経《へ》た八重《やえ》桜だ。

しほは御堀と御城を背景に凜《りん》と立つ老桜が好きで、何か悩みごとがあると話しかける。

葉桜は夜風を受けて、静かにそよいでいた。

「しほちゃん、何をぼっとしてるんだ」

石畳に草履《ぞうり》をぺたぺた響かせて、口をまだもぐもぐやりながら亮吉がやってきた。

金座裏の台所でめしをかきこんで、そのまま走ってきた様子だ。

「亮吉さん、ごはんくらいゆっくり食べるもんよ」

亮吉は空樽を利用した腰掛けにぺたりと腰を落とすと、

「しほちゃん、話があらあ。ここに座ってくんな」

と隣の空樽を指した。

「話？　またそんなこと言って私のお尻《しり》に触る気でしょう」

「そんなんじゃねえや、政次のことだ」

「政次さんの……」

しほは前掛けの前に提《さ》げた空《から》の盆を手に店の内外を見た。

刻限も過ぎて、客たちも落ち着いていた。

「政次が店に戻ったか」

彦四郎が手酌で酒を注ぎながら聞いた。船頭の彦四郎は三人の中でも一番の稼ぎ頭、祝儀《しゅうぎ》を入れると一月に一両を超えることもしばしばだ。

「おれにも一杯飲ましてくんな」

兄貴分が大勢いる金座裏の台所で酒を飲むより豊島屋で彦四郎の懐をあてに飲むことが好きな亮吉が卓の盆に積んであった茶碗を摑《つか》むとなみなみと注ぎ、一気に半分ほどを飲み干した。

「亮吉さんにはお酒の飲ませがいがないわね」

「こいつの酒は馬方《うまかた》か駕籠《かご》かきの飲み方だ」

「彦四郎さん、馬方や駕籠屋の人が聞いたら気を悪くするわよ。亮吉さんよりずっと上品だもの」

亮吉は残った酒を飲み干して言った。

「二人して言ってやがれ、今に驚くぞ」

「もったいつけねえで話せ、亮吉」

彦四郎が怒ったように催促《さいそく》した。

「政次はなあ、もう松坂屋の手代じゃねえんだ」

「なんですって！」

「嘘《うそ》をつきやがれ、亮吉」

二人が口々に叫んだ。

「だからよ、言ったろ、驚くって。こいつはほんとのほんとのことなんだ。さっき、親分におめえたちに話せと申しつかってきたんだ」

しほと彦四郎は沈黙して亮吉の顔を正視した。

「どうやらほんとの話らしいな」

「政次さんたら、松坂屋さんを辞めてどうするの」

「そこだ」

空の茶碗を手にかたかたと卓の上を叩いて亮吉が言った。

「金座裏で手先になるんだよ」

「まさか……」

と彦四郎が言い、

「亮吉、政次がおめえの弟分になるのかえ」

「そうだ、親分がはっきりと言いなさった。政次はうちで引きとるってな」

しほの胸の内で考えが錯綜《さくそう》した。

（親分が考えなさることだ、何かわけがある）

直感でそう思った。

「こいつはちょいと変だ」

「どこが変だ」

彦四郎が言い、亮吉が応じた。

「老舗の松坂屋で一人前の番頭になるのはあと二十年近くも辛抱しなきゃならないんだぜ。先輩の手代や番頭に嫌味言われながら、我慢しなくていいんだ。いい話じゃねえか。それにさ、しほちゃん、これから政次は毎日だって、豊島屋に顔を見せることができらあ、うれしいだろ」

「それはそうだけど」

しほの胸に何かが引っ掛かっていた。

「亮吉、おめえは政次と仲良くやれるな」

「常丸兄いも同じ心配をしやがった。彦、おれっちはよ、むじな長屋で餓鬼《がき》の頃から兄弟のように育ったんじゃねえか。気心も知れていらあな」

「それはそうだがよ」

彦四郎も漠然《ばくぜん》と不安に思っていた。

「亮吉、政次はおれたち三人の中でも断然賢こいしよ、立ち回りもなかなかのものだ。おめえを差し置いてあいつが手柄を立てることがあるかもしれねえ」

「彦もしほちゃんもそんなことを心配しているのか。手先の仕事はよ、そう簡単なこっちゃあねえ、年季がいらあな。それに手柄はとったりとられたり、この世界じゃ仕方のないことさ」

「おめえがそう言うならいいけどよ」

「で、政次さんはいつから金座裏に来るの」

「明日の朝に松坂屋の隠居さんが政次を連れて挨拶に来られるらしい。なんでもよ、この二月《ふたつき》、あいつは寺坂の旦那が修行なさっていた赤坂田町の神谷道場でヤットウの稽古に励《はげ》んでいたそうだ」

かった。

「草津じゃねえのか」

「ああ、湯治じゃねえ、ヤットウだ」

彦四郎としほの胸にまた新たな不安がよぎったが、二人はもはやそれを口にできなかった。

三

金座裏を訪れた羽織袴《はかま》の松坂屋の隠居松六と角樽《つのだる》を提げた政次は、緊張の面持《おもも》ちで神棚のある居間に通された。身の回りのものを包んで担《かつ》いできた風呂敷包みは玄関先に置いてある。

居間に続く広間には八百亀以下の手先、旦那の源太、髪結《かみゆ》いの新三《しんざ》ら下っ引き全員が顔を揃えていた。

「宗五郎さん、おみつさん、うちの手代の政次をおめえさんのところに届けにきた。なんだか、倅を婿入りさせる気持ちだよ」

「へえ」

宗五郎がうなずき、おみつが頭を深々と下げた。

松六は広間の八百亀らを振り返った。

「おめえさん方とは政次は顔見知りだな。この度、ちょいと考えがあって、松坂屋を退《ひ》かせ、金座裏の宗五郎親分のところで修行をし直してもらうことになった。二十にもなろうという政次に付き添いもないもんだが、おまえさん方も知ってのとおり、私がこうして元気でいられるのも政次のおかげ、いわば命の恩人だ。そこでね、白髪頭を金座裏まで運んできたってわけだ。呉服屋の手代とお上の御用を仰せつかる仕事じゃ、まるで勝手も違おう。雑巾《ぞうきん》がけから修行をやり直せと政次には言っておる。すまないが年寄りの願いを聞き届けて、厳しく教えこんでくれまいか」

松六が深々と頭を下げ、政次も倣《なら》った。

八百亀が慌《あわ》てた。

「ご隠居、頭を上げてくんねえ。それじゃあ、返答のしようもねえ」

松六がようやく頭を上げた。

政次はまだ下げたままだ。

「松六様、おれたちは宗五郎親分のお手先だ。親分がこうだと決めなすったことは、たとえなんであろうと従うのが手先、下っ引きの務めだと腹に叩きこんでやってきた。政次さんが松坂屋さんを辞めた理由はいろいろございましょうが、おれっちの知ったこっちゃねえ。おれっちは政次を仲間として受け入れ、分からねえところはいろはのいの字から教えこむ。なあ、みんな」

老練な手先が仲間を振り返った。

「へえ、異存はございませんぜ、ご隠居」

「任せてくださいな、松坂屋様」

下駄貫や旦那の源太が答えて、八百亀の考えに賛意を示した。

「ありがたい、これで肩の荷が下りた。年寄りが長居をしては御用の邪魔《じゃま》だ、私は引き上げますよ」

松六は言うと腰を上げながら、

「政次、松坂屋に小僧に入った折りのことを思い出して、陰日向《かげひなた》なく精を出すんですよ」

と最後に念を押した。

「松六様、お言葉を肝《きも》に銘じて務めます」

宗五郎とおみつが松六を玄関先まで送っていった。

「皆さん方、足手まといにならないように一生懸命働きます。よろしくお引き回しのほど、お願い申します」

政次が改めて八百亀らに頭を下げた。

「なんだかよ、他人行儀だな。おれっちが親分のところに来たときはよ、捨て猫でも貰ってもらうみたいに勝手口からおっ母《か》さんに連れられてきたぜ」

亮吉が素っ頓狂な声を上げた。

「おめえは裏口が似合いだ。若くして松坂屋の手代を務めていたほどの政次だ、そうはいくかえ」

下駄貫が憎まれ口を叩いた。

「同じむじな長屋で育った仲だがな」

亮吉がぼやいたとき、宗五郎とおみつが戻ってきた。

「松六様がおれに代わって政次のことは話されたから、おれから重ねては言わねえ。よろしく引き回してくれ」

へえ、と改めて八百亀が頭を下げた。

「早速だが、御用の話だ。八百亀、おめえが頭になって、夕《ゆ》んべの手筈《てはず》どおりにてんぷら屋の新六殺しの探索に動け」

そう命じてから宗五郎は言った。

「旦那の源太と髪結いの新三は、屋台を辞めた者たちに声をかけて回っている男を探り出せ。なんの狙いでわざわざ職人を集めているのか、気になる」

その話を初めて耳にする新三は、はっという表情を見せた。が、渋い造りの顔から驚きをすぐに隠した。

「新三、なんぞ思いついたことがあるか」

宗五郎は目敏く新三の変化を見てとった。

「親分、ちょいと時間をくんな」

「いいだろう」

親分の言葉に下っ引きらが畏まった。

「親分、金座の一件はどうするね」

「こいつはおれが手掛ける。常丸、政次、おめえらはこっちにかかる」

へえ、はい、と二人がうなずき、おみつが言った。

「政次は今晩から住み込みだ。亮吉、布団なんぞは用意してあるよ。荷物を収める柳《やなぎ》行李《ごうり》も上げてある、教えてやんな」

ほいきた、と亮吉が立ち上がり、

「政次、おれについてきな」

と二階への階段に案内していった。

金座裏の二階は、十畳間が二つ廊下をはさんで向かい合っていた。どちらの部屋にも一間半の押し入れがついていて、各自の布団と柳行李がきちんと入れられていた。

「政次、住み込みは常丸兄いが兄貴分だ。みんな、年が若いからよ、気をつかうことはねえ。分からねえことがあればおれに聞きな、当分、一緒に寝泊まりしてやらあ」

気のいい亮吉が言った。

「亮吉」

柳行李に風呂敷包みを解いて、着替えなど仕舞おうとした政次が手を休めて呼んだ。

「おれが親分のところに厄介になって、迷惑じゃないか」

「一緒に働けるんだ。おれは喜んでいるぜ」

とあくまで屈託がない。

「そうか、頼む」

「おお、任せておけって」

そう答えた亮吉は、

「手先の第一は迅速な動きだ。常丸兄いの目配りを見習っていれば心配ねえ」

と言ったときには階段を走り下りていた。

政次の初仕事は北町奉行所へ出かける宗五郎の供だった。

真新しい棒縞の単衣の裾を腰帯に巻き込み、これも新しい股引《ももひき》、草履を履《は》いて、髷はちょいと斜めに崩してある。これだけでも松坂屋の手代とは心持ちが違った。

一石橋《いっこくばし》を渡って西河岸町《にしがしちょう》に入る。松坂屋は次の呉服町を左に折れると、二丁も先に見えた。今やその二丁は江戸と京都ほどの遠さを持っていた。

この二月《ふたつき》、政次は赤坂田町にある直心影流《じきしんかげりゅう》の神谷丈右衛門《じょうえもん》道場で道場の拭《ふ》き掃除をしながら、神谷から剣術をはじめ、護身術の手解《てほど》きを受けた。むろん二月で技が覚えられるわけもない。だが、神谷から体のどこをどう叩けば、あるいは捻《ひね》れば、相手を制圧できるかなどを教えてもらい、政次は、

（なんでも基本だ……）

と剣術の奥深さに感心した。なにより二月の道場暮らしは商人から御用聞きの手先に転身する気持ちを固めさせた。

御堀に架かる呉服橋を渡ると、北町奉行所のいかめしい門構えが正面に聳《そび》えて見えた。

敷地総数二千六百三十坪の北町の奉行は、小田切土佐守直年《おだぎりとさのかみなおとし》だ。

「親分さん、ご苦労に存ずる」

門番が江戸でも一番古い十手持ちにして古町町人《こまちちょうにん》の宗五郎に挨拶した。

「おはようございます」

ちょいと腰を屈めた宗五郎が門内に消え、常丸と政次はその背を見送った。

「門前で待つのは邪魔だ。御堀端に行こう」

常丸が政次を訴人たちが呼び出しを待つ堀端に誘った。そこには腰掛けが用意されて、十数人が腰を下ろして待っていた。

「政次、手先は待つのも仕事だ」

「はい」

政次は快活に返事して、丁寧《ていねい》に腰を折って頭を下げた。

「おいおい、それじゃあ、松坂屋の店先だ。おれたちの返事は短く、へえ、と相場が決まってら」

「はい」

「こりゃ当分、駄目だな」

常丸が笑った。

「親分が奉行所を訪ねられたのは寺坂毅一郎様にお目にかかりに行かれたんだろうぜ」

政次が修行した神谷道場は寺坂毅一郎が高弟だった道場だ。政次がいた二月の間に

寺坂が顔を見せて、

「慣れねえだろうが頑張れよ」

と励ましてくれた。

「おれは昨日、親分の供で戸田川へのしてきた……」

常丸が金座の手代助蔵が京都からの帰路、戸田川の河原で死体で発見された経緯を話した。

「なにしろ金座の手代が殺されたんだ、何が絡《から》んでいるか分からねえ。よほど注意しないといけねえぜ」

と常丸が注意したとき、宗五郎と寺坂が肩を並べて奉行所の門を出てきた。

「政次、今日から宗五郎親分のところに世話になるってな、精出して働きな」

寺坂毅一郎が若い手先に言った。

「寺坂様、よろしくご指導のほどお願い申します」

丁寧に政次が腰を折った。

うーんと答えた寺坂が宗五郎に視線を向け直した。

「神谷先生が政次は剣術の飲み込みが早い、二、三年も辛抱すればいい腕になろうと褒《ほ》めてなさった。先生は滅多《めった》に褒められる人じゃない。親分、政次をさ、暇を見つけて赤坂田町の道場に通わせねえ」

「ほお、神谷先生がねえ」

と笑った宗五郎が、

「寺坂の旦那もああ言われるんだ。政次、時間を見つけて道場で汗を流せ」

と政次に剣術の修行をすることを許した。

常丸は、寺坂と宗五郎の話を聞きながら、

（政次はただの手先に入ったんじゃない、金座裏の後継者として教育されている）

と直感した。

そう考えれば、江戸でも屈指の大店《おおだな》松坂屋の隠居が付き添ってきた理由が分かる。

それを知ったとき、亮吉がどう考えるか、常丸は心配した。が、親分がついていなさることと、手先が気にかけることでもないかと考え直した。

「宗五郎、金座の一件は今のところ、おれの腹に仕舞っておこうか」

と寺坂が言い、奉行所に戻っていった。

「品川までのすぜ」

宗五郎は二人の手先に行き先を告げた。

生まれついての御用聞きは早足に慣れていた。長身の背筋をぴーんと伸ばして、さっさと江戸の町を歩いていくと宗五郎の羽織の裾がぱっぱと腰のあたりに躍った。そして時折り金流しの十手がちらりと覗いた。

五尺七寸（約百七十三センチ）余の政次と中背の常丸が宗五郎に従った。

「常丸、政次、おめえら二人には事情を話しておく。八百亀だろうが亮吉だろうが喋っちゃならねえ」

宗五郎が東海道に出たところで釘《くぎ》を刺した。

「へえ、親分」

「はい、承知しました」

二人が答えた。

「金座の助蔵が京に出かけていたのは、新しく改鋳《かいちゅう》される小判の意匠《いしょう》を京の金座職人と工夫するためだ。助蔵はその仕様図を懐に江戸に戻ってきたと思える……」

常丸が思わず小さな叫びを上げた。

「常丸、助蔵の死体は何も身につけてはなかったな。事情を知った者が仕様図を手に入れたとなると大事だ、金座の後藤家としては内々に仕様図を取り戻したい。そこでおれが昨日、庄三郎様に呼ばれたってわけだ」

宗五郎は言葉を切った。

「寺坂の旦那は助蔵が殺されたことをすでに知ってなさった」

「親分、板橋の代官所の役人にしては仕事が素早いね」

常丸はそう推測して言った。

「だが、寺坂の旦那にも助蔵が新小判の意匠に関わっていたことは申し上げてねえ」

幕府でも最大の機密だ。常丸も政次も改めて町奉行所同心さえ事情を知らされてない事件に携《たずさ》わる緊張に身を引き締めた。

「ところが世間はせまい。寺坂様の密偵の一人が、品川宿の遊女が客の一人が姿を消して戻ってこないと心配している、というのを聞きこんできた。そこでひそかに探ってみると、消えた客は金座手代の助蔵、女は品川宿の妓楼信濃屋《ぎろうしなのや》の抱え女秋世《あきよ》ということが分かった。助蔵が京から東海道を辿って、品川宿に入ったのが、三日前の夕暮れの時刻だ。助蔵は金座に戻る前に品川に立ち寄って、馴染みの秋世と一晩を過ごすことを、前々から約束してあったんだ。だがよ、酒を一合ばかり飲んだあと、半刻《はんとき》(三〇分)ばかり野暮用で出てくると秋世に言い残して外に出たそうな。ところが待てどくらせど戻ってこない。そこでさ、心配になった秋世は店の者たちに喋ったわけだ、それが寺坂様の耳に入った」

「品川女郎にしては情《じょう》が深《ふけ》えや、助蔵は銭を払ってないのかね」

常丸が言った。

三人はすでに増上寺のそばまで歩いてきていた。

「秋世は助蔵さんと所帯を持とうという約束があったのですね」

「そういうことだ、政次」

「そうかそれなら符丁《ふちょう》が合う」

常丸が納得《なっとく》した。

三人はようやく品川大木戸を潜《くぐ》り、四宿の一つ、品川宿に入っていった。

八百亀は手先たちを二つに分け、一つを自分が、もう一方の組を下駄貫に指揮させて、殺された新六の長屋周辺の聞き込みを続けさせた。

八百亀の下には金座の助蔵殺しから回されてきた亮吉やだんご屋の三喜松《みきまつ》らが従うことになり、新六が屋台を出していた芝居町、俗にいう二丁町の辻《つじ》から聞き込みを始めさせた。

新六は芝居のかかる月は昼過ぎから幕の下りる刻限過ぎまで屋台を葺屋町と堺町の辻に置いていたのだ。

三喜松と亮吉は幟《のぼり》がはためく芝居小屋の若い衆たちの間を独楽鼠《こまねずみ》のように走り回っ

て、新六の屋台の常連のことを聞いて回った。すると中村座《なかむらざ》の木戸番の光平《こうへい》が新六のてんぷら屋に顔を出していたことが分かった。

「兄い、ちょいと邪魔するぜ」

亮吉が、下足札《げそくふだ》を二枚打ちつけながら呼び込みをしていた光平に声をかけた。日向《ひなた》に立っているせいで顔を真っ黒に日焼けさせた光平は、四十前後の男だった。

「おめえさん方は金座裏のお手先だな」

「おお、そうよ」

「新六の一件かえ」

「話が早いや」

光平は仲間に下足札を渡すと中村座の横手に二人の手先を連れていった。からっとした昼下がりの陽光が静かに二丁町を照らしつけていた。

「何が知りてえ」

「廃業したあと、新六が何をやるか知っていたかえ」

「おお、知っていたさ。店持ちになるんだろ」

「常連の客はそいつをみんな知らされていたのか」

「新六が話したわけじゃねえ。お上の沙汰《さた》で屋台が禁じられることが決まったあと、新六の身の振り方が客の間で話題になったことがあらあ。そのときよ、新六は水を近くにもらいに行って、いなかったんだ。だれだったかな、新六が小さくてもいい、てんぷら屋の店を開くつもりらしいと言い出した」

「だれだえ」

「そいつがなあ、おれはだいぶ酔っていておぼえがねえんだ」

「その場にいたのはだれとだれだ」

「五條屋《ごじょうや》の通いの番頭の達三《たつぞう》はいたな。時折り、芝居町に客を乗せてくる駕籠かき二人がいたかもしれねえ。だけど、言い出したのはこいつらじゃねえな」

「屋台だぜ、おめえがいて客が四人、その他にいたのかえ」

「新六の揚げるはぜのてんぷらなんぞは抜群にうまいんだ。だからよ、屋台の周りで立ってだって食う人間もいた」

「だけど、おめえさん方のように酒を飲んでねばりはしめえ」

「そうだな、きっと達三なら覚えていると思うがね」

亮吉は光平の顔が焼けているのは日射しのせいだけではなく、酒焼けだと気がつかされた。手もかすかに震えている。

「なんぞ思い出したら、金座裏に知らせてくれ」

亮吉と三喜松は光平から聞き出すことに見切りをつけて、芝居町の一角で京下《くだ》りの白粉《おしろい》やら紅《べに》を売る小間物屋の五條屋を訪ねた。店はさほど大きくはなかったが、場所が場所、品揃えがしっかりとしていた。

二人の手先が店の暖簾《のれん》を潜ると、女の醸《かも》し出す匂いがぷーんと鼻をついた。どこぞの大店のお嬢さんといった風情の娘が手代相手に紅をあれこれと品定めしていた。

「なんぞごようどすか」

帳場から上方訛《かみがたなま》りで問い掛けられた。

「仕事の邪魔をしてすまねえ、番頭の達三さんはどなたかえ」

帳場の向こうから立ち上がった中年男が目で亮吉らに三和土の一角から奥へ通るように合図した。五條屋は奥行きのある京風の造りで、細く暗い通路を行くと坪庭に面した裏土間に出た。

「御用の筋どすな」

うなずいた三喜松が、

「てんぷら屋の新六が殺されたのは知っているな」

と聞いた。番頭はおびえたように身をすくませ、知ってま、と答えた。

「新六が屋台を廃業したあと、小さな店を持つという話はどうだえ」

達三は小さくうなずく。

「そいつを最初に話したのはだれか覚えてないか」

「それは口入れ屋《くちいれや》の梅《うめ》はんどすわ」

「口入れ屋？　どこの口入れ屋だえ」

「住吉《すみよし》河岸の丸一《まるいち》の手代さんどす。新六さんとは年が近くてな、うまが合ったようどした」

「その場に中村座の呼び込みもいたかえ」

三喜松に代わって亮吉が聞いた。

「おられましたわ。すでに酔っておられましてな、体を前後に揺すりながら芝居の声色を叫んでおられた。それが下手で聞くにたえまへん」

「駕籠もいたそうだな」

「へい、どこの駕籠屋か知りまへんけどおられました。でも、二人は女の話に夢中でこっちの話は聞いてまへんでしたな。わてはそれ以上のことは知りまへんえ」

と言う達三に、ためになったと礼を言った三喜松と亮吉は、再び暗い通路を抜けて通りに出た。

「だんご屋の兄い、口入れ屋ってのはくさいな」

実家がだんご屋のせいでだんご屋の三喜松と呼ばれる年上の手先に、亮吉が言った。

「口入れ屋なら顔が広いや。新六が店の紹介を頼むとしたら、うってつけだな」

二人は芝居町から住吉河岸に急いで向かった。

四

住吉河岸の口入れ屋の丸一は、場所柄江戸湾に上方から到着した弁才船《べざいせん》から荷船に荷を詰め替える人足《にんそく》たちに職を仲介する桂庵《けいあん》、口入れ屋だった。

間口三間ほどの店の土間には明日の仕事を求める男たちが何人かたむろしている。

亮吉と三喜松が人足たちの間をかき分けて帳場の前に出ると、背の低い格子の向こうに初老の番頭が座って手配師に指図していた。すると畏まった手配師が人足たちを店の外に連れ出した。

番頭の注意が二人に行った。物でも見るような薄情そうな視線を向けたが、すぐに御用聞きの手先と気づいたらしく、顔を崩して造り笑いをした。

「これはこれは金座裏の兄さん方で」

「おめえさんが番頭の平蔵《へいぞう》さんだな」

と三喜松が問うた。

「へえへえ、番頭の平蔵にございます。本日はなんぞ御用の筋にございますか」

「手代の梅というのはいるかえ」

「はて、手代に梅というのはおりませんがな」

「芝居町に屋台を出していたてんぷら屋に面を出す梅だよ」

「それならば手配師の梅次《うめじ》にございますよ。手配師は店の人間ではありません、仕事をしていくらの男どもです」

口入れ屋の丸一が紹介した人足たちの割り前をはねて稼ぎにする、いわば口入れ屋と人足たちの間の仲介者だと平蔵は言った。

「そいつは今日、どうしてるな」

それが、と番頭は小首を傾《かし》げた。

「ここ二日ばかり顔を見せてないんで」

「梅次の住まいはどこだえ」

「川向こうの深川佐賀町の雨漏《あまも》り長屋と聞いてます」

「深川佐賀町たって、川沿いに広いぜ」

亮吉が念を押して聞いた。

「中之橋《なかのばし》際だそうで。あのへんで雨漏り長屋と言えばすぐに分かります」

「どんな男だえ」

三喜松が代わった。

「博奕好き、女好き、酒好きの三拍子が揃った男ですよ」

「いつも金に困っていた手合いか」

「へえ、おっしゃるとおりでございます。ただね、肝の座った男じゃありません」

番頭が明言した。


深川佐賀町は永代橋際《えいたいばし》から上流に下之橋、中之橋、上之橋と堀割に架かる橋を跨《また》いで広がっていた。

中之橋の雨漏り長屋は今川町との境の低地に傾くように建っていて、板葺《いたぶ》きの屋根もめくれ上がり、雨漏り長屋の意味がすぐに分かった。この分なら小雨でも漏ってきて大変だろう。

三喜松と亮吉が雨漏り長屋の木戸を潜ったとき、長屋の女どもがどこから拾ってきたか、竹籠《たけかご》に入った野菜くずを井戸端で仕分けしていた。

「梅次の長屋はどこだえ」

亮吉が長屋と同様に荒れきった風体《ふうてい》の女たちに聞いた。煮しめたような肌着一枚の

女が、ぎらりとした視線を向けて、

「十手持ちの手先が来るとこじゃないよ」

とうそぶいた。

「姉さん、そう言わないで教えてくんな」

しなびた青菜をより分けていた娘がちらりと奥から二軒目の長屋を見た。

亮吉と三喜松はその長屋に向かった。

「無駄だね、梅はいやしないよ」

肌着一枚の女がまた叫んだ。

三喜松が腰高障子に手をかけて引いたが中から心張棒《しんばりぼう》がかけられているのか、開かなかった。

亮吉がどぶ板を踏んで裏に走った。

じめじめした路地を抜けて裏に回ると、梅次の長屋の障子がわずかに開いていた。

亮吉は障子を押し開いた。すると血腥《ちなまぐさ》い臭《にお》いが漂ってきた。薄い闇《やみ》を透《す》かすと上がりかまちに男が一人崩れるようにうずくまっていた。

亮吉は草履を脱いで懐に入れると、狭い長屋に上がりこんだ。

雑然とした部屋のものを踏まないようにして部屋を横切り、表の戸口にかけられた心張棒を外して、障子戸を開けた。

西日がかっと長屋を照らしつけた。

「兄い、死んでいらあ」

三喜松は、白目を剝《む》いて悶絶《もんぜつ》した男の首筋に細引《ほそび》きがくいこんでいるのを見た。

油断したところを後ろから細引きを回されて一気に締め上げられたのだろう。

虚空《こくう》を引っ搔《か》いた様子を残した手の指に歯形が残っていた。

「兄い、新六が嚙んだ傷らしいな」

「まず間違いなかろうぜ」

戸口で悲鳴が上がった。

肌着一枚の女が笊《ざる》に入れた野菜くずを両手に抱えて、白目を剝いた死体を見ていた。

「姉さん、こいつが梅次だな」

「はっ、はい」

ぶるぶると震える女ががくがくとうなずいた。

「大家を呼んできてくんな」

亮吉の命に女は笊を投げ捨てて、どぶ板の向こうに姿を消した。

半刻後、雨漏り長屋に芝居町で聞き回っていた八百亀らが移動してきた。

大家を呼んで、死体が梅次であることを確かめさせた三喜松らは使いを金座裏に走らせたのだ。

八百亀には定廻同心の寺坂毅一郎と、なぜか下っ引きの髪結い新三が同行していた。

「だんご屋、亮吉、手柄だったな」

寺坂がまず二人の手先を褒めた。

「梅次は三下《さんした》にございますよ。それに殺されたとあっては手柄もなにも……」

亮吉が言った。

「まあいい、殺した野郎の見当《けんとう》もついている」

寺坂はそう言うと検死を始めた。

「殺されたのは昨夜あたりか」

「昨夜、だれぞと連れ立って戻ってきたようなんで」

亮吉が長屋の住人から聞きこんだ話を寺坂に報告した。

「その直後に殺されたって塩梅か」

簡単に検死が終わり、番屋に梅次の死骸が運び出されたときには雨漏り長屋はとっぷりした闇に包まれていた。

「八百亀、何刻だ」

「かれこれ五つ半（午後九時）前ってところでしょうかえ」

「早いが踏みこむか」

「へえ」

寺坂の命に八百亀が畏まった。

寺坂らは二艘《そう》の船を中之橋際に舫《もや》っていた。

一艘は奉行所の船、もう一艘は船宿綱定の船で船頭は彦四郎だ。

亮吉は彦四郎の猪牙《ちょき》舟に乗ったが大川を上がり始めたとき、たまらず八百亀に聞いた。

「何がなんだか分からねえ、絵解《えと》きしてくんな」

八百亀がにたりと笑って、下っ引きの髪結い新三を振り見た。

下っ引きが捕物の現場に姿を見せることはない。これからして奇妙なことだ。それに親分の宗五郎が金座の事件にかかって、捕物に同行していないのも珍しかった。

「髪結い、おめえから亮吉に話してやってくれ」

「おれがかえ、おれは贔屓の客の浮き沈みを見物に行くだけだぜ」

そう断って新三は続けた。

「昨夜、旦那の源太が屋台を辞めさせられた腕のいい職人を探しているって男の話をしたらしいな」

「ああ、それで今朝よ、おれっち全員が集まった場で親分が旦那と新三さんにその方面を当たれって指図なさったじゃないか」

「おれはさ、最初から職人を探している人間に心当たりがあったんだ」

「なんだって」

「まあ、聞け……」

髪結い新三の贔屓の客の一人に、南大坂町の小さな料亭一ノ瀬《いちのせ》の女将《おかみ》おぎんがいた。亭主は江戸の屋台の四十数軒を所有する元締めの大七《だいしち》という男であった。が、この度の屋台禁止で商売が上がったりになった。

「新さん、腕のいい料理人はいないかねえ」

とおぎんから相談されたのは二月《ふたつき》も前のことだ。

おぎんは四十前の大年増《おおどしま》、まだまだ本人は汁っけがあると思っている。が、髪も薄くなり、新三がてっぺんにかもじを入れてなんとかごまかしている。

「一ノ瀬の料理人が辞めるんで」

昼下がりの店、料理人たちは台所でせっせと下準備をしていた。

「いやさ、うちの旦那がねえ、妙なことを考えてさ」

「男が喜びそうな話のようだ」

「新さんもそんなとこに行くのかえ」

おぎんがむっちりした手で髪を解く新三の腿に手をかけた。

「わっしも男ですからね、その気になるときだってありまさ」

「方々《ほうぼう》で女を泣かしているんじゃないのかえ、いやだよ」

今度はおぎんの手が抓《つね》った。

「浅草今戸《いまど》にねえ、うちの旦那が借金のかたに一軒の別邸を取り上げて持っているのさ。そこに、素人《しろうと》娘をおいてね、洒落《しゃれ》た料理と酒を出す博奕場を造ろうって算段だ」

「南蛮《なんばん》渡来の阿片《あへん》なんぞも吸わせる気ですかえ」

「さあて、どうかしら」

さすがにその問いははぐらかされた。

「それで料理人がねえ」

「そういうこと……」

新三はふと考えついて口にした。

「旦那は屋台の元締めだったというじゃないか。屋台を辞める職人の中から腕のいいのを集めれば、ちっと変わった趣向ができるんじゃありませんかえ」

「だめだめ、屋台の職人なんて半端者ばっかりだよ」

どうやら大七の屋台の職人たちはそんな半端者を集めていたらしい。

「女将さん、屋台職人を馬鹿にしちゃいけねえ。二丁町のてんぷら屋なんぞは、料亭の食べもんよりうまいぜ」

「そんなものかねえ」

おぎんがその気になったのか、答えが真剣味を帯びた。

「てんぷらだけじゃなくてさ、提灯《ちょうちん》なんぞを飾った大部屋に凝《こ》った屋台を並べて、田楽やらうなぎをさ、さも江戸の辻にいるようにして食べさせるんですよ」

「江戸の遊び人は舌が肥《こ》えているからね。派手《はで》な衣装の娘に酌させたりして趣向を考えれば、客がおもしろがるかもしれないね、新さん」

と、また新三の股《また》ぐらに手を突っこんだおぎんが、

「新さん、うまくいったらさ、ちょいとしたものを渡すよ。だからさ、どこぞの船宿で隠れ遊びをしようじゃないか」

「女将さん、亭主の大七さんに殺されますよ。くわばらくわばら……」

新三はさっさと髪結い道具を片付け始めた。

「亮吉、そんときはそれで終わった。ところがさ、おれがおぎんに引き合いに出した新六が殺されたというじゃないか。そのうえ、旦那の源太兄いは新六がどこぞの男に職人にと誘われていたという」

「そこで新三兄いがおぎんを誑《たら》しこんで、亭主の行状を吐かせたというわけだ」

言いやがれ、と呟《つぶや》いた新三が言葉を継いだ。

「もしおぎんの口からおれの思いつきが大七に伝わり、新六が誘われて、なんぞ揉《も》め事《ごと》があって殺されたとあっては、おれも寝覚めが悪いや。それで慌てて調べてみると図星だ」

「大七の野郎、髪結いの考えをちゃっかり借用して、屋台店を寮《りょう》に揃え、素人女から阿片まで用意した大掛かりな遊び場を考えてやがる。新三の知らせを聞いて、親分に相談しようと思ったが、親分は金座の事件で出てなさる……」

八百亀が新三の話を引き取った。

「そこで寺坂の旦那に相談申し上げたってわけか」

「そんなとこだ。新六と梅次殺しを理由に今戸の隠れ寮をがさ入れして、一気に大七一味を引っ括《くく》ろうというのが寺坂の旦那の考えだ」

二艘の船は竹屋ノ渡しを過ぎて段々と大川《おおかわ》左岸から右岸へと近付こうとしていた。

「新六と梅次を殺したのはだれですえ」

「大七の用心棒の野犬の権太《ごんた》って、おつむがだいぶ足りない乱暴者だ」

前方の川岸に船着場を備えた寮が見えてきた。

「まだ店は始まったわけじゃない。大七に権太、手荒いことをやる子分どもが六、七人というところだろうぜ。寺坂の旦那におれたちが八人、まあ、虚《きょ》をつけばなんとかなろう」

と八百亀が指図した。

「おれも数に入れてくんな」

と捕物好きの船頭の彦四郎が言い出した。

「彦四郎、おめえに怪我をさせちゃあ、綱定の親方に怒られらあ。川辺に逃げてきた野郎の始末を任そう」

八百亀が釘を刺した。

「合点《がってん》だ」

彦四郎がどーんと猪牙舟の舳先《へさき》を岸辺に突っこませた。

「しほちゃん、政次をつれてきたぜ！」

翌日の夕暮れ、鎌倉河岸の豊島屋に亮吉の元気な声が響いた。

しほがまだまばらな客の間から店の外を見ると、どこか照れたように手先の政次が立っていた。

「政次さん」

しほが盆を手に表に飛び出すと、豊島屋の主の清蔵もしほに続いてきた。大店の主のくせに捕物好きのうえ無類の野次馬ときている。

「政次、精悍《せいかん》な顔つきになったねえ」

清蔵が言い、しほはまぶしそうに友の顔を見た。

「政次と歩いているとよ、おれのほうが供のようで貫禄負けすらあ」

亮吉が笑った。

「亮吉、手柄を立てたって」

「おれの手柄じゃねえよ、髪結いの新三兄いの手柄だ」

「まあ、政次に捕物の見本を見せたようなものだな」

亮吉が清蔵におだてられて、胸を張った。

「あとで酒はいくらでも飲ます。まずは昨夜の捕物の顚末《てんまつ》を話せ」

四人は空樽に腰を下ろした。

「屋台のてんぷら屋の新六と口入れ屋の丸一の手配師梅次が殺された事件は随分と杜《ず》撰《さん》な事件でさ……」

亮吉は清蔵に、髪結い新三の考えを頂戴《ちょうだい》して浅草今戸の別邸に御法破りの遊び場を造ろうとしていた屋台店の元締め大七のことをまず告げた。

「吉原《よしわら》近くで女を置いて流行《はや》ると思ったのかね」

「清蔵さん、吉原は玄人《くろうと》女だ、大七の店には素人の娘を置くんだと。そんな趣向を喜ぶ男はいくらもいるんですよ」

「そんな話に乗る娘さんがいるわけないじゃない」

「それが手軽に金になるってんで難なく集まってくるんだとよ、しほちゃん」

「呆《あき》れた」

「娘も阿片も酒も用意できた、あとは変わった造りの食いもんだ。新三兄いの考えにのった大七はよ、なんとしてもてんぷら屋の新六を寮の料理の目玉にしようってんで、大七の博奕場に出入りしていた梅次を通じて新六に誘いをかけた。ところが新六は、うさん臭《くさ》い話にはのろうとはしなかった……」

「新六は店を出す気でいたというじゃないか。そんな話にのれるかえ」

清蔵が相槌《あいづち》を入れた。

「そこでさ、梅次の案内で大七の用心棒の野犬の権太が新六の長屋に脅迫《きょうはく》まがいに口《く》説《ど》き落としに行ったのさ。するとね、新六が、阿片なんぞを吸わせるような法を曲げた場所で働けるか、おめえら、出ていけといきなり啖呵《たんか》を切ったらしい。そこで権太が梅次に手伝わせて、手近にあった出刃で新六の口を封じた……」

「そんな乱暴な……」

「しほちゃん、権太はさ、新六が阿片のことまで知っているのは梅次が喋ったからに相違ないと、こっちの口も封じてしまった」

「なんてこった、人の命をなんと思っているのかねえ」

清蔵が呆れた顔をした。

「おれっちが浅草今戸の寮に乗りこんだときよ、大七らは酒盛りしていたのさ。そこへ寺坂様を先頭に踏みこんだと見ねえ」

「おうおう、それで……」

「北町奉行所定廻同心寺坂毅一郎の取締りである、神妙にいたせ！　とさ、寺坂様が一喝《いっかつ》なさると野郎どもはへなへなと腰砕《こしくだ》けだ。突棒《つくぼう》も刺股《さすまた》の使いようもねえ、大七以下野犬の権太ら男八人におぎんら女を三人、引っ括って終わりだ。なんとも物足りない幕切れだったぜ」

「いやあ、そんな遊び場が開店しなくてよかったよ」

清蔵がしみじみと言った。

「髪結いの兄いは自分が喋ったことから殺しが起きたっていうんでさ、がっかりしていたね」

「いや、新三さんに責めがあるものか」

そう言った清蔵が政次に顔を向け、

「政次、金座裏はこんな世界だ。生きていけそうか」

と聞いた。

政次は静かな表情でうなずいた。

（人が変わったみたい）

しほは不思議な感じで政次を見つめていた。

第二話　塾頭弦々斎

一

朝の七つ（午前四時）前、金座裏《きんざうら》の手先《てさき》の政次《せいじ》は江戸の町を走っていた。

夏の朝はすでに白みかけている。

「お江戸日本橋《にほんばし》、七つ発《だ》ち……」

と歌にも歌われるように江戸期の旅人は朝が早い。

東海道《とうかいどう》を品川《しながわ》へと下っていく人の姿が見えた。が、政次が走るのはお堀端だ。堀向こうには北町奉行所《きたまちぶぎょうしょ》が、信濃《しなの》松本《まつもと》藩六万石《ごく》の松平丹波守《まつだいらたんばのかみ》の上屋敷をはじめ、親藩譜代《しんぱんふだい》の大名家《だいみょう》の屋敷が甍《いらか》を並べ、千代田の御城の本丸、西の丸が聳《そび》え立っていた。

南大工町《みなみだいくちょう》あたりに来たとき、若い男が堀に立った。裁着袴《たっつけばかま》の姿は商人とも侍とも違う。五体を硬直させて、何事か思い詰めたように立っていた。

（まさかお堀に身投げするんじゃあるまいな）

政次は走り過ぎるとき、その若い男と顔を合わせた。

何があったか知らないが、男の顔には殴《なぐ》られたような青あざがあった。

男も政次の視線に気がついて顔を背《そむ》けた。

政次は半丁（約五十五メートル）ばかり走ったあと、振り見た。すると若者は御堀端を呉服橋《ごふくばし》のほうへ一心不乱に歩んでいた。

（あんな歩き方をする者が自殺なんぞするとも思えない）

数寄屋橋《すきやばし》に到《いた》ると今度は南町《みなみまち》の長屋門《ながやもん》が見えてきた。

だが、政次は足を緩《ゆる》めるどころか速度をさらに速めた。

山城河岸《やましろがし》から土橋を渡り、今度は西に方角を変えて幸橋、新《あたら》シ橋《ばし》と上がり、虎之御門から葵坂を駆け、筑前福岡《ちくぜんふくおか》藩五十二万石の中屋敷の塀を左手に見て、赤坂田町《あかさかたまち》に到着した。

金座裏を出て四半刻《しはんとき》（三十分）とかかっていまい。

政次は足を緩めると直心影流《じきしんかげりゅう》の神谷《かみや》道場の門を潜《くぐ》った。

神谷丈右衛門《じょうえもん》の人柄と剣技を慕《した》って、近くの大名家から毎日たくさんの若い侍たちが稽古《けいこ》に来る。

政次は高弟の一人であった寺坂《てらさか》毅一郎《いちろう》の口利《き》きで神谷丈右衛門道場に入門し、わずか二月《ふたつき》ながら稽古に励《はげ》んだ。

神谷は政次を伴った宗五郎《そうごろう》に、

「金座裏の親分どの、寺坂からおよその事情は聞いておる」

と笑いかけ、政次には、

「剣は斬《き》るものにあらず。人を作り、心を鍛《きた》えるものじゃ。だがな、まずは体造りが基本の基、若い体をじっくりいじめる心構えで取り組みなされ」

と戒《いまし》めた。

政次は神谷の言葉を守って、ひたすら体を動かし続けた。

寝るのは九つ過ぎ（午前零時）、起きるのは八つ半（午前三時）を自らに課して、道場の拭《ふ》き掃除から先輩方の稽古着の洗濯と独楽鼠《こまねずみ》のように動き回った。そして合間に長さ三尺八寸（約百十五センチ）、重さ六百匁《もんめ》（約二千二百五十グラム）の赤樫《あかがし》の木剣の素振《すぶ》りを繰り返した。それは神谷が政次に命じたものだ。

二月はあっという間に過ぎ去り、住み込みの生活は終わった。

だが、寺坂の言葉を受け、宗五郎に政次は道場に通うことを許された。

政次は金座裏の務めにできるかぎり支障を来《きた》したくないと思った。そこで早朝に稽古に励もうと道場まで走って訪れたのだ。

井戸端に向かうと釣瓶《つるべ》で桶《おけ》に水を汲《く》み上げた。雑巾《ぞうきん》を手に道場に走る。まずは神棚に向かって二礼二拍一礼を行うと、桶の水に雑巾を浸《ひた》して堅く絞る。道場の端に立って、一つ深呼吸した。

腰を屈《かが》めて雑巾の上を両手で保持し、向こう側へと素早く前進していく。神谷道場は間口《まぐち》十間《けん》に奥行十五間、畳にして三百畳の堂々とした広さだ。

政次が三往復したとき、

「政次、すまぬ。今朝は寝坊してしまった」

と住み込みの弟子、日向延岡《ひゅうがのべおか》藩の藩士の次男坊結城《ゆうき》市呂平《いちろべい》が仲間に加わった。住み込みの頃《ころ》、市呂平とは一緒に道場の拭き掃除をした仲間だ。

「寺坂様の口利きで親分から通い稽古を許していただきました。明六《あけ》つには金座裏に戻らねばなりませぬ。ご迷惑でしょうが、これまでどおりにお付き合いください」

「もうそなたの顔が見られぬかとがっかりしておった。奉公の合間の稽古、大変であろうが頑張れよ」

江戸の藩邸で生まれたという二十一歳の市呂平は磊落《らいらく》に言うと、拭き掃除に加わった。

二人になっても三百畳の道場を拭き終わるのに半刻（一時間）はたっぷりかかった。

ようやく終えた刻限、住み込みの兄弟子たちが姿を見せて、挨拶《あいさつ》の後にそれぞれ思い思いの稽古を始めた。

政次も使い慣れた木剣を手に道場の片隅に立った。

「政次、来ておったか」

道場に神谷丈右衛門が姿を見せて、政次に声をかけた。

道場の空気が一気に緊張して熱くなった。

「政次、木剣を振ってみよ」

「はい」

政次は六百匁の赤樫の木剣を正眼から頭上に振り上げ、飛びこみ様《ざま》に振り下ろし、後退するとまた頭上に木剣を構え直す鍛練《たんれん》を師匠の前でしてみせた。

師匠の眼《め》が気になった。が、律動的に体が動き始めると、ただ木剣を振るうことに無心に専念することができた。

最初、この木剣の重さに振り回されて腰がふらつき、三十回と続けることはできなかった。が、今では虚空《こくう》に同じ軌跡《きせき》を往復させながら、何百回でも動くことができた。

「止《や》めよ」

神谷の声がして、政次は動きを止めた。

「よう頑張ったな、腰がしっかりと落ち着いたわ」

神谷はそう言うと竹刀《しない》を政次に持たせ、自ら胴に面金小手と防具を着けた。

「政次、おれの面をしっかりと打て、遠慮をしてはならぬ」

「はい」

政次は木剣に比べると格段に軽い竹刀を二度三度と素振りして、神谷と向かい合った。

その年、神谷丈右衛門は四十一歳、江戸でも屈指の剣客《けんかく》と言われていた。

中肉中背の神谷が、

「さあ、参れ！」

と竹刀を正眼《せいがん》に構えさせた。

「えいっ！」

政次は赤樫を振るうように師匠の面に向かって振り下ろした。

鈍《にぶ》い音が響いた。

「屁《へ》ほどにも効《き》かぬぞ、政次！」

師匠の叱咤《しった》が飛んだ。

「何をしておったな、この二月《ふたつき》」

「はっ、はい」

「さあ、来い。おれの命を絶《た》つ気迫でかかって参れ」

政次は正眼の竹刀を頭上から背中に突くほどにしならせ、前進しながら激しく振り下ろした。

不動のままの神谷の面に政次の竹刀が届こうとした瞬間、神谷の竹刀が軽く政次の竹刀を払った。すると政次の体が虚空に浮いて、道場の床に叩《たた》きつけられていた。

「そんな速さでは老《お》いた蠅《はえ》でも竹刀に止まろうぞ」

（糞《くそ》っ）

政次は跳《は》ね起きると師匠に立ち向かっていった。が、数瞬後にはまた道場に転がされていた。

痛む節々《ふしぶし》を気にしながら御堀端を駆けて、金座裏に政次が戻ってきたとき、住み込みの手代たちは箒《ほうき》を手に町内の清掃に精を出していた。

「遅くなりましてすいません」

政次は金座の裏口から格子戸《こうしど》に飛びこみ、残った箒を手に、本両替町《ほんりょうがえちょう》に走り戻った。

「政次、そう慌《あわ》てることはねえよ。皆、おめえがどこに行っているのか知っているんだからな」

と昨晩も泊まりこんだ亮吉《りょうきち》が言った。

「すまない」

政次はそう答えると御堀端の方角から掃除する仲間に加わった。

金座裏の手先たちの日課はこうして金座を中心にした町内の掃《は》き掃除から始まる。かれこれ家の内外の掃除が終わるのが六つ半（午前七時）、それから台所に手先たちが箱膳《はこぜん》を並べて食事になる。

亮吉と政次はこの朝、井戸端で顔を洗い、手足を清めて台所に行って、しほの姿を認めた。

「あれ、しほちゃんがいらあ」

亮吉が素《す》っ頓狂《とんきょう》な声を上げた。

「川越《かわごえ》の伯母《おば》様が野菜をたくさん届けてくださったの。長屋じゅうに分けたってまだ余ったじゃない、だからこちらに」

しほの両親は川越藩を抜けた藩士村上田之助《むらかみたのすけ》と久保田早希《くぼたさき》といった。二人が浪々の旅で生んだ娘がしほで、物心ついたときには鎌倉河岸《かまくらがし》の裏長屋に住んでいた。

数年前、父が不運な死に方をしたのをきっかけにしほの身分が判明し、川越藩の母方の伯母たちと面会して名乗りあっていた。

その伯母の一人、川越藩御番頭《おばんがしら》園村《そのむら》家に嫁いだ幾《いく》が江戸の裏長屋で独り暮らす姪《めい》にと季節の野菜やら地卵やらを川越から浅草河岸に着く船で送り届けてきたのだ。

「しほちゃんは、地卵も持ってきてくれたんだよ。おまえたちに一個ずつつけてあるから生卵をかけて温かいおまんまでお食べな」

と、おみつが言った。

「世の中で一番のご馳走《ちそう》は卵かけご飯だよな、ありがてえ」

「亮吉、礼ならしほちゃんに言いな」

しほは手先たちから頭を下げられて、困った顔をした。

「政次さん、慣れたの」

しほの問いかけに政次が、

「しほちゃん、心配をかけてすまない」

と詫《わ》びた。

「これだ、政次ったら、えらく他人行儀だろ。もちっとくだけりゃいいじゃないか」

亮吉が友の堅苦しさをこう非難した。

「気質もあるもの、仕方ないわ。亮吉さんならどこに行っても最初っから百年もいた顔をしているでしょうけど」

「違《ちげ》えねえ」

しほと常丸《つねまる》に掛け合われて、亮吉は、

「おれだってよ、遠慮しなきゃあならねえところは知っているんだぜ」

と反論した。

「さあ、食べた食べた」

おみつに促《うなが》されて手先たちが膳についた。

柳鰈《やなぎがれい》の一夜干し、ヒジキと油揚の煮物、大根の味噌汁《みそしる》に生卵というお菜《かず》で若い男たちがもりもり食べる光景はいつ見ても壮観だ。糠漬《ぬかづ》けの茄子《なす》は丼《どんぶり》に山盛りにして置いてある。

しほはご飯の給仕を受け持ったが、次々に空《から》の茶碗が伸びてきて、てんてこまいの忙《いそが》しさだった。政次も負けずにご飯のお代わりを三杯もしたので、しほはほっとした。

「しほちゃん、政次は赤坂田町の神谷道場に毎朝通う気だぜ」

亮吉が四杯めしを食べ終えて一息ついたか、言い出した。

「八つ半（午前三時）には起きるんですってねえ」

しほがおみつから聞いたらしく答えた。

「おれなんぞその刻限、白河夜船《しらかわよふね》だ。政次が出かけたのも知らねえや。いつまで続くかねえ」

そんな友の会話を政次は静かに聞いていたが、

「今朝は神谷丈右衛門先生に稽古をつけてもらった」

と床板を何度も嘗《な》めさせられた様子を話した。

「夜も明けねえうちから赤坂田町くんだりまで出かけた上に叩きのめされるんじゃ、間尺《ましやく》に合わねえ。おれなら、絶対行かねえがな」

「亮吉、政次の足を引っ張ることばかり言うんじゃねえ」

兄貴分の常丸に怒られたのをしおに手先たちのご飯は終わった。

常丸と政次は、その夕暮れ、足を棒にして品川宿を走り回り、海晏寺《かいあんじ》の石段下に戻ってきた。一日じゅう、寺から寺へ金座手代の助蔵《すけぞう》殺しの聞き込みに回ったのだ。

「常丸さん、もう回り残した寺はありませんね」

「どうも見当《けんとう》が違うようだ」

常丸は石段の上の山門を見上げた。

寺は建長《けんちょう》三年（一二五一）に創建された古刹《こさつ》だ。

土地の漁師の網に鮫《さめ》がかかり、その腹から観音像《かんのん》が出てきた。それを知った鎌倉幕府の北条時頼《ほうじょうときより》が寺を建てて、観音を祀《まつ》った。この鮫頭観世音《さめずかんぜおん》が本尊で、以来、この辺の海が平穏になったところから海晏寺と称された。

この海晏寺の名物は紅葉《もみじ》だ。

紅葉見に　いきやせうかと　舌を出し

古川柳《こせんりゅう》に詠《よ》まれるほどの名所であるが、これは紅葉狩りと称して、品川宿の遊郭《ゆうかく》に向かう男の下心を詠んだものだ。

一昨日、金座裏の親分宗五郎と常丸、政次の三人は品川宿の妓楼信濃屋《ぎろうしなのや》の抱え女郎秋世《あきよ》に会った。

まだ昼前のこと、店は森閑《しんかん》として秋世も素顔のままだった。年は三十そこそこか、憂《うれ》いを掃いて寂《さび》しげな顔立ちだった。だが、女は薄暗い妓楼の明るさの中でぞくっとするほどの色気をたたえていた。

「金座裏で御用を承《うけたまわ》る宗五郎というもんだ。おめえにちょいと聞きてえことがあって品川までのしてきた」

宗五郎の名を知っているのか、秋世ははっとした顔をした。

「金座の助蔵様のことにございますか」

女郎にしては丁寧《ていねい》な言葉を話した。大家《たいか》の生まれかもしれないと宗五郎は見当をつけた。

常丸と政次は上がりかまちに向き合う親分と女郎の会話を、少し離れた三和土《たたき》に立って聞いていた。

「妓楼に上がって、他出するのも珍しかろう」

「助蔵様は馴染《なじ》み、この夜、泊まられることは前々から決まってましたから」

「秋世、おめえらは所帯をと話し合っていたか」

「助蔵様は私の年季明けの来年にも長屋を借りて、いっしょに暮らそうと話されてました」

「おめえはどうだったえ」

「助蔵様は金座の手代《てだい》、私のような素姓《すじよう》のものを快《こころよ》く迎えるとも思えませぬ」

「だが、おめえは助蔵が嫌いではなかった」

秋世はうなずいた。

「助蔵が出かけた経緯を話してくれまいか」

「上がったときから、六つ半（午後七時）には小半刻《こはんとき》ほどよんどころない事情で留守《るす》にする、楼主さんに断っておいてくれと申されてました。私がなぜまた外出をと聞きますと、道中で、妙な男につきまとわれてねと答えられました。江戸のときからの知り合いらしく邪険《じゃけん》にできないのだとも言われました」

「助蔵はそいつに会いに行ったか」

「はい、金座に戻る前にぜひ決着をつけておきたいと申されて」

「どこに行くとはおめえに言い残さなかったか」

「海晏寺は大井に戻ったところだったたなと呟《つぶや》くように言い残されて行かれました」

「海晏寺にその妙な男が待っていたか」

と思います、と秋世はうなずいた。

「助蔵の内股《うちまた》に金座、助蔵という下手な入れ墨があるのを知っていたか」

秋世は一瞬ぽかんとした顔で宗五郎を見ると激しく顔を横に振り、

「助蔵様に何か異変がございましたか」

と聞いた。

「板橋宿外れの戸田川《とだがわ》の河原で助蔵の死体が発見された。一昨日の朝のことだ」

秋世は寂しげな顔を曇らせ、宗五郎を正視すると細身の体を硬直させた。そしてゆっくりと顔を歪《ゆが》めた。

「助蔵は海晏寺で男と会った直後に殺され、船か何かで戸田まで運ばれて捨てられたのだろうよ」

と宗五郎は自分の考えを話した。

陸路死体を運ぶには危険が付きまとう。だが、品川の浜から大川《おおかわ》を上がれば、荒川《あらかわ》、つまりは戸田川に通じていた。

「なんということが……」

秋世の瞼《まぶた》に涙が浮かんで、見る見る大きくなり頰《ほお》を伝ってこぼれた。秋世は声を忍ばせて泣いた。

「おめえの気持ちは察してあまりある。助蔵を殺した野郎をなんとしてもふん縛《じば》りてえ。すまねえがおめえが知っていることを話してくんな」

「私と助蔵様はどちらも口が重いほう、互いに肌を合わせていても仕事のことも暮らしのことも話し合うことはありませんでした。ただ、二人でいればなんとなく安心できたのでございます」

宗五郎はうなずくと聞いた。

「助蔵はおめえのところに荷物を残していったそうだな」

「はい、帳場に預けてございます」

　と秋世は立った。

　助蔵が信濃屋の秋世のところに残した金子《きんす》は六両と二分に銭が二百六十文。助蔵は酒も煙草《タバコ》も嗜《たしな》まなかったというから、路銀《ろぎん》を倹約して残したと考えれば、納得《なっとく》のいく金子だった。着替え衣類に道中差《どうちゅうざし》、菅笠《すげがさ》に道中合羽《がっぱ》、手拭《てぬぐ》い、矢立て鼻紙などが小物籠《かご》に整理されて詰めこまれていた。だが、道中日誌の類《たぐい》も新小判の仕様図もない。

　宗五郎は信濃屋の主《あるじ》、豊左衛門《とよざえもん》と秋世にこれだけかと念を押した。

「お女郎の部屋に残っていたのはこれだけにございます」

　秋世も一緒にうなずいた。

「助蔵がここを出たときの格好は棒縞《ぼうじま》の単衣《ひとえ》に角帯《かくおび》だったたな。懐か手に何かを入れたり、持って出たということはないか」

「小銭すら持っていかれなかったと思います」

「私も見送りましたが、ほんのちょいと用足しにという雰囲気でしたよ」

「助蔵が行方《ゆくえ》を消して三日だ。お上になぜ届けなかった」

「すいません、親分さん。秋世が助蔵さんは絶対に戻ってみえるからもう少し待ってくれと泣きつくものですからつい……」

豊左衛門は困惑《こんわく》の顔を見せた。

「親分さん、私が頼んだのです。主様に責任はございませぬ」

「なぜ、おめえは待ってくれと主に懇願《こんがん》したな」

「無事に戻られたとき、もしこのことが金座に知れましたら、もはや助蔵様は金座に戻れないかと女の浅知恵を出しました」

秋世が宗五郎の前に両手をついた。

「この一件、金座裏の宗五郎に任せてくれまいか」

二人がうなずいた。

「おめえらにはこれからも聞くことが出てくるかもしれねえ、この二人が度々顔を見せることになると思うが会ってくれ」

宗五郎の言葉に豊左衛門はほっとし、秋世は虚脱した。

このあと、三人は海晏寺を訪ねた。が、寺の坊主にも寺男にも助蔵らしい男を寺の内外で見掛けた者はいなかった。そこで海晏寺を中心に品川宿にある寺を虱潰《しらみつぶ》しに回って歩いた。が、どこにも助蔵と〝妙な男〟が面会しているところを目撃した者はいなかった。

「常丸さん、助蔵さんが海晏寺は大井宿に寄ったほうだなと秋世にわざわざ聞いたのは、そこへ出向いたと思いこませるためではないでしょうか」

　政次が言い出した。

「おれも最前《さいぜん》からそのことを考えていた」

「となれば助蔵さんはどこで京から付きまとう男と会ったのでしょうね」

「どこで会ったかは推測つかねえ。親分が言われるとおりに助蔵は品川で殺されて浜から船に乗せられたのなら、殺した場所も浜近くだぜ」

「浜の聞き込みに回りましょう」

　二人の手先は夕暮れの光の中、品川の浜に足を向けた。

二

　この日の昼下がり、松坂屋《まつざかや》の隠居《いんきょ》の松六《しょうろく》が姿を金座裏に見せた。

「松六様、政次をいじめたりなんぞしていませんぜ、ご安心を」

　玄関先で下駄貫《げたかん》に言われた松六は、

「わたしゃ、三つの餓鬼《がき》を金座裏に預けたわけじゃありませんよ。一々《いちいち》様子を窺《うかが》いにくるものか。親分に相談があってきたんです」

と反論した。が、松六の胸の中に、相談事にかこつけて、政次の様子を見にくる気持ちがあったのも確かだった。

「ご隠居、どうなされました」

居間に通された松六に、縁側で煙草をふかしながら、考え事をしていた宗五郎が声をかけた。

「おお、いなすったか」

松六は、縁側にぺったりと座った。

まだ金座裏にいたしほが茶を運んでいくと、

「おお、しほも来ていたか」

と言い、小声で、

「政次はちゃんとやっているか」

と聞いた。

宗五郎が笑い出した。

「政次も大変《てえへん》だ。松坂屋のご隠居からしほまで監視が厳しいや」

「わたし、そんな気じゃありません」

「金座裏、わたしも心外だ」

「お二人さん、これは宗五郎も謝る、許してくだせえ」

二人に反論されて宗五郎は頭を下げ、茶で喉《のど》を潤《うるお》す松六に、

「なんぞお店《たな》で不都合ですかえ」

と改めて聞いた。

「金座裏は桶町《おけちょう》角の諸商学塾《しょしょうがくじゅく》というのを知っているか」

「たしか元会津藩《あいづはん》の家臣が開いたという商《あきな》い指南《しなん》塾ですな」

「嘆かわしい世の中になったものだ。商人《あきんど》がですよ、お侍にお店の商いを教えてもらうというんだからね」

宗五郎は縄張り中に開かれる諸商学塾についての噂《うわさ》話を思い浮かべた。

御堀をはさんで御城と向かい合う桶町一丁目の角で日本橋一帯のお店の経営の相談から帳簿《ちょうぼ》のつけ方、話し振りまで指南する諸商学塾では、一日じゅう塾頭の五十嵐《いがらし》弦々斎《げんげんさい》の怒鳴り声が響き渡っていた。それは教授格の門弟たちから生徒まで、だれかれかまわず怒鳴る声だった。

巨漢の五十嵐弦々斎は本名五十嵐弦左衛門《げんざえもん》といい、二十八の年まで会津藩の帳簿方

だったとか。悪化した藩財政立て直し策をめぐって上司と口論になり、職を辞した自信家であった。

五十嵐には藩が頭を下げてくるか、他藩が仕官を申し出てくる絶大な自信があったようで、江戸の長屋でその機会を待った。だが、幕府誕生から二百年余の歳月を経《へ》た寛政《かんせい》の御代《みよ》はそう甘くなかった。

浪々の身が十年も続き、大店《おおだな》の帳簿つけをしながらなんとか糊口《ここう》を凌《しの》いだ五十嵐は、家族にその癇癪《かんしゃく》を募《つの》らせながら生きてきた。

五十嵐に好機が訪れたのは天明《てんめい》七年（一七八七）、打ち壊《こわ》しに遭《あ》った京橋の米屋相模屋《さがみや》の立て直しを相談されて、見事成功させたことからだ。

五十嵐は仕官することを諦《あきら》めた。その代わりに相模屋の後ろ盾《うしろだて》で諸々《もろもろ》商売指南を看板に上げて、諸商学塾を開いた。なにしろ物価高騰《こうとう》の煽《あお》りで日本全国に打ち壊しが流行《はや》り、どこの大店も被害に遭っていたから、改名した五十嵐弦々斎に教えを請《こ》うものはあとを絶たなかった。

相談料は成功報酬《ほうしゅう》、利潤の一割というのも利いた。ただし五十嵐弦々斎が相手するのは中店以上、

（これは再建が成《な》る……）

と踏んだものばかりだ。当然成功の可能性は高く、弦々斎の懐に大金が転がりこんできた。と同時にその盛名も上がった。

江戸の大店が雲集する桶町の一角の店を買い取り、諸商学塾を拡張した。

だが、いつまでも天明の不況は続かない。

松平定信《まつだいらさだのぶ》が老中に就任し、寛政の改革に着手すると弦々斎は、店の番頭ら幹部たちの養成塾に手を広げ、主に代わって、

(奉公人がいかにあるべきか)

の百科を教え始めた。

今や諸商学塾は、塾頭の五十嵐弦々斎を筆頭に教授ら十数人を抱えて、各店に代わって奉公人教育に励んでいた。

「ご隠居、諸商学塾に何かありましたかえ」

「桶町の本家じゃない。数寄屋町《すきやちよう》がな、様子がおかしい」

「数寄屋町ですって」

宗五郎は数寄屋町に何があるかまで承知していなかった。

「弦々斎はさ、数寄屋町の洒落《しやれ》た長屋に愛妾《あいしよう》のあやを抱えているんだ」

「弦々斎は男盛りと聞いてます。銭があるんだ、妾《めかけ》くらいいましょう」

「妾に娘がおってな、三つになる。これがどうやら朝方から行方を絶っているらしい」

「勾引《かどわかし》ですか」

「そいつは分からない。うちの通いの番頭があやと同じ長屋に住んでいるんだが、あやが気が狂った様子で桶町に訴えに行った」

桶町から数寄屋町の事件ならまず金座裏の宗五郎に知らせが入り、探索に動き出す。

だが、まだその訴えはなかった。

「あやの娘がいなくなったというのは確かですね」

「ああ、夜明け前、あやが手水場《ちょうずば》に行ったわずかな隙《すき》らしい」

「娘の名はなんといいますかえ」

「さてそこまで知りませんよ。長屋は米屋の相模屋の持ち物だ」

居間の隣《となり》には手先の下駄貫や亮吉らが控えていた。

「聞いたな、相模屋の長屋に面《つら》を出してこい。だがな、下手人《げしゅにん》が見張ってないともかぎらねえ、くれぐれも手先風、吹かせるんじゃねえ」

「へえ」

と畏《かしこ》まった下駄貫と亮吉は、台所に行き、広い三和土に用意されてあった天秤棒《てんびんぼう》と竹籠を持ち出した。そして風体《ふうてい》も手早く紙くず拾いと青もののぼて振りに整《ととの》え直すと、裏口から出ていった。

宗五郎も松六の見ている前でおみつに手伝わせてどこぞの大店の旦那《だんな》風に扮装した。

「上手なもんだな」

松六の褒《ほ》め言葉を聞いて、

「ゆっくりしていなせえ」

と言い残し、金座裏を一人出た。

しほも親分が出かけたあと、豊島屋に出るために金座裏を暇《いとま》した。

宗五郎が堂々とした長屋門《ながやもん》を潜ると、

「何度言ったら、飲みこめるのじゃ。商いは生きもの、そんな鈍い反応ではお店がつぶれますぞ」

という弦々斎らしい怒鳴り声が響いてきた。

宗五郎は枝折戸《しおりど》を見つけて、母屋《おもや》らしきところに回った。すると庭に面した縁側で妻女らしき女と若い男が何事かひそひそ話をしていた。

「ごめんなさいよ」

二人がぱっと離れ、宗五郎を見た。

庭に立つ男にも縁側の女にも驚きの表情があった。

「驚かしたらごめんなされ、ちょっと弦々斎先生に相談がありましてね」

「先生にお目にかかるのであれば玄関先で声をかけていただければようございます」

若い男が素早く驚きから立ち直り、案内する様子を見せた。それを無視した宗五郎は、

「あなた様は弦々斎先生の妻女様ですか」

と女に聞いた。

「はい、家内の喜美《きみ》にございます」

四十年配か、厚化粧の顔に不安が横切った。

「そなた様は金座裏の親分さんでございますな」

「ご存じでしたか、ならば隠してもしようがねえ。数寄屋町の一件で面を出した」

「は、はい」

宗五郎は縁側に座ると若い男を見た。

「おまえさんは」

「はい、代教《だいきょう》の睦美《むつみ》角之進《かくのしん》と申します」

「弦々斎様の講義が終わったら、金座裏が会いたいと言っていると、先生にだけ耳打ちしてくんな」

はい、とうなずいた睦美が枝折戸から姿を消した。

「おまえ様はあやの娘が行方を絶った一件を知っておられるようだ」

「知るも知らないも、あやがああ取り乱して屋敷内に駆けこんで泣き喚《わめ》けば、桶町じゅうに知れ渡りましょうよ」

喜美は感情もあらわに吐き捨てた。

「あやを承知かえ」

「承知もなにも、うちの女中に手をつけて数寄屋町に囲わせたんですよ」

「喜美、ぺらぺらと十手持《じっても》ち風情《ふぜい》に喋《しゃべ》るでない。引っこんでおれ」

座敷に怒鳴り声が響いた。

喜美は怯《おび》えた顔に変わるとそそくさと奥へ姿を消した。

五十嵐弦々斎は四十五、六か。六尺（約百八十二センチ）の長身にたっぷりとした肉をつけて見様《みよう》によっては堂々とした貫禄《かんろく》と言えなくもない。口髭《くちひげ》には白いものが半分ほど混じっている。

「どこで聞きつけたか知らぬが、わが屋敷で頼んだ覚えはない」

「でございましょうが、幼い子の命がかかっているんでございますよ。弦々斎様のご体面にかかわるようなことは決していたしませぬ」

「金座裏の親分とかおだてられてうぬぼれておるようじゃな。御用聞き、いらぬ節介はせぬものじゃ、帰れ!」

怒鳴った弦々斎の顔に下卑《げび》た感情が走った。

宗五郎はそれを確かめて立ち上がった。

「今度、邪魔するときにそのような元気が残っておりましょうかな」

宗五郎はそう言い残すと、枝折戸を潜り、長屋門を出て、諸商学塾の建物を振り返った。松六の言葉ではないが、

(商人が侍から商いの道を学ぶ歪《いびつ》さが……)

こけおどしの建物にこびりついているように思えた。

宗五郎は東海道を横切り、平松町に向かった。すると頬被《ほおかむ》りした紙くず拾いの格好の亮吉が相模屋の長屋の木戸口から顔を覗《のぞ》かせた。

「親分」

「どうだえ」

「下駄貫の兄いが大家《おおや》の家に面を出してら」

「亮吉、おめえは金座裏に戻って八百亀《やおかめ》に注進しろ。いいか、諸商学塾の五十嵐弦々斎のことをなんでもいい、洗いざらい調べ上げろとな。もうそんな格好することもねえぜ」

「合点《がってん》だ」

「だがよ、三つの娘の命がかかっているということも忘れるな、とおれが釘《くぎ》を刺していたと言うんだ」

分かりましたぜと言ったときには、竹籠を背負った亮吉は半丁も先を走っていた。

米問屋相模屋の長屋は九尺二間の裏長屋ではなかった。階下に二間、二階にも八畳と六畳、二間が棟を接していたがそれぞれの店に小さな庭もあって、なかなか凝《こ》った造りになっている。二軒が三棟、六軒が相模屋の長屋だ。それを相模屋から任されて、差配しているのは大家の六郎平《ろくろべえ》だ。

「おや、金座裏がじきじきかえ」

目敏《めざと》く宗五郎を認めた六郎平が挨拶した。

「いやさ、おめえさんの手先に説明していたところだがな、ひめこは聞きわけのいい娘でな、長屋じゅうに好かれておった」

弦々斎があやに生ませた娘はひめこというらしい。

「親分、あやとひめこ、親子二人だけで住んでいたそうだ。あやのほうは旦那が五十嵐弦々斎というのを自慢にするような女でしてね、長屋でも好かれていたとは言えねえようだ」

下駄貫が説明した。すると、六郎平が、

「好かれるもなにも妾を鼻にかけるような馬鹿《ばか》な女なんでさ。だけどさ、ひめこは長屋じゅうに可愛《かわい》がられていた」

と言い足し、宗五郎がうなずいた。

「事件が起こったのは七つ半（午前五時）、あやが手水に行ってまた二度寝しようと寝間に戻ってびっくりした。ひめこが布団から消えていたというわけだ。わずかな間に寝ていたひめこを夏がけに包《くる》んで連れ去っている」

下駄貫に代わった。

「手水場は外じゃねえな」

「内の手水だ」

「戸締まりはどうだ」

「昨晩、弦々斎が来ていてね、遅くまで聞くに耐えないよがり声を上げさせていたそうな。長屋の連中もまたかってんで耳を塞《ふさ》いでいた。弦々斎が戻ったのがかれこれ四つ半（午後十一時）過ぎ、あやは旦那の戻ったあと、心張棒《しんばりぼう》を下ろしたと言っているが、だいぶ酒を飲んでいたらしい。忘れたんじゃねえかと思う」

「弦々斎はひめこを可愛がっていたか」

「本家は倅《せがれ》が二人、娘は初めてというんで目に入れても痛くないほどの猫っ可愛がりだ」

「あやはどうしているな」

「桶町から古手の女中が来てついていらあ。あやはさんざん弦々斎に怒られたらしくしょんぼりしていたぜ」

「お手当てはどうだ」

「しみったれで有名だそうだ。あやへのお手当ても大したことはあるまいというのが六郎平さんの意見だ」

六郎平が大きくうなずいた。

「およその様子は分かった」

宗五郎は、ひめこ勾引《かどわかし》は五十嵐弦々斎に絡んだ一件と睨《にら》んだ。

「大家さん、万が一、脅迫状が来る様子なら、金座裏にも知らせてくれめえか」

あやの許《もと》にそんなものが来るとも思えない。

「おお、任せてくんな」

六郎平が胸を叩いたのをしおに、

「下駄貫、引き上げるぜ」

と二人で連れ立って六郎平の家を出た。


夕暮れの時刻、まず北町定廻同心寺坂毅一郎が小者《こもの》も連れずにふらりと姿を見せた。

二人が神棚のある居間で話しこんでいると、八百亀ら手先が戻ってきた。

その中に下駄貫と亮吉の姿はない。さらに金座の事件で聞き込みに品川まで行った常丸と政次もまだ戻ってこなかった。

「親分、五十嵐弦々斎に商いの内情を話して、相談を仰ごうというのはどうかしたもんだぜ」

八百亀が言った。

「評判悪いか」

「悪いどころじゃねえ。まず下の者と見ると威張《いば》る、そしてすぐに怒鳴る。教授にも殴る蹴《け》るの乱暴を働く、妻女、倅二人にも同様だ。倅なんぞは父親の乱暴を恐れて、できるだけ顔を合わせないようにしている。それにさ、相談を持ち掛けたお店《たな》の中には、弦々斎が前渡し金だけ懐に入れて、なんにもしねえものだから潰《つぶ》れたところもあるそうな。それも三軒や四軒できくめえ」

よし、と宗五郎が言った。

「五十嵐弦々斎は食わせ者と憤《いきどお》る同僚もいたが、聞きしにまさるな」

寺坂も応じた。

「八百亀、明日《あした》っから五十嵐弦々斎に潰され、恨《うら》みに思っていたお店を調べてくれ。まず筆頭はどこだえ」

「今年の二月に正木町《まさきちょう》の蠟燭《ろうそく》問屋の会津屋《あいづや》が潰れたろ」

「だいぶ出入りの者に迷惑かけたそうだな」

「その潰れ騒ぎに弦々斎は関わって、自分だけ懐を温めたらしい」

「金座裏、八百亀、その一件はな、主の房次郎《ふさじろう》が首を括《くく》る前に奉行所に文《ふみ》を投げこんで訴えていた。だがよ、店は潰れ、奉公人は四散し、主は自殺だ。調べようがなくてな」

寺坂が重い口調で口をはさんだ。八百亀がうなずき、言った。

「残ったお内儀《かみ》と倅と娘がどこぞに姿を消したって話ですね」

「倅はいくつだ」

「十九、娘は十六だ。それに深川の薪炭《しんたん》商の武田屋五兵衛《たけだやごへえ》の潰れにも弦々斎は深く関わって、番頭以下の者たちが弦々斎だけは許せねえと息巻いていたそうだ。まず筆頭はこの二軒だ」

「よし、そいつから当たれ。下駄貫と亮吉には弦々斎の周辺にこれまでどおりに張りつかせる」

「へえっ」

八百亀ら、手先が親分の命《めい》に頭を下げた。

五つ半（午後九時）過ぎ、湯島《ゆしま》下の妻恋町《つまごいちょう》の稲荷《いなり》社の前にぼんやりした明かりの提灯《ちょうちん》を門前に投げる隠れ娼家の前で下駄貫と亮吉は見張りをしていた。

夏のこと、藪蚊《やぶか》の襲来が凄《すご》かった。

「くそっ！」

下駄貫が汗に光る額《ひたい》に止まった蚊を叩いた。

「兄い、あいつらは兄弟仲がいいのかねえ」

亮吉は黙っているのがつらくて聞いた。

兄弟とは五十嵐弦々斎の倅二人だ。

長男の優太郎《ゆうたろう》は二十五、次男坊の俊次郎《しゅんじろう》は二十三歳、二人して諸商学塾の教授方見習いの身分だ。が、父親に頭ごなしに怒鳴られるのを嫌って、家には寄りつこうともしない。遊ぶ金がなくなると、こっそりと母親にねだりにくるらしい。

　この夕刻にも俊次郎が顔を見せた。

　そこで下駄貫と亮吉があとを尾行すると、神田花房町《かんだはなぶさちょう》の裏長屋の女の家に入っていった。近所で聞き込みをすると兄弟して居候《いそうろう》をきめこんでいるらしい。

　浅草の煮売《にうり》酒屋の酌婦《しゃくふ》として働く女を仕事場まで見送った二人は、湯島下まで出かけて怪《あや》しげな娼家に上がりこみ、半刻が過ぎたところだ。

「父親の弦々斎が暴君だ。兄弟二人して同病相哀《あいあわ》れんでよ、つるんでいるってところだろうぜ」

「深いつながりはないというのかえ」

「ああ、それにこいつらは父親を憎んでいても、妾に生ませた異母妹を勾引《かどわ》かす肝《きも》っ玉はねえな」

「おれもねえと思う」

「こりゃ、見当違いだな」

と言った下駄貫が黙りこみ、何かを言いかけたが止《や》めた。

「どうした、兄い」

うん、と生返事して考えに落ちた下駄貫に、

「気色が悪いぜ、腹に思ったことは口に出したほうがせいせいするぜ」

と亮吉が言った。

「ならば言おう。おめえは政次が松坂屋を辞《や》めて、うちに来た一件をどう思う」

「どう思うって、松坂屋さんの隠居さんの話どおりだ」

「違うな」

「違うって、どういうことだ」

「親分が松坂屋さんに頼んで政次を引きとったのよ」

「同じことだぜ」

「亮吉、親分は政次を金座裏の十代目として松坂屋さんから貰《もら》いうけなすったんだ」

亮吉は虚《きょ》を衝《つ》かれ、ぽかーんとした顔で下駄貫を見た。

ぼんやりとした提灯の明かりを半面に受けた下駄貫の顔が邪悪に見えた。

「……だからどうなんだ」

亮吉が反論した。

「おめえらは兄弟同様にむじな長屋で育ったかもしれねえ。政次は呉服屋に奉公し、

おめえは金座裏に修業に出た。それぞれ別の道を歩いてきたんだがよ、今後は違う。今でこそ、政次は、おれたち同様の手先の扱いだが、そのうち、おれやおめえの上に立つということだ」

「……」

「松坂屋の隠居がわざわざ付き添って挨拶しなさった。それに朝には赤坂田町の神谷道場でヤットウの稽古だ。おれたちのだれがそんな扱いをうけたえ」

亮吉はしばらく黙りこんでいたが、

「兄いの言うとおりかもしれねえ。だがよ、先日も八百亀の兄いが親分に答えなすったように、おれたち手先は親分の決めたことに従うのが務めだ」

「亮吉、その親分の後継が政次だと言われても、おめえはその考えを変えねえか」

下駄貫が亮吉を睨み据《す》えた。

その夜、金座裏に常丸と政次の二人が戻ってきたのは四つ（午後十時）を回った頃合だった。

「親分、品川宿の寺という寺は回り尽くした。それでさ……」

と常丸が方針変更に従い、戸田川まで助蔵の死体を乗せていったはずの船を品川の浜に探して回った。が、浜は長く、船の数は多かった。未《いま》だ手掛かりがないことを親分に報告した。

「ご苦労だったな。気長にと言いてえが、おめえらも知ってのとおりの事情がからんでいる。金座の後藤庄三郎様の心中も穏やかじゃねえ。船を探す探索はいい手かもしれねえ、根気よく続けてくれ」

二人の手先が畏まるとおみつが台所から、

「酒もつけてあるよ」

と夕餉《ゆうげ》の席に呼んだ。二人の膳の他にまだ二つ白布巾《ふきん》がかかって残っていた。

「まだだれぞ帰ってませんかえ」

「下駄貫と亮吉がね、張り込みから戻ってきてないのさ」

政次は小さな体でよく頑張るなと友の身を心配しながら、箸《はし》を取った。

この夜、下駄貫も亮吉も金座裏に戻ってこなかった。

三

翌朝、政次は赤坂田町の神谷道場から金座裏に戻ることなく品川に走った。そこで常丸と落ち合う約束になっていた。

品川の浜で船を持っているのは漁師が多い。

漁師の仕事は夜明け前と相場が決まっていた。漁帰りの漁師たちに聞き込みをしようと朝めし抜きの品川行きとなったのだ。

五つ（午前八時）過ぎ、下駄貫と亮吉が宗五郎に昨夜の探索の報告をするため、金座裏に顔を見せた。

「遅くまで頑張ったようだな」

「それが空《から》ぶりだ」

と下駄貫がぼやいた。

「親分、弦々斎の倅の二人だがな、いくら憎いといっても親父に反抗する気概はないぜ。せいぜいお袋から小遣い銭をもらって女遊びをするのが関の山だ。ゆんべも湯島下の怪しげな娼家で深夜まで遊んでよ、神田花房町の女の長屋に兄弟二人して仲よく戻りやがった。一体全体《いってえぜんてえ》どうなっているんだか、あだっぽい女を兄弟で相持ちかね」

「そいつは無駄足だったな。まあ、探索は無駄の積み重ねだ」

ちょうどそこに八百亀らが顔を見せた。

「下駄貫、おめえらも八百亀の組と一緒になって、弦々斎に恨みを持つ蠟燭問屋の会津屋、薪炭商の武田屋五兵衛の家族と奉公人を当たれ」

珍しく黙りこんでいた亮吉が小さな溜《た》め息をついた。

八百亀が、八百亀と下駄貫を頭にする二組に手先たちを分けた。

八百亀の組は正木町にあった蠟燭問屋を当たり、下駄貫の組が深川の薪炭商の家族と奉公人を当たることになった。

八百亀の組に入った亮吉がほっと安堵《あんど》したような吐息を漏《も》らした。

「事が起こってからでは遅い。三つの娘の命がかかっているんだ。精出して働け」

「へえ」

と畏まった八百亀らが金座裏から飛び出していった。

宗五郎はおみつに外出の仕度《したく》を命じた。

「おまえさん、亮吉の様子がおかしかないかえ」

「えらく押し黙っていたな」

「下駄貫と亮吉はそりが合わないからね。八百亀もそれに気づいて、自分の組に入れたんだね」

「まあ、若いうちは気が高ぶってみたり、押し黙ってみたり、いろいろと大仰《おおぎょう》に考えこむものさ。ちょいと様子を見ていようか」

「あいよ」

外出の仕度を終えた宗五郎は金座裏から後藤庄三郎に探索の中間報告に行った。

進展がないのだから、面会は短時間で終わった。

金座の長官は焦慮《しょうりょ》の色を顔に見せていたが、今のところ宗五郎にも打つ手がない。

その足で数寄屋町の相模屋の長屋に五十嵐弦々斎の妾あやを訪ねた。

「邪魔するぜ」

玄関先で声をかけると中年の女が出てきた。桶町から来たという女中だろう。

「金座裏の親分さんにございますね」

女は宗五郎の顔を知っているのか、小声で、

「ひめこちゃんの行方は摑《つか》めましたか」

と聞いた。

「いや、まだ手掛かりがねえ。それであやに会いに来たんだが、どうしている」

「ぼうっと放心の体《てい》でね、突然泣いたり叫んだり、一緒にいるのは大変ですよ」

女中はうんざりした顔で言った。

「おまえさんは何といいなさる」

「よねですけど、それが何か」

「桶町に奉公して長いかえ」

「かれこれ十年にはなりますかね」

宗五郎は玄関先に腰を下ろした。

「ならば諸商学塾の内情を知っていよう」

はい、とうなずいたよねは、

「でも、奉公先のことですからね」

と一応断った。

「三つの娘の生死がかかっているんだぜ。おれの胸だけに仕舞っておくから、話してくれねえか」

よねが二階をちらりと見てうなずいた。

「これまでこの家に脅迫状が舞いこまねえところをみると、あやに恨みを持っての勾《かど》引《わかし》じゃねえ、狙《ねら》いは弦々斎だ」

よねががくがくと首肯《しゅこう》した。

「弦々斎を恨んでいた者が結構いると聞いたが……」

「先生を恨みに思わない者がいたらお目にかかりたいくらいだよ」

「おめえも何か恨みがあるか」

「わたしゃ、台所から先生の前に顔を出さないようにしているからね」

「弦々斎の家内の喜美はどうだ」

「優太郎様と俊次郎様のおっ母《か》さんというだけでまあ、体《てい》のいい女中だね」

「あやを妾にしたことをどう思っている」

「あやさんに手をつけた当座は仕方ないって顔でしたよ。でも、ここに囲わせてひめこちゃんを生んだときにはだいぶ荒れなさったね。もっとも矛先《ほこさき》は先生ではなくてさ、わたしらだったけど」

「倅二人はどうだ」

「あのお二人は根性なしだ、親父どのの顔が見えないところに逃げて歩いてなさる」

「教授方にも評判が悪いそうな」

「先生の逆鱗《げきりん》に触れて、叩き出された教授方は数知れないやね。年配の教授方であろうと気にいらないと馬鹿だ、阿呆だと喚き狂い、自分の言葉に興奮して手を出すこともある。怪我《けが》して辞めていった人なんて山ほどいらあ」

「最近ではだれだえ」

「教授方主任の青山一伯《いっぱく》先生が弦々斎先生の方針に異をとなえたとかで、教授方全員の前で罵声《ばせい》を浴びせられて追い出されなさった。青山先生は弟子にも教授方にも人望のある人でねえ、温厚な人柄だったよ。顔面蒼白《そうはく》、肩を震わして門を出ていかれたっけ」

「いつのことだ」

「二月《ふたつき》も前かねえ」

「同僚は何も抵抗せずか」

「できっこありませんよ。ただね……」

よねが言葉を切ってから言った。

「今も代教の睦美角之進さんが青山先生とつながりがあるって話でね、それを知られた先生がひどく殴る蹴るをしたって話だよ」

「いつのことか」

「二、三日前のことですよ」

睦美角之進は喜美とこそこそ話をしていた若者だ。

「睦美と喜美が仲がいいってことはないか」

「お内儀さんと仲がいいかどうかしらねえが、睦美さんはあやに惚《ほ》れていたのさ。二人の間には所帯をもつくらいの話はあったろうよ。それを先生が手をつけて、あやも先生に乗り換えたってわけだ」

「睦美は弦々斎とあやを恨んでいたろうな」

「恨んでいようとなかろうと意気地なしだもの。ひめこちゃんを勾引《かどわ》かすなんてできっこないよ、私が保証すらあ」

階段が軋《きし》んで二階からあやが蹌踉《そうろう》と下りてきた。細身で色白の顔は泣きはらしたせいで瞼がはれていた。

「金座裏の親分はたった今ね、お見えになったところですよ」

よねが慌てて言った。

「ひめこは取り返しなさったか」

「いやさ、それがまだでねえ。こうして聞き込みに回っているところだ」

わわあっ、という泣き声があやの口から漏れ、喚き出した。

「ひめこを返してちょうだい！」

「二階に戻りましょう。ひめこちゃんはきっと無事に親分さんが取り戻してくださいますからね」

よねがあやの肩を抱いて強引に二階へ連れていこうとしたとき、玄関に人の影が立った。

北町定廻同心寺坂毅一郎だ。

「金座裏、まずいことになった」

外に出た宗五郎に寺坂が小声で言った。

「どうもひめこらしい娘の死体が深川御船蔵の中州で見つかった」

宗五郎が異様な気配に振り向くと裸足《はだし》のあやが玄関に飛び下りて、

「ひめこの行方が分かったのですね」

と叫びながら、寺坂と宗五郎に突進してきた。


ひめこの死体は中州の葦《あし》の間に俯《うつぶ》せで浮かんでいたという。

御船蔵の番人がぷかぷかと浮かぶ夏がけを変に思って船を出してみて、小さな死体を発見した。

寺坂と宗五郎が到着したとき、番屋《ばんや》の者たちが船でひめこを引き上げていた。

「ご苦労様にございます」

番太《ばんた》が挨拶し、二人がうなずいてひめこの船に乗りこんだ。

宗五郎は死体に合掌すると片膝《ひざ》をついて検死を始めた。

髪が白い額にへばりついているのが哀れを誘った。夏がけに包まれたひめこの首に暗紫色の輪の跡があった。絞殺による鬱血《うっけつ》の跡だ。

顔に苦悶《くもん》の表情がないのが宗五郎たちに救いを与えた。

「連れ出したあと、すぐに殺してやがるな」

　寺坂が呟く。

「金目当てじゃございませんね、間違いなく弦々斎に恨みを持つ者の犯行だ」

「あいつのことだ、敵も多かろう」

「きりがございますまい」

　そう言った宗五郎が寺坂に、

「仏《ほとけ》を南茅場町《かやばちよう》に運んでいってようございますね」

と許しを請うた。南茅場町の河岸には大番屋があって、正式な検死を受けることになっていた。

「ああ、仏の長屋も近いしな」

　ひめこの死体が小者たちの手で町奉行所の船に移し換えられ、大川を渡ることになった。

　ひめこの亡骸《なきがら》が南茅場町の河岸に接岸すると、八百亀ら金座裏の手先たちが出迎えた。この展開に親分から新たな命《めい》をと待機していたのだ。

　ひめこの死体が大番屋に運びこまれると泣き声が起こった。大番屋で待っていたあやが冷たく変わったひめこの体にすがって泣き喚く姿だった。

「いったいだれがひめこをこんな目に遭わせたんですよ!」

かたわらに五十嵐弦々斎の巨体があって、苦虫を嚙《か》み潰したような顔であやの醜態《しゅうたい》を見ていた。が、さすがに今日は怒鳴り声を上げなかった。

宗五郎らは河岸に戻った。

「親分、正木町にあった蠟燭問屋の会津屋だがね、家族は霊岸島《れいがんじま》の慶光院《けいこういん》裏の長屋に親子三人で住んでいましたぜ」

「霊岸島たあ、近場だったな」

「倅の徹太郎《てつたろう》はもう商人はこりごりってんで、昔から会津屋に出入りしていた植木屋繁勝《しげかつ》に弟子入りしてさ、泥だらけになって働いていましたぜ。娘のさたも踊りのお師匠さんが内弟子として面倒を見てね、いくらか給金を与えてます。おっ母さんはぼうっとしてますが、倅と娘がしっかりもんで、生きるのに必死だ。とても五十嵐弦々斎に恨みをぶつける暇《ひま》はないように見えたがね」

「昨日の未明、徹太郎はどうしていた」

「へえ、小梅に植木を見に行くってんで、六つ半に船で大川を渡ってます。繁勝の親方と一緒だ。朝めしも親方の台所で食ったそうですから、数寄屋町の長屋に面を出す余裕はねえと思うんですがね」

「繁勝はどう言っている」

宗五郎は何代も続く繁勝を知っていた。

「正直に聞いたら、怒鳴られました。徹太郎にそんな馬鹿な真似《まね》はさせねえって」

「まあ、あの親方の下で働いているんなら、倅は関わりあるまい」

「さただって朝早くから井戸端で朝餉《あさげ》の仕度をしていたそうで」

河岸に猪牙《ちょき》舟が着いて、

「親方、川向こうで聞いた」

と、深川の薪炭商の武田屋五兵衛の探索に行っていた下駄貫らが船着場に飛び下りてきた。

「武田屋はどうだえ」

「一家は故郷の甲州《こうしゅう》に戻ったそうで。あとは奉公人だがね、番頭だった力蔵《りきぞう》に会うことができました。力蔵は深川一色町の味噌問屋の帳簿付けで雇《やと》ってもらい、住み込みで働いています。武田屋が潰れた当初は、銭だけとって何もしなかった五十嵐弦々斎の足の一本もへし折って、旦那の仇《かたき》をとろうなんて勇ましい話もあったそうですが、肝心の一家が甲州に引きこんだ。それに奉公人だって自分が生きるのに必死でよ、弦々斎に仇をって考えているような奴《やっ》に心当たりはねえと言っていますぜ」

「大方、そんなことだろうな」

「武田屋の線をまだ追いますかえ」

「いや、そっちはいったん引き上げだ。おめえらはな、五十嵐弦々斎の一家、それに諸商学塾の教授、代教どもを見張れ。それにだ……」

宗五郎は二月前、職を辞させられた教授方青山一伯ら諸商学塾の元教授たちの動静も探れと命じた。

宗五郎はそう言いながら、亮吉の様子を窺った。相変わらずいつもの亮吉とは異なり、無口のままだ。

「亮吉、しほにけんつくでも食ったか」

はっとした顔で亮吉が宗五郎の顔を見た。

「ここんとこしほちゃんの顔を見てねえや、けんつくの食いようもねえ」

「三つの娘が理不尽な目に遭ったんだ。そいつを考えて精を出せ」

「へえ」

幾分元気な返答が戻ってきて、八百亀が仲間の手先たちに分担を命じた。それを聞きながら、宗五郎は大番屋に戻っていった。

半刻（一時間）後、大番屋での検死が終わり、ひめこの亡骸は数寄屋町の長屋に引き取られていった。寺坂毅一郎と宗五郎が推測をつけたように、死亡の日時は昨日未明、勾引《かどわ》かされた直後、死因は絞殺との検死が下った。

宗五郎と寺坂は肩を並べて、河岸に下りた。

「一石橋《いっこくばし》まで乗っていけ」

と奉行所の船に誘った寺坂の言葉に従ったのだ。

船が河岸を離れると江戸の中心を東西に貫く日本橋川を御城に向かって上がり始めた。

「宗五郎、金座の一件は進捗《しんちょく》しているか」

「それが肝心の殺された現場さえ、摑めねえんで。助蔵は京を出立《しゅったつ》するときからだれぞに付きまとわれていた様子でしてねえ、それも顔見知りのようだ」

宗五郎は品川宿の妓楼信濃屋の抱え女、秋世から聞き知った話を寺坂に告げた。

「こいつはただの物盗《ものと》り殺人じゃねえ、奥が深いぞ」

寺坂は宗五郎が置かれた立場を承知していたから深くは聞かなかった。

「なんぞ進展がありましたら、寺坂様には報告いたしますよ」

「後藤様には酷なこったが、解決には時間がかかりそうだな」

「へえ」

宗五郎が答えたとき、役所の船が一石橋際に着けられた。

「またのちほど」

対岸に向かう船を見送った宗五郎が河岸に上がると常丸と政次の二人が立っていた。

どうやら日本橋川を上がってくる宗五郎の姿を認めて、待っていたようだ。

「親分、品川の浜から戸田の渡しに助蔵の死骸《しがい》を運んだ船を見つけたぜ」

常丸がちょっぴり誇らしげに言った。

「よくやったな」

「船は南品川の海雲寺《かいうんじ》前の浜に上げられている漁師玉吉《たまきち》じいさんの持ち船、品川たまきち丸だ」

「秋世は海晏寺と海雲寺を聞きまちがえたか」

「海雲寺は紅葉の海晏寺塔頭《たっちゅう》から分かれた寺で、隣同士ですぜ」

宗五郎がうなずくと、常丸がさらに語を継いだ。

「玉吉じいさんはここんとこ風邪《かぜ》で漁に出たり、休んだりしていた。五日前の夜明け前、しばらくぶりに浜に出てみると船がない、それで浜を探して歩いたそうだ。だが、風邪がぶり返しそうで、家に戻って寝た。次の朝、浜に出るとなんとたまきち丸がいつもの場所にいつものようにあったっていうわけだ。律義《りちぎ》な殺し屋だぜ」

「品川沖で殺されたと知られたくなかったんだろうよ」

「それでわざわざ品川まで船を戻して墓穴を掘りやがった」

常丸は懐から手拭いを出した。

そこには萎《しな》びた草花があった。

「艫《とも》近くの船底にさ、こいつがあった」

宗五郎はそっと摘《つま》みあげた。

「桜草《さくらそう》か」

「へえ、戸田の名物は桜草だ。品川くんだりじゃ鉢植えでしかお目にかかれめえ」

「でかしたな、常丸、政次」

「親分、それに海雲寺前の門前の浜に建つ廃屋《あばらや》でよ、人が争った痕跡《こんせき》と血のあとを見つけた。丹念に探したが、なんの手掛かりもない」

常丸は親分に指示を仰ぐように見た。

「おめえたち、聞いたか。勾引《かどわかし》に遭ったひめこが死骸で見つかった」

二人の手先がうなずいた。

「そっちの探索はしばらく休みだ。八百亀たちが五十嵐弦々斎の周辺を調べている、おめえらもそっちを手伝え」

常丸と政次が、

「へえ」

「はい」

と二様の返事を残して、桶町の諸商学塾へと走っていった。

宗五郎は一石橋を渡って金座裏に戻った。


この夜も豊島屋は客であふれ返っていた。酒だ、田楽《でんがく》だという注文が一段落ついたのは五つ（午後八時）過ぎのことだ。

「しほ、今晩も来そうにないね」

捕物《とりもの》好きの清蔵《せいぞう》がしほに言った。金座裏の手先の亮吉が姿を見せて捕物の話をしてくれるのを清蔵は楽しみにしているのだ。

しほは何とはなしに龍閑橋《りゅうかんばし》の方角を見た。

金座裏は橋を渡ったところにある。

「だって諸商学塾の塾頭さんとお妾さんの間に生まれた三つのお嬢さんが殺されなさったのでしょう」

「おおっ、客が今夜にも通夜《つや》だって言っていた。それに金座の手代さんの事件も抱えてなさるんだ。さすがの宗五郎親分もてんてこ舞いだろうよ」

「政次さんもえらいときに手先になりましたね」

「それだ」

と言った清蔵はあたりを見回して、人がいないのを確かめた。

「しほ、その件で何か聞いてないか」

「何かって何でございますか」

しほは主を振り返った。

「だからさ、政次を松坂屋からどうして手先に貰いうけたかとかさ。親分かおみつさんがおまえに話さなかったか」

「松坂屋に居づらくなったのをご隠居が心配して、金座裏にお世話されたんじゃありませんか」

しほはそんな風《ふう》に理解していた。

清蔵はしばらく黙っていたが、

「違うな」

とぽつりと言った。

「違うってどういうことです」

「私はさ、政次が金座裏の宗五郎の後継として松坂屋から来たと見ている」

夢にも考えなかったことだ、しほはぽかーんとして清蔵を見た。

「だって考えてもみな。手先なら八百亀から亮吉まで揃《そろ》っていらあ。だがな、金座裏には十代目を継ぐ人材がいない。この辺《あた》りに住む古手の町人なら、だれもが九代目で金座裏の名跡を絶《た》やしてはならないと心配している。そこで宗五郎親分と松坂屋さんが話し合われて、政次を金流しの親分の後継者として申し受けられたということだ。まず私の勘《かん》に間違いはなかろうぜ」

「そんなこと、考えもしませんでした」

「ただの手先の奉公に松六様が角樽《つのだる》抱えて挨拶に出向かれるものか」

しほはふと政次が赤坂田町の神谷道場に剣術の稽古に通っていることを思い出した。

(そうか、そういうことか。政次さんは金座裏の十代目になるのか)

何か急に政次が手の届かないところに行ったようで、しほは無性に寂しかった。

「政次なら金座裏の跡目は立派に継げる。機知もあれば思慮もある、それに御用聞きに必要な決断力も判断力も持ち合わせている。さらにはものに動じない胆力《たんりょく》もあらあ」

清蔵は自分の推測に酔ったように言い続けた。

しほは鎌倉河岸に立つ葉桜を眺めて聞いた。

（旦那の推量はあたっているんでしょうか）

鎌倉河岸の石畳の埃《ほこり》を巻き上げて、風が吹き抜けた。

四

「亮吉、さっきから懐に手を突っこんでばかりで何を考えてやがる。気を抜いて見張りができるか」

八百亀が押し殺した声で叱った。

諸商学塾の動きを見張るために長屋門の見える通りの向こうの路地に二人は潜んでいた。

亮吉がぼうっとした顔で先輩の手先を見返した。

「てめえ、気は確かか。懐に何を入れてやがる、出してみろ」

亮吉は八百亀に怒られて仕方なく懐に片手を入れて、何かを引き出した。

「餓鬼じゃあるまいし小雀《こすずめ》なんぞどうした」

「巣から落ちたらしくてよ、長屋の井戸端で這《は》い回っていたんだ」

八百亀は亮吉を睨み据えた。

「どうする気だ」

「どうするって、飛べるようになるまで面倒見るつもりだ」

「御用はどうする」

「どうするって、兄い」

「御用は餓鬼の遊びじゃねえ。三つの娘が無残に殺されたんだ、そのことを考えりゃ、おめえだって今、何をしなきゃあならねえか、分かりそうなものじゃねえか。堀端にでも捨ててこい。小雀に運がありゃあ、一人前に育とう」

「兄い、それはできねえよ」

「なんだと、てめえはおれの言うことが聞けねえというのか」

日頃《ひごろ》温厚な八百亀の表情が変わった。

亮吉が悲しげな色を漂わせて反抗の様子を見せた。

「てめえ、おれの言うことが聞けねえというんだな」

「おれがいなきゃ、こいつが死ぬんだ」

掌《てのひら》の小雀を愛《いと》しそうに八百亀に見せた。

「もう頼まねえ。亮吉、おれは半端者《はんぱもの》と組みたくはねえ、さっさとどこでも行きやがれ」

亮吉は押し殺した声で言い渡す八百亀を睨み返した。が、踵《きびす》を返して桶町の通りを走っていった。

「野郎、なんぞ胸につっかえているらしい」

八百亀は独り言《ひとりごと》を言うと見張りに戻った。すると長屋門の通用口が開いて、一人の男が出てきた。代教の睦美角之進だ。

（しまった）

一人になっていた八百亀はどうしたものかと迷った。

塾頭の五十嵐弦々斎は通夜の席に出て、留守だった。

（どこぞに抜け遊びか……）

が、その姿に浮かれた様子はない。それよりも思いつめたような緊迫が漂って見えた。

八百亀は桶町から東海道に出る若い代教を尾行していった。

数寄屋町の相模屋の長屋ではひっそりとした通夜が終わろうとしていた。

殺されたのが三つの娘だ。長屋の住人も通夜に出ても話のしようがない。

喪主《もしゅ》のあやは取り乱したあと、放心の体《てい》で座っているばかり、五十嵐弦々斎は憮然《ぶぜん》とした顔で茶碗酒を飲みつづけているとか。

「親分、なんだかやりきれないな」

闇《やみ》に身を隠して見張りを続ける下駄貫がぼそりと言った。

宗五郎は長屋の二階に点《とも》った明かりを見ながら、

(小魚一匹かからなかったな)

と、引き上げようかどうか考えていた。

長屋の木戸口にその影が立ったのは、そのときだ。

(ほお、睦美角之進か)

若い代教はあやの長屋に歩み寄った。が、中には入ろうとせず、ひめこの遺体が安置された部屋に向かって合掌《がっしょう》した。合掌しながら何事か真剣な様子で唱《とな》えていた。

「親分」

尾行してきた八百亀が宗五郎のかたわらに身を寄せて、

「あいつ、あやに傍惚《おかぼれ》していたというからさ、一目あやの顔を見に来たのかねえ」

と小声で囁《ささや》いた。

「部屋に入れば、弦々斎がいらあ。面を出すことはできめえよ」

睦美角之進は二階の明かりに視線をやり、木戸口に向かった。

「親分、亮吉の様子がおかしいや。怒鳴りつけたらどこぞに姿を消しやがった」

八百亀が経緯を手早く説明した。

「なんぞ胸に隠していやがることがありそうだ」

下駄貫が不安の色を見せたが、二人は気がつかない。

「朝方から気にはしていた。明日にでもおれが話そう」

「そうしてくんな」

八百亀が睦美角之進を再び尾《つ》けて戻りかけた。

「あっちはおめえ一人か」

と言ったとき、政次の声がした。

「親分、私が亮吉の代わりに参ります」

常丸と政次は五十嵐弦々斎を恨んでいた深川の薪炭商の奉公人を調べて回っていたが、帰路こちらに立ち寄ったところだった。

「親分、空ぶりだぜ」

常丸が、奉公人が事件に絡《から》んでいる様子はないと告げた。

「政次、報告は常丸から聞く。八百亀を助《す》けろ」

「はい」

八百亀と政次は睦美のあとを追って長屋を出ていった。

睦美角之進は桶町とは反対の方向へ東海道を横切って歩いていく。

「八百亀の兄《あに》さん、亮吉はどうしたんでございましょう」

「そいつが分からねえ。懐に小雀なんぞを入れてよ、時折り撫《な》でたり擦《さす》ったりしながらうじうじしてやがる」

「……………」

「まあ、あいつのことはよ、親分に任せておこう。こっちは探索だ」

睦美角之進は蹌踉とした足取りで新右衛門町《しんえもんちょう》と南油町《みなみあぶらちょう》の間を東に向かっていく。

通りは楓川《もみじがわ》の運河にぶつかることになる。

河岸に出た睦美は左右をきょろきょろと見回していたが、新場橋のたもとに赤い提灯を見つけて急ぎ足になった。二八蕎麦《にはちそば》の屋台だった。

「腹でも空《す》いていやがったか」

八百亀が独り言を言いながら、赤い提灯から十数間の間まで詰めていき、軒下《のきした》の暗がりに座った。政次も八百亀を真似た。

睦美の前に茶碗が置かれて酒が注《つ》がれた。睦美は両手で茶碗を掴むとぐいっと一息に飲んで、新たな酒を注文した。

そのとき、明かりが睦美の顔に当たった。

小さな叫びを政次が漏らした。

「どうした」

「あの男、知っています」

政次はそう言うと腰の帯にたくしあげた着物の裾《すそ》を下ろし、髷《まげ》をお店者《たなもの》のように直した。

「どうする気だ」

「私が金座裏に務め替えしたなんて、まだこの辺りの人も知りませんよ。確かめてきます」

八百亀が呆《あき》れている隙に政次は、手代がお店に戻るようにいそいそとした足取りで二八蕎麦の屋台に近付いていった。

「お先に」

しほは店仕舞いした豊島屋を出た。

皆川町《みながわちょう》の竹の子長屋は鎌倉河岸裏、すぐのところだ。

店から松下町代地の通りに入ってその影に気がつき、足を止めた。

闇を透《す》かして、

「亮吉さんじゃない、どうしたの」

「しほちゃん、頼みがあらあ」

泣きそうな声で亮吉が言い、歩み寄ってくると、

「こいつを預かってくんな」

と掌に包んだ温かいものをしほの手に乗せた。

小雀だ。

「どうしたの」

「こいつが飛べるまでよ、預かって育ててくんな」

「亮吉さんが育てればいいじゃない」

「できねえんだ」

そう叫ぶように言った亮吉は走り去ろうとした。

「亮吉さん、待って!」

鋭い声で制止したしほは咄嗟《とっさ》に懐の財布を取り出していた。

「何があったか知らないわ。でも、亮吉さんの住まいは鎌倉河岸よ。それだけは忘れないで」

背中が震えていた。

しほは亮吉の袂《たもと》に財布をねじこんだ。

亮吉がしほを振り切るように走って闇に消えた。

しほはしばらくその場に立ち竦《すく》んでいたが、竹の子長屋に帰るのを諦めて、金座裏に足を向けた。


金座裏に最初に戻ってきたのは数寄屋町で張り込んでいた宗五郎たちだ。あやの長屋には下駄貫ら三人の手先を残してきた。

宗五郎は戻り道、一人だけ同行を許した常丸から深川での探索の模様を聞き取っていた。宗五郎も、どうやらこちらの線は今度のひめこの勾引《かどわかし》と殺しには関わりがないと判断した。

「常丸、亮吉の様子がおかしいんだ」

宗五郎は八百亀から聞き知った一件を話した。常丸は亮吉の兄貴分、私生活から探索までなんでも承知していた。亮吉も常丸を真《まこと》の兄のように慕ってもいた。

「八百亀兄さんに叱《しか》られたくらいで現場を捨てるなんて……」

常丸は驚きを隠さなかった。

「亮吉が胸につっかえているのは何と思うな」

御堀端から本両替町の路地に入ったときに親分が手先に聞いた。常丸はしばらく考えこみ、はっきりと言い切った。

「親分、政次の一件だな」

「やはりそうか」

「さかしら顔に吹きこんだ野郎の言葉に動揺しているんでしょうよ」

そう言った常丸は、

「親分、おれにあいつと話させてくれまいか。それでどうにも手に負えなければ、親分が出てくんな」

「常丸、頼む」

即答した宗五郎の言葉は亮吉を心配する情けにあふれていた。

二人が金座裏の門前に戻ってきたとき、後ろから下駄の音がかたことと響いてきた。振り向くと両手を腹の前で組んだような格好のしほが小走りに駆けてくるのが見えた。

「しほちゃん、どうした」

しほの血相が変わっているのを見取った常丸が聞いた。しほは二人のそばに来ると両手を開いた。

「亮吉さんがこれを……」

「しほ、家に入れ」

宗五郎はそう命じると自ら格子戸《こうしど》を開けた。

居間の長火鉢の前に外出着のままどっかと腰を下ろした宗五郎は、しほから事情を聞き取った。そのかたわらにはおみつと常丸がいて、一緒に聞いた。

「あの馬鹿、何をする気だよ」

おみつが怒ったように言った。すでに涙声だ。

「親分、むじな長屋を見てくらあ」

常丸がそう断ると戻ってきたばかりの夜の通りに出ていった。

残された三人は、しばらく押し黙ったまま思い思いのことを考えていた。

「親分」

八百亀の張り切った叫びが玄関先から響いて、黒い顔を覗かせた。

「睦美角之進がひめこ殺しに関わっているかもしれねえぜ」

八百亀は長火鉢の前にどたりと座った。

「野郎、あのあとよ、楓川の袂に出ていた二八蕎麦の屋台に立ち寄ったんだ。すると政次がふいに身なりをお店者に変えてさ、あいつのそばに行きやがったんだ……」

睦美は茶碗酒を一気に五、六杯飲んだ。恐怖でも振りはらうような異常な飲みっぷりで、飲む合間に重い溜め息を何度もついた。

政次は蕎麦を注文すると、すぐそばから睦美の様子を観察した。

(間違いない)

あの朝、御堀端で思い悩んでいた裁着袴の男だ。

睦美角之進の顔にはまだ青あざが残っていた。そのことを蕎麦を啜《すす》りこみながら確かめた政次は、

「ご馳走さまでございました」

と律義なお店者らしく十六文を払って、八百亀のところに戻ってくると事情を述べた。

「ひめこが勾引《かどわかし》に遭った夜明け前、野郎は御堀端から数寄屋町の方角に意を決したように急ぎ足で姿を消したそうだぜ」

「政次はどうしている」

「屋台を出た睦美を尾けてらあ、方角からいって桶町に戻ると見たがね」

「八百亀、数寄屋町の長屋に五十嵐弦々斎が泊まったかどうか確かめてこい。おれは諸商学塾に行く」

宗五郎は神棚の三方《さんぼう》から金流しの十手を摑みとると背の帯に差し落とした。

その行動がしほにも事件が大詰めを迎えていることを教えてくれた。

次の日の夕刻、常丸と政次が鎌倉河岸の豊島屋を連れ立って訪ねてきた。迎えたのはしほと清蔵だ。

「どうだったえ」

清蔵の声は沈んでいた。

「政次の初手柄だ」

常丸が答えたがこちらも弾《はず》んではいなかった。二人が空樽に座り、しほも清蔵も同じ卓を囲んで座った。

「五十嵐弦々斎と妾のあやの間に生まれたひめこを勾引《かどわ》かしたのは睦美角之進という若い代教だ。勾引かしをする前日、睦美は塾頭の弦々斎に辞職した教授の青山一伯となぜ付き合ったと蒸し返されて、教授方の前で殴る蹴るの暴行を受けていた……」

「それが三つの娘を勾引かして殺した理由か」

やりきれないといった風情で清蔵が言った。

常丸が首を振った。

政次が酔った睦美を尾行すると諸商学塾に戻っていった。潜り戸を見ながら、

（さて、どうしたものか）

と政次は思案した。だが、思案の間もなく宗五郎自身が姿を見せた。

「政次、ご苦労だったな」

新米の手先を労《ねぎら》った宗五郎は、なんぞ引っ掻《か》きまわしたいものだがと頭をひねった。

そこへ数寄屋町から八百亀が走ってきた。

「親分、五十嵐弦々斎はあやのところで寝こんだ様子だ」

「主の留守に泥棒の真似をするか」

と宗五郎が言いかけたとき、潜り戸が開いて睦美角之進が旅仕度で姿を見せた。

桶町から東海道筋に出たところで、

「睦美角之進、三つの娘を殺してどこぞに逃げようという算段か」

と言う金座裏の宗五郎の啖呵《たんか》が飛び、八百亀と政次がゆっくりと行く手を塞いだ。

睦美の顔が恐怖に崩れ、

「殺したのは私じゃない、お内儀様《かみ》だ」

と叫ぶように口走った。

「なんと、本妻が妾の娘を殺したか」

豊島屋の清蔵が呆れたように言った。

「女中だったあやのところに入りびたる亭主に一矢報《いっし》いようと浅知恵を絞ったのさ。ところが妾の家に押し入る勇気はねえ、あやとも顔を合わせたくない。そこで日頃から弦々斎のいじめられ役の睦美角之進を抱きこんだ。睦美は睦美であやに惚れていたのを師匠に横取りされた恨みもあった。前日には青山一伯の一件で殴る蹴るの暴行も受けていた。ともかくひめこを勾引《かどわ》かして師匠とあやを困らせたい一心で夜明け前に数寄屋町の長屋を訪ね、あやが手水場に立った隙にひめこを夏がけにくるんで運び出した……」

嫉妬《しっと》に狂い、夫の暴力に怯えた喜美が日本橋川の河岸に屋根船を停めて待っていた。船は深川六間堀《ろっけんぼり》の船宿で大金を払って一晩借りうけたものだった。

「ひめこの寝顔を見た喜美は逆上して睦美の腕から奪い取ると睦美が止めるのも聞かず、いきなり絞め殺したそうな」

「どうしてそんなむごいことが……」

しほが聞いた。

「ひめこの顔はあやとそっくりなんだよ、しほちゃん」

常丸の言葉にしほは言葉を失った。

「殺したあとに後悔したらしいが、もう遅いや。二人はともかく死体の始末をしなければと、ない知恵を絞った。喜美は桶町に戻り、睦美は日本橋川から大川に出て、御船蔵のある中州まで漕《こ》ぎ上がった。そこで白々と夜が明けてきそうな気配にな、中州に船を突っこみ、夏がけに包んだままひめこを葦の間に捨てたそうだ。それがさ、次の朝、潮の満《み》ち干《ひ》きで流れ出て、御船蔵の番人に見つかったってわけだ」

「天網恢恢疎《てんもうかいかいそ》にして漏らさずだ」

清蔵が言い放った。

「睦美は豆州田子《ずしゅうたご》って海のそばで生まれた男でね、船を漕ぐのはお手のもの。喜美から与えられた二十両の金を持って逃げようとして馬脚を現わした」

「諸商学塾の弦々斎は自業自得《じごうじとく》だな」

「寺坂の旦那の話じゃ、この事件を端緒に調べられるって話だ、まず塾は続けられまい」

「もうぼろが出てらあな、だれがお店の立て直しの相談に行くものか」

しほは黙って常丸の説明を聞く政次を見た。

「政次さん、お手柄ね」

「しほちゃん、私はあの朝、偶然に睦美角之進を目に留めただけなんだ」

「いや、その観察がなければこう早くは事は進むまい。なあ、常丸さん」

清蔵が感嘆し、

「しほ、祝い酒だ」

としほを振り見た。

「旦那、しほちゃん、気持ちだけ頂《いただ》こう。おれっちはこれからまた亮吉のいそうなところを捜して歩く」

常丸と政次が立ち上がった。

亮吉はむじな長屋にも戻らず、どこかに姿を消していた。

「しほちゃん、小雀は元気か」

政次が聞いた。

「元気よ、なんとしても亮吉さんが戻ってくるまで無事に育てるわ」

小雀は豊島屋の台所の裏口のところに置かれて鳥籠の中で小さな鳴き声を上げていた。

「頼む」

そう言い残した政次は幼馴染《おさななじ》みの捜索に出かけていった。
しほは鎌倉河岸の老桜の木の下に来ると節《ふし》くれだった幹に手をかけて、
（亮吉さんが無事に鎌倉河岸に戻ってきますように……）
と、祈り続けた。

第三話　仁左《じんざ》とはる

一

からっとした暑い夏が江戸を覆《おお》った。

乾いた風にも触れれば炎が上がりそうな炎熱が籠《こも》っていた。

しほはこの朝、龍閑橋《りゅうかんばし》の船宿綱定《つなさだ》の船頭彦四郎《ひこしろう》の訪問を竹の子長屋にうけた。

「亮吉《りょうきち》さんが見つかったの」

しほの問いに彦四郎が人のよさそうな顔を横に振り、

「しほちゃん、それでよ、ちょいと訪ねてみたいところがある、付き合ってくれないか。旦那《だんな》も女将《おかみ》さんも猪牙《ちょき》を使っていいって許してくれたんだ」

「いいわ、すぐに用意していく」

彦四郎が溝板《どぶいた》を踏んで長屋から消え、しほは急いで身支度を整《ととの》えた。

「はつおばさん、今日は早く出かけるわ。よろしくね」

隣《となり》長屋の住人、ぼて振りの嶋八《しまはち》の女房はつに声をかけた。

はつは相変わらず内職の道具や材料に囲まれて精を出していた。内職は鷲《おおとり》神社の七福神の飾りの絵付けで夏場から秋口に忙《いそが》しくなる。

「手先《てさき》の亮吉さんが家出したんだって」

「そうなの、私にこの小雀《こすずめ》を預けていってもう三日目よ」

「困ったもんだね」

と言ったはつは、

「その雀、預かろうか」

と鳥籠《とりかご》を見た。

「小雀も外に連れ出せば気がはれるかもしれないから連れていく」

「好きにしな」

しほは皆川町《みなかわちょう》の竹の子長屋を出ると、鎌倉河岸《かまくらがし》に出た。

鎌倉河岸では荷船が着いたり離れたり、青物やら味噌樽《みそだる》やらが運びこまれていた。

この付近は青物役所から豊島屋のような酒問屋まで大店《おおだな》が多い。また、鎌倉河岸では江戸近郷の百姓衆が自分の畑で作った野菜やら、漬物やらを持ちこんで朝市が開かれるから、いつも忙《せわ》しく人馬が往来していた。

人込みを避けるように龍閑橋際の綱定に行くと、いつもあでやかな女将のおふじが高家の用人らしい人物を送り出したところだった。

彦四郎の大きな姿が水辺に見え、猪牙舟の用意をしている。

「女将さん、おはようございます」

「しほちゃん、心配だね」

おふじが艶然《えんぜん》とした顔を向けた。

「日中から彦四郎さんのわがままをお聞きになったそうですね」

「どうせ仕事が手につきやしないからさ、同じこった」

旦那の大五郎《だいごろう》の声がして、二人のかたわらに綱定の主《あるじ》が小粋《こいき》な姿を見せた。

「そいつが亮吉が預けていった小雀かえ」

大五郎が鳥籠を見た。

「そうなんです、長屋に残しておくのもなんだから連れてきちゃった」

「預かろうか」

「旦那、駄目《だめ》だよ。そいつはよ、亮吉の分身みてえなものだからさ、おれっちのそばに置いとかなきゃあ」

船着場に猪牙舟を着けた彦四郎が叫ぶ。

「おめえらは餓鬼《がき》なんだか大人なんだか」

大五郎が呆《あき》れ、おふじが、

「体と胃の腑《ふ》はお相撲《すもう》並みだがね」

と言い足した。

「しほちゃん、行くぜ」

しほは綱定の主夫婦に頭を下げて船着場に下りた。しほが乗りこんだところで、

「気をつけてお行き」

とおふじがかたちばかり舳先《へさき》を流れに押し出した。

「しほちゃん、なんで亮吉のやつ、家出なんかしやがった」

彦四郎が聞いたのは日本橋川《にほんばしがわ》に入ってからだ。

「政次《せいじ》さんのことだと思うわ」

「やっぱりな」

彦四郎も察していたように言った。

「だってよ、亮吉のおっ母《か》さんに聞いてもよ、心あたりねえって言うしな」

しほは清蔵《せいぞう》の考えを彦四郎に伝えた。

「そんなこっちゃねえかと思ったぜ。だから、おれが何度も念を押したんだ」

「亮吉さんは政次さんが宗五郎《そうごろう》親分の跡継ぎになるのが許せないのかしら」

「そんなんじゃないと思うな。あいつはよ、ただ単に政次が自分と同じ手先になるとばかり思いこんでいたんだ。それがだれからかさ、吹きこまれたもんでよ、頭が混乱してんだと思うよ」

そんなところだろうとしほも思った。

「ほんとに政次さん、金座裏《きんざうら》の十代目になると思う」

「うちの旦那も女将さんもそう言ってら」

「なんだか政次さんが遠くに行ったみたい」

彦四郎はしばらく返事をしなかった。

「しほちゃん、政次はいつだって政次だ」

「十代目になったら宗五郎と名が変わるのよ」

「そうか、そうだな」

二人は沈黙した。

その間にも彦四郎は櫓《ろ》の手を休めなかった。

猪牙舟は大川《おおかわ》に出た。

彦四郎は沈黙したままゆったりとした動作で漕《こ》ぎ続ける。船頭になるために生まれてきたような若者だ。子供の頃《ころ》から大川が好きで河童《かっぱ》のように泳ぎ回り、大川端《おおかわばた》は当然のこと、江戸じゅうの堀という堀をそらんじていた。それに手足が長くて櫓の扱いが大きい。他の船頭が二回漕ぐところを一度で足りた。

「彦の船は揺れなくて速い」

と得意先の旦那衆に信頼を得ていた。

「しほちゃん、おれたち長屋生まれはよ、出世なんて考えねえんだ」

「政次さんも出世しようと金座裏に入ったんじゃないと思うわ」

「ああ、それは確かだ。松坂屋《まつざかや》さんと金座裏の親分の間でさ、じっくりした話し合いがあって、外堀はすでに埋められていたって、うちの旦那も読んでいらあ」

政次が自ら望んだことではない、それだけは確かだ。

「どこに連れていってくれるの」

しほは重い空気を変えようと快活に言った。

「須崎村《すざきむら》に桜見物に行ったろう、あそこへ行く」

昨年の春、亮吉と彦四郎が松坂屋の休みを利用して政次としほを誘い、船で大川を上ったことがあった。それが四人がより絆《きずな》を深めたきっかけの日だった。

「いい考えだわ」

あの日、綱定のおふじが三段のお重にいろいろなご馳走《ちそう》を詰めて持たせてくれ、山《やま》桜《ざくら》の木の下で彦四郎と亮吉はお酒まで飲んだ。

小雀がか細い声で鳴いた。

「須崎村に着いたらよ、虫をとって食べさせてやるぜ」

彦四郎が言うと櫓に力を一段と加えた。

須崎村の岸辺で山桜は虫食いだらけの葉で二人を待っていた。

彦四郎は舳先を水辺にやわらかく寄せると竿《さお》を使ってしほが岸に下りやすいように着けた。

しほは鳥籠を手に土堤《どて》に飛んだ。

彦四郎も竿を水底に立てて船を止めると、舫《もや》い綱《づな》を手に岸辺に跳躍した。

花見のときより季節は深まり、土堤の草も深かった。

しほは鳥籠を山桜の枝に吊《つる》した。

暑い日射しも、桜の葉の陰に入ると遮られ、水辺を吹き渡る風をうけているとうっすらと掻《か》いた汗も引いていく。

彦四郎は小雀のために虫を見つけはじめた。

「亮吉さんたら、どこにいるのかしら」

鳥籠の小雀に与えた。

「どこにいやがるか」

彦四郎は草むらの葉陰を大きな手でかき分けて器用にも小虫をつかまえ、鳥籠の小雀に与えた。

小雀はうれしそうな鳴き声を上げて、彦四郎の与えた生餌《いきえ》を食べた。

しほは土堤に腰を下ろして中州の向こうを流れる大川のきらめく流れに目をやった。

彦四郎は小雀が元気よく餌《えさ》をついばんでくれたので本格的に虫捕りに熱中した。

どれほど時が流れたか、彦四郎が奇声を発した。

「なんで川越《かわごえ》の氷川《ひかわ》様のお札《ふだ》がこんなとこに落ちてんだ」

しほが振り向くと彦四郎が真新しいお札を見せた。

「彦四郎さん、見せて」

立ち上がったしほに彦四郎がお札を差し出した。

しほは一目で分かった。

「やっぱり亮吉さんはここに来たのよ」

「亮吉がこんなお札を持っていたかい」

「私のお札……」

しほは亮吉が小雀を預けていった夜のことで、まだだれにも告げていないことを話した。

「なんだって！　しほちゃんは財布ごと亮吉に持たせたのか」

「だって亮吉さんはいつもお金なんて持ってないもの」

「あいつはいつもぴぃぴぃしているからな」

「そのお札、川越の伯母《おば》が野菜なんかと一緒に送ってくれたものなの」

「そうか、あいつはここへ来てしほちゃんの財布の中身を調べて、そんときよ、うっかりお札を落としやがったか。いくら入っていたな」

「いくらって、二朱と銭が五、六十文かな」

「三、四日は腹を空《す》かせずに過ごせるな」

彦四郎は村で当たってみようとしほに言った。

二人は船と鳥籠を岸辺に残して寺島村に入っていった。

広々とした田園地帯では茄子《なす》や夏大根の収穫が行われていた。

「すまねえ、ちょいと聞きたいのだが」

と声をかけたのは茄子の畑で菅笠《すげがさ》を被《かぶ》った老人にだ。

日に焼けた皺《しわ》だらけの顔が二人を見た。前歯が抜けて、舌がちろちろと見えた。

「土堤の桜の下でさ、おれっちくらいの男を見掛けなかったか」

老人は彦四郎の顔を見上げた。

「おめえみてえな、鍾馗《しょうき》様がそういるものか」

「いやさ、体じゃねえ、年格好だよ」

老人はしほを見た。しばらく歯のない口をもごもごしていたが、

「ちびっちょいのなら一昨日《おととい》の夕刻、土堤んとこで考えごとしていたがな」

と答えたものだ。

「それだ、亮吉だ。どこに行ったか、しらねえか」

「あの晩は白鬚《しらひげ》神社に泊まったちゅう話だ」

「ありがてえ。助かったぜ、じい様」

彦四郎としほは老人に白鬚神社を教えられ、急ぎ足で向かった。

慈恵《じけい》大師が近江《おうみ》白鬚大明神の分霊を勧請《かんじょう》したのが天暦《てんりゃく》五年（九五一）と古い。祭神猿田彦《さるたひこ》を隅田七福神寿老人《じゅろうじん》になぞらえて、江戸の人は白鬚神社詣《もう》でをした。

長寿の神の寿老人が祀《まつ》られる白鬚神社を訪ねるのはしほは初めてだ。が、船頭の彦四郎は客を乗せて何度か来たことがあるとかで、社務所に顔を出すと白鬚の神主《かんぬし》に亮吉のことを聞いた。

「ああ、本殿の軒下《のきした》で一夜を過ごされた独楽鼠《こまねずみ》のような若い衆がいたな。昨日の朝、

その者が境内《けいだい》の庭掃除をしているとこを気づいたでな、台所に呼んで朝餉《あさげ》を食べさせ、親方のところに戻れと説教してかえしたがな」

神主は職人が親方に怒られて出てきたと勘違いしたようだ。確かに亮吉の風体《ふうてい》はお店者《たなもの》よりも職人に近いかもしれない。

「神主さん、その男、名前は名乗りましたかえ」

「いや、言わなかったな」

彦四郎としほは丁寧《ていねい》に礼を述べて、白鬚神社を辞した。

亮吉の姿は白鬚の渡しでも目撃されていた。だが、渡し賃を惜しんだか、大川べりを須崎村の方角に戻っていったという。

彦四郎はお日様を仰ぎ見て、言った。

「しほちゃん、おめえはここで待っていてくんな。おれが一《ひと》っ走り、土堤まで戻って船を持ってくらあ」

「鳥籠を忘れないでね」

としほが声をかけたときには彦四郎は大股《おおまた》で走り出していた。

この昼前、金座裏に板橋《いたばし》宿の乗蓮寺《じょうれんじ》前でお上《かみ》のご用を務める銀蔵《ぎんぞう》の手先、仁左《じんざ》がはるを伴い、顔を見せた。

仁左が背負った竹籠には板橋宿で穫《と》れた夏野菜がいっぱいに入れられていた。ちょうど玄関先で顔を合わせた八百亀《やおかめ》が、

「久し振りだな、おはる坊」

と迎え、

「仁左さん、聞いたぜ。銀蔵親分のところで汗を流しているって」

と昔馴染《なじ》みに挨拶《あいさつ》した。

「八百亀の兄い、お久し振りにございます。十手持つのを止《や》めようと思ったんだが、銀蔵親分に十手持ちがそう簡単に足が洗えるものかと小言を食いましてね、世話になっております」

「乗蓮寺の親分の言われるとおりだ。手先と乞食《こじき》は一緒だ、三日やると止められねえよ。どこぞに垢《あか》がたまるんだな」

「違《ちげ》えねえ」

八百亀が仁左の竹籠を下ろす手伝いをすると、二人を玄関先まで案内し、

「親分、姐《あね》さん、銀蔵親分のところのおはるさんと仁左さんのご入来《にゅうらい》だ」

と奥へ呼ばわった。

「おはるちゃん、久し振り」

おみつが飛んで出てきた。

「おばさん、ただいま」

はるはまるで実家に帰ってきたような顔である。

「おまえさんはうちには初めてだねえ」

と仁左に顔を向けて、ともかく奥へと招じ上げた。宗五郎も、

「忙しさに紛《まぎ》れて、詳《くわ》しい経過の報告もしてねえ。おまえさんにも銀蔵親分にもすまねえことだ」

と頭を下げながら、

「はる坊がついているところを見ると御用じゃねえのか」

と笑いかけた。

「そう、江戸で所帯道具を買いそろえるの」

はるが出戻りの貫禄《かんろく》を見せてのたまった。

「いや、それじゃ話があとさきだ。親分、御用が先でして」

「ほう、話がちぐはぐだ」

「親分、板橋宿ばかりにいると馬《ば》糞臭《ふんくさ》くてかないませんよ。たまにはお江戸の空気も

吸いたくなるというもんです」

はるがしれっとした顔でさらに応じた。

「用事が済んだら仁左を解放してやろうか。何日でもさ、泊まりがけで芝居でもうまいものでも楽しんでいきな」

金座裏にはいくらでも部屋があった。

「最初からその気ですよ」

はるが言い、仁左が困った顔をした。

「はる坊、もう仁左を尻《しり》の下に敷く気か」

「馬でも亭主でも最初が肝心です」

「仁左を馬並みに考えてやがる。これは考え直したほうがいいかもしれねえぜ」

宗五郎が言い、おみつがはるを男たちから引き離して台所に連れていった。

神棚のある居間に残ったのは宗五郎と仁左と八百亀だ。

「親分の手紙を頂き、品川たまきち丸という名の漁師船があのあたりで見掛けられてないか探して歩きました。すると尾久《おく》河岸で川越船の船頭が見たというのに行きあたりました……」

川越船は浅草花川戸《はなかわど》と武州《ぶしゅう》川越藩を結んだ舟運《しゅううん》（定期船）だ。

　尾久河岸も川越舟運の立ち寄り先の一つだ。

「やはり船で運びやがったか」

「船頭の話によると二人の男が白《しら》みかけた戸田川《とだがわ》を渡しの方角に漕ぎ上がっていったそうにございます。擦《す》れ違い様《ざま》でじっくり見たわけじゃないそうですが、船の真ん中に座っていたのは剣客《けんかく》風の侍、三十六、七、若くはなかったと申します。漕ぎ手は櫓の扱いになれた遊び人でこっちは頰被《ほおかむ》りしていたそうです、三十前だろうと言っています。親分もご存じのように川越船は下りは早《はよ》うございます、一瞬のすれ違いですが船頭がしかと、たまきち丸と認めておりました」

「そうか見られていたか」

「また数刻後、あのへんじゃ見掛けられないかたちの小船が下っていくのを何人か目撃してますが、今度は遊び人が一人だったそうにございます。ただ、たまきち丸と確かめたわけじゃない」

「仁左さん、よう調べてくれた。これではっきりと品川と戸田川が結びついたというものだ、礼を言うぜ」

「殺されたのは品川でしたか」

「おお、浜の廃屋《あばらや》で争った跡と血を常丸《つねまる》らが見つけてきた。助蔵《すけぞう》が女郎に言いおいて出かけた刻限といい、場所といい、まず廃屋で殺されたと見て間違いなかろう」

「なんで危ない橋を渡ってまで厄介《やっけえ》なことをしでかしたかですね」

「それだ」

仁左も八百亀も助蔵が京に行かされた真の理由を知らされていない。不思議に思うのは無理のないところだ。

「まあ、こいつは時間がかかろう。仁左さん、確かに江戸の事件だが死骸《しがい》が発見されたのはおめえの縄張り内だ。それに剣客が死骸といっしょに戸田で下りたことも考えねばなるまい。野郎のねぐらがあるかもしれねえ、金座裏と乗蓮寺で力を合わせようぜ」

「うちの親分はなんでも金座裏の指図に従えと申されております」

「まあ、これからも目くばりを頼まあ」

と頭を下げた宗五郎は、

「はる坊、仁左をお返しするぜ」

と台所に怒鳴った。

仁左とはるは昼食をとったあと、江戸見物に出かけていった。

　その直後、彦四郎が金座裏を訪ねてきた。すぐ親分の宗五郎の下に通された彦四郎は、朝からの活動の成果を報告した。

「そうか、去年、父親の非業の死の悲しみにくれているしほを慰《なぐさ》めようと、おめえらが花見に出かけたことがあったな。あの須崎村を訪ねていたか」

「となると、おまえさん……」

　おみつが口をはさんだ。

「亮吉は政次のことを気にして家出したんだねえ」

「間違いあるまい。ただな、あいつも自分の考えを整理しきれないでいるんだろうよ。無理に捜し出して連れ戻すよりも少し時を与えたほうがいいかもしれないな」

「だっておまえさん、亮吉ったらしほちゃんがくれた二朱ぽっちしかお金を持ってないんだよ」

「男一匹なんとでもならあ、そうじゃないか、彦四郎」

「へえ、わっしも亮吉に必要なのは考える時間だと思います」

　うなずいて宗五郎が言った。

「若いうちは能天気に過ごすよりも悩んだほうがいい。それがあいつのためだ」

「おまえさん、それじゃあ、いつ亮吉は帰ってくるんだい」

「だから、亮吉が納得したときさ」

「それがいつかと聞いているのに、じれったいね」

おみつの嘆《なげ》きでそのときの会話は終わった。

二

仁左は江戸にいたときから大の相撲の愛好家だった。場所前の朝稽古《あさげいこ》から両国の回向院《りようごくえこういん》で春と冬に催《もよお》される本場所まで、暇《ひま》さえあれば顔を出して、寛政期《かんせい》の谷風《たにかぜ》、雷電《らいでん》、宮城野《みやぎの》、達ケ関《だてがせき》、九紋竜《くもんりゆう》、陣幕《じんまく》といった関取の取り組みを楽しんできた。

秋は大坂で場所が開かれる。今はそのための朝稽古が一番激しさを加える時期だ。

金座裏に泊まった翌朝、政次が赤坂田町の神谷道場に出かけた直後、仁左は相撲の朝稽古を見物に川を渡った。

そのことは昨晩、宗五郎にもおみつにも断り、

「お相撲かえ、行ってきねえな」

と宗五郎も許してくれて、仁左はいそいそと両国橋を渡ったのだ。

相撲興行は寺社修復の費用を賄《まかな》うとの名目で寺社の境内で催された。富《とみ》くじと同じように寺社奉行《じしやぶぎよう》の管轄《かんかつ》下にあった。

一年を　二十日で暮らす　いい男

とは春と冬の二場所十日ずつの興行を詠《よ》んだ句だ。

この相撲が谷風、小野川《おのがわ》、雷電ら名力士の登場で人気を博するようになるのがまさに寛政期のことであった。

寛政三年（一七九一）には御城で十一代将軍家斉《いえなり》の前で上覧相撲が開かれて、黄金時代を迎え、興行の場所も回向院に定まっていく。

仁左は明暦《めいれき》の大火（一六五七年）の焼死者を供養するために建てられた回向院の境内に入っていって、懐かしい山稽古の気配を聞いた。

ようやく白《しら》み始めた朝方、裸の大男たちが肉うつ音はなんとも壮快だった。

（おお、やってるな）

四本柱の土俵を囲んで力士たちがぶつかり稽古に汗を流し、砂まみれになっている光景に胸を躍らせた。それだけではない。土俵の周辺では四股《しこ》を踏む者、腰を落として摺《す》り足で前進する若者と、それぞれが汗を流していた。

むろんまだ人気力士たちが顔を見せるには早過ぎた。

だが、仁左は谷風だろうとふんどし担《かつ》ぎだろうと力士たちが全身全霊をこめて勝負の一瞬にかける姿が好きなのだ。だから、無名の若い相撲取りたちの稽古を見られれば十分だった。

今しもあんこ型の幕下の老練が土俵に上がっていた。

仁左が知っている顔だ。

九十九里《くじゅうくり》の出で磯千鳥《いそちどり》という四股名の力士だ。一時は十両まで上がって活躍したが、膝《ひざ》を悪くしたとかで、幕下暮らしがもうだいぶ長くなった。

磯千鳥が若い相撲取りたちを自在に扱って土俵の外に押し出したり、転がしたりした。さすがに百戦錬磨、まだまだ若い奴《やつ》には負けないという気概に満ちていた。

小兵が突き倒されて磯千鳥に次の相手が群がった。

磯千鳥はそのなかから一際《ひときわ》巨漢を選んだ。

仁左の知らない顔だった。

六尺四寸（約百九十五センチ）はあろうかという長身で胸板も厚い。だが、それにしても下半身が細くて腰高だった。

「さあ、こい」

磯千鳥が汗と砂に塗《まみ》れた回しの前をぽーんと一つ叩《たた》いた。

長身の相撲取りは腰高から立ち上がるといきなり張り手をかませた。三十貫（約百十三キロ）はあろうという磯千鳥の体が土俵の外に吹っ飛んだ。

「野郎、何をしやがんじゃい！」

土俵の周りにいた兄弟子が長身の若者を怒鳴りつけた。

稽古ではぶつかり稽古が主、まして兄弟子の胸をかりる者はひたすら押しに徹して足腰を鍛《きた》えるのが基本だ。それを長身の相撲取りはいきなり張り手を磯千鳥にかませた。

磯千鳥は土俵下で意識を失い、同僚に水をかけられて顔を何度も横に振っていた。

そしてやおら立ち上がると憤怒《ふんぬ》の顔で土俵にかけ上がった。

「わりゃ、稽古土俵の決まりも知らぬか。磯千鳥が叩き殺してやる！」

兄弟子たちが磯千鳥に場を空《あ》けた。

若い相撲取りは無表情に立っているように見えた。が、仁左は若者の全身からある殺気を感じとっていた。

「仁左、珍しいね」

振り向くと呼び出しの勘太郎《かんたろう》だ。

「おお、勘太郎さんかえ。ちょいと江戸を離れていてな」

「新橋の親分のことは聞いた」

「今、板橋宿の銀蔵親分の世話になっていらあ。板橋を通るときにゃ顔を出してくんな」

そう言った仁左は顎《あご》で土俵をしゃくった。

「威勢がいいね。若いお相撲はだれだえ」

「この四年ばかり前に甲州《こうしゅう》から江戸に連れてこられた野郎さ、たんぽ槍岩松《やりいわまつ》といってね、大童山《だいどうざん》と同じ、飾りだ」

寛政六年（一七九四）の十一月、客寄せのために肥満した少年を探し出し、土俵に上げた。これが大童山で、人気を呼んで写楽《しゃらく》による『大童山土俵入り』という錦絵まで売り出された。

大童山は当時七歳、身長三尺八寸（約百十五センチ）ながら体重は十九貫（約七十一キロ）はあったという。

その相撲をとらない客寄せの大童山とたんぽ槍が一緒だと勘太郎は言うのだ。ついでに言うならたんぽ槍とは稽古槍のことだ。

「突きおろすような張り手の威力はなかなかだぜ」

「それがのみの心臓だ。土俵入りの太刀持ちをさせると風采《ふうさい》がいい、本番の土俵に上がるとからっきしの体《てい》たらくだ」

「おしいな」

「それにしても今朝はおかしいな」

勘太郎が首を捻《ひね》った。

「いつもと形相《ぎょうそう》が違うぜ、殺気がみなぎっている」

土俵では磯千鳥が血相変えてたんぽ槍に飛び掛かろうとして年寄りたちに止められていた。当のたんぽ槍といえば平気の平左《へいざ》で次の相手を指名していた。だが、たんぽ槍の殺気に押されたか、相手が出てこなかった。

「あの気迫がよ、本番の土俵で出ればなあ」

「勘太郎、ありゃ一時《いっとき》のこけおどしだ。すぐに化《ば》けの皮が剝《は》がれるな。一時はどこぞの大名《だいみょう》家が召《め》し抱えるって話もあったんだがな」

二人が振り向くといつもは柔和《にゅうわ》な顔の陣立《じんだち》親方が険《けわ》しい表情で立っていた。

「これは親方、あれは一時のことですかえ」

「ああ。野郎、六角《ろっかく》親方に人間の生肝《いきぎも》でも飲んで度胸をつけろ、今のままなら出世は無理、故郷《くに》の甲州に戻って百姓しろとこっぴどく叱《しか》られたらしいや。それでなんぞ気持ちを入れ換えたようだが、考え違いもはなはだしい。親方が言いなさるのは土俵の上の気迫だ。あいつ、稽古を喧嘩《けんか》と勘違いしてやがる。何を考えているんだか……」

陣立親方が不思議そうに首を捻った。

たんぽ槍は稽古相手を見つけられず、肩を怒らせて土俵を下りた。

再びぶつかり稽古が始まった。


金座裏では新たな騒ぎが起こっていた。

新大橋下の霊雲院の河岸で試し斬《ぎ》りをうけたとみられる紀伊《きい》藩の侍の死体が発見されたという。

紀伊は金座裏の出入りのお屋敷、江戸留守居役《るすいやく》の常村尚左衛門《つねむらしょうざえもん》から、

「宗五郎も現場に出てくれ」

との要請が届いた。そこで宗五郎は北町定廻同心《きたまちじょうまわりどうしん》の寺坂毅一郎《てらさかきいちろう》を訪ねて、吟味与力《ぎんみよりき》の今泉修太郎《いまいずみしゅうたろう》の同道を願って大川を渡った。

なにしろ相手は御三家であった。そこで今泉は奉行の小田切土佐守直年《おだぎりとさのかみなおとし》の許しを得て、異例ながら現場に出ることにした。

宗五郎の供は八百亀と常丸の二人だ。

もちろん今泉にも寺坂にも小者《こもの》がついていた。

「親分、ひめこの死体といい、こんどの一件といい、川向こうが続きますぜ」

常丸が言った。

「そういえばひめこも御船蔵の中州だったな」

北町奉行所の船が御船蔵から数丁下流の霊雲院の河岸に近付くと、水辺に白い幕が引き回されて、その幕の内に人の輪ができていた。

紀伊家の家臣たちだ。

幕の内側には町方の者たちも近付けないでいた。

「今川町《いまがわちょう》の千吉《せんきち》親分もいらあ」

白い幕の外に憮然《ぶぜん》と立つ千吉の小太りの姿を見て常丸が呟《つぶや》き、舳先から岸辺に飛んで、舫い綱を杭《くい》に結《ゆ》わえつけた。

深川一帯を縄張りにする千吉は南町《みなみまち》の同心《どうしん》佐々木《ささき》信太郎《しんたろう》から鑑札《かんさつ》をうけて働く御用聞きだ。金座裏の宗五郎とは同年輩の十手《じって》持《も》ちである。

家臣団の輪の外にいた中年の武士が宗五郎に近付いてきた。

「金座裏の宗五郎どのだな。紀伊藩拝領屋敷用人上川百之丈《かみかわもものじょう》でござる。留守居役常村様よりそなたの指示を仰げと命《めい》が届いておれば、まずは検死をしてくだされ」

丁重《ていちょう》に宗五郎に言った。

紀伊藩の拝領屋敷は大川のすぐ上流、新大橋際にあった。

「おそれいります」

と腰を屈《かが》めた宗五郎は与力の今泉修太郎と同心の寺坂毅一郎を紹介した。

金座裏の宗五郎は一介の十手持ちではない。

将軍家御目見《おめみえ》の古町町人《こまちちょうにん》であり、金流しの十手は幕府金座から贈られ、将軍からも許されたものだ。

御三家の紀伊にとって御目見以下の町方役人より重要な人物といえた。それに宗五郎には藩士が起こした揉《も》め事《ごと》をできるだけ表沙汰《ざた》にせずに解決してくれる度量と力があった。だが、町奉行所との関係でいえば、十手持ちは非公式な身分に過ぎない。

「今泉様、お願い申します」

宗五郎は今泉に尋問《じんもん》の口火を切らせた。

「上川様、ご家中の方に間違いございませぬか」

「昨日、上屋敷から拝領屋敷に御用で出向いていた納戸《なんど》役小俣新十郎《やくおまたしんじゅうろう》に間違いござらぬ」

「拝領屋敷を辞去なされた刻限はいつにございますか」

「長いことかかった御用が一段落ついた。そこで屋敷でご酒《しゅ》が出て、小俣どのはほろ酔い程度に飲まれ、五つ半（午後九時）過ぎに屋敷を出られた」

「お供はございませなんだか」

「ちと用事があってな、先に上屋敷に戻したのじゃ」

「小俣様の武術の腕前はいかがですか」

「柳生新陰流《やぎゅうしんかげりゅう》の免許持ち、めったな者に引けをとられる人物ではござらぬ」

と答えた上川が少し苛立《いらだ》ったように、

「できれば早々に小俣どのの遺体を引き取りたい」

と宗五郎を見た。

「早々に検死を済ませます」

今泉も丁寧《ていねい》に応対し、寺坂と宗五郎に無言のうちに命じた。

死体を囲んでいた若い紀伊家の侍たちが宗五郎らに道を開いた。

戸板に乗せられた遺体には白絹布がかけられてあった。が、その一部は血で染まっていた。

合掌《がっしょう》した宗五郎が布を剝いだ。

小俣は驚きの表情を残して死んでいた。年の頃は三十七、八か。中背ながらがっちりした体型であった。

死因は首筋を一太刀、肉が弾《はじ》け、両断された骨が見えるほどに裁《た》ち割られていた。

「これは……」

と剣術の達人の寺坂縠一郎がうめいた。が、その場でそれ以上の感想は述べなかった。

宗五郎は新大橋を振り見た。そのかたわらに紀伊中将の拝領屋敷はあった。

小俣は上屋敷に戻るために新大橋を渡ろうとして暗殺者に遭《あ》ったものか。

宗五郎は橋上で斬られた後に大川へ投げこまれたらしい小俣の全身を調べ、左腕に鬱血《うっけつ》の跡が残っているのを確かめた。

遺骸《いがい》のそばには両刀と懐中物が置かれてあった。刀も脇差《わきざし》も鞘《さや》に収まっていた。また水を含んだ財布には中身も入っていると見えて、ずしりと重かった。

宗五郎は中身は確かめようとせず重さを手で確かめただけで寺坂の顔を見た。

寺坂もいいだろうとうなずき返した。宗五郎が布を顔にかけ戻し、再び合掌すると、

「上川様、お待たせしました」

と屋敷への搬送を許した。

若い家臣たちが紀伊家の御船に死骸を乗せた。

現場には拝領屋敷の用人上川ら数人が残り、船が流れに出たところで幕が外《はず》された。

「今川町、ご苦労だったね」

と宗五郎が同業の十手持ちを労《ねぎら》い、

「上川様、深川一帯を縄張りにいたします今川町の千吉にございます。私め同様によしなにお付き合いくだされ」

と紹介した。

千吉が慌てて頭を下げた。

上川はただうなずくと、宗五郎だけを今泉からも千吉からも離れた場所に誘った。

「金座裏、なんぞ推測がついたか」

「上川様、一つ、わっしからお伺《うかが》いいたします。小俣様の御用がこの一件に関わりあると考えられますか」

「それはない」

と上川が明言した。

「納戸役という職務柄、拝領屋敷の什器《じゅうき》や器などを新調するために屋敷内に所蔵したものの傷《いた》み具合などを調べておった。紀伊の秘密がからむような御用ではないわ」

宗五郎はうなずいた。

「おそらく紀伊家に向けられた刃ではありますまい。橋上を通行する者ならだれでもよかったのかも知れませぬ。たまたま小俣様がほろ酔い機嫌《きげん》で橋を渡られようとした」

上川がほっとした顔をした。

「……小俣様は橋上で思わぬものに目をとめられ、歩み寄られた。ところが危険とも思わぬものが急襲に出た、小俣様は刀を抜かれるよりまず予想もかけぬものの反撃に驚かれた。その隙《すき》を相手が襲ったということでしょうか」

「試し斬りと見たが……」

「考えられぬこともありませぬ。ですが、試し斬りの多くは武士がやってのけることが多うございます」

「宗五郎、あの傷口を見たか。ただの一太刀、深々と骨まで切断しておるわ。それでも武士ではないと申すか」

「その傷口にございますよ。剣の達人なら傷口がすぱっと切り分けられるものにございます。小俣様の傷は大力で叩きつけたような塩梅《あんばい》なんで。わっしの推量だとお武家様の辻斬《つじぎ》りじゃねえ……」

「小俣どののともあろう人が町人に斬られたか」

上川が憮然と呟いた。

「ですから小俣様はその者が襲いかかるなど夢想もしなかったのでございますよ」

紀伊家の用人は深い溜《た》め息をつくと、

「金座裏、なんとしても早急に下手人《げしゅにん》を挙げてくれ」

と命じた。

宗五郎は黙って頭を下げた。

紀伊家の家臣たちが岸辺から去り、今川町の千吉もなす術《すべ》もなく立ち去ろうとしていた。

「今川町の、すまねえ。横合いから来てひっさらうようで心苦しいが許してくんな。紀州様は昔からのお出入りなんだ」

「御三家におめえさんとあっちゃ、仕方がねえ」

千吉が諦《あきら》めた口調で言った。

「死骸を発見したのはだれだえ」

「霊雲院の小坊主が掃除していて見つけたのよ。それでおれのところに知らせた。懐《ふところ》を見れば紀伊様のご家中という名札をお持ちだ。それで拝領屋敷に届けたのさ」

「ご苦労だったな」

「金座裏、おれはこの事件から手を引いたわけじゃねえ。おれなりに探索するぜ」

今川町の千吉はそう言い残すと踵《きびす》を返して霊雲院のほうに上がっていった。

宗五郎は吟味方与力の今泉修太郎と寺坂毅一郎の許《もと》に歩み寄ると、上川と交わした会話の内容を告げた。

「やっぱり宗五郎も素人《しろうと》の斬り口と見たか」

剣の達人の寺坂が宗五郎を見た。

「力まかせに斬ったあと、新大橋から小俣様を投げ落としてやがる。かなりの大力の持ち主ですぜ」

「意表をついて小俣を斬りつけ、懐のものを盗まずに川に投げる。斬ることを楽しむような歪《いびつ》な心を持った者の犯行だな」

「ですが新刀の試し斬りじゃございませぬ」

「寺坂、宗五郎、となるとこの一件では終わらぬか」

二人の会話を聞いていた今泉修太郎がどちらへともなく尋ねた。

「今泉様、おそらく繰り返されると思います」

寺坂が上司に答えた。

宗五郎はきりきりと照りつけはじめた太陽の位置を確かめ、言った。

「昨晩も暑苦しい夜にございました」

「暗殺者は心に溜《たま》った何かを殺しで散じさせようと暑い夜に出たと申すか」

「あくまで推量にございます」

今泉はしばらく黙っていたが、

「寺坂、宗五郎、そなたらが考える線で探索せえ。おれはお奉行に会って夜の見張りを強めていただくよう進言する」

と言い残して、町奉行所の船に戻った。

定廻同心と十手持ち、それに小者と手先たちは船を見送ったあと、上流に架けられた新大橋に歩いていった。

両国橋と永代橋《えいたいばし》の中間にある新大橋は元禄六年（一六九三）に創架された橋だ。長さは百十六間、深川の御籾蔵《おもみぐら》前から江戸市中に延びていた。

寺坂と宗五郎らは橋の袂《たもと》から横一列になって、往来する人込みを避けながら進んでいった。

「親分」

若い常丸が黒ずんだ橋板を指した。かなりの流血の跡だ。だが、夜明け前に往来する人々の履物《はきもの》に踏まれて埃《ほこり》がつき、強い日射しに照り付けられて黒く乾いて、一見血の跡とは見えなかった。

そこは深川側から四十間ほどのところだ。

寺坂と宗五郎は川の流れを見下ろした。

新大橋は流れがくの字のように曲がるところに架けられていた。そして橋下から左岸にぶつかるように流れが向かっていた。この橋上から投げ落とされたとしたら、ちょうど霊雲院あたりの岸辺にぶつかり、また流れに乗って中央へと戻されていくはずだ。が、小俣の死体は杭に引っ掛かって止まり、霊雲院の小坊主に発見されたというわけだ。

宗五郎は血が流れた橋板にしゃがみ、欄干《らんかん》を調べた。するとささくれだった欄干の一部に淡《あわ》い萌葱《もえぎ》色《いろ》の糸が一筋からまっていた。

宗五郎は手拭《てぬぐ》いを懐から出すとその絹糸を摘《つま》み、手拭いの上に置いた。

「女かえ」

と寺坂が聞いた。

「女で大力がいないわけじゃございません。しかしちと解《げ》せませんね」

「そうだな、女が小俣様の気を引いて、もう一人の男が油断した隙に斬りつける」

「その手口も考えられますな」

「ともかく夜回りをきびしくするしか手はあるまい」

寺坂の言葉にうなずいた宗五郎が命じた。

「常丸、髪結《かみゆ》いの新三《しんざ》と旦那《だんな》の源太《げんた》に知らせてな、うさんくさい大力はいねえか、気にしていろと伝えてくれ」

へえ、と返事した常丸はすでに数間先を走り出していた。

その背を見ながら寺坂毅一郎が聞いた。

「亮吉がどまぐれたそうだな」

「もう、旦那の耳に入りましたかえ」

「政次のことか」

「と思えます」

「あいつのことだ、自分なりに気持ちの決着をつけてさ、金座裏に戻ってこよう。亮吉の戻り先は、金座裏しかねえんだからな」

「わっしもそう考えています」

「しばらく時間を与えることだ」

寺坂も宗五郎と同じ考えを述べた。

信頼し合った同心と十手持ちは肩を並べて、新大橋を渡り、大名家の屋敷が並ぶ江戸へと戻っていった。

三

仁左とはるはその日も江戸のあちこちで買い物をして、夕刻に金座裏に戻った。すると手先たちが顔を揃《そろ》えて緊迫していた。

「何か起こりましたかえ」

仁左が八百亀に聞いた。

「辻斬りだ。新大橋の上で紀伊様のご家来が斬られて川へ投げこまれたんだ」

「そりゃ、大変だ」

仁左が相撲の朝稽古見物から金座裏に戻ったときには何事もなかった。朝飯を食うやいなや、はるに買い物に誘い出されて事件を知らなかったのだ。

はるは二階に用意された部屋に上がった。が、仁左は宗五郎がいる居間に顔を出して、帰宅の挨拶をすると、

「親分、八百亀の兄いから話は聞いた。金座裏には腕利きの手先衆が十分揃っているのは承知しているが、わっしにもなんぞ端役《はやく》をくれめえか」

と言い出した。

「客人のおめえに働かせてははる坊に恨《うら》まれる。だがな、おめえの血が騒ぐとあれば、

夜回りに付き合ってくれ」

宗五郎は仁左が心苦しく思っている気持ちを察して答えた。なにより仁左は江戸の町を知り尽くした手先だ。

「ありがてえ」

「八百亀、仁左をどこぞの組に入れてくれ」

「へえ、亮吉の野郎がいなくなった折りだ、助かるぜ」

手先たちの控えの大広間で絵地図が広げられ、八百亀が持ち場を振り当てていった。

仁左は八百亀の下で政次と組むことになった。

台所では女たちが夜回りに出る手先たちの夕食の用意にてんてこ舞いしていた。はるも二階から下りてきて、すぐに加わった。生まれついての十手持ちの娘だ。こんなことは手慣れたものだ。

「はるちゃん、仁左さんをかりて悪いわね」

「買い物の付き合いでうんざりしていたの。気晴らしに私の許から逃げ出したんだと思うわ」

はるが笑った。

玄関先が賑《にぎ》やかになって寺坂毅一郎が顔を出し、居間に入ってきた。

「宗五郎、紀伊家から町奉行所に、強く治安の強化が申しこまれたそうだ。早いとこ辻斬りを捕まえねえとお奉行が困ったことになる」

「そう埒《らち》があくものですか」

と苦笑いして宗五郎は言った。

「昨日の今日だ、続けて辻斬りが出るとも思えないが、用心にこしたことはありませんからね。ともかく二人目の犠牲者を出さねえことだ」

「北でも同心たちが総出で持ち場の夜回りにつく。長い夜になりそうだぜ」

無風の夜、息苦しいような暑さが鎌倉河岸に漂っていた。堀の水面《みなも》もそよとも動かず、老桜もどことなく元気がない。

しほは額《ひたい》に汗を光らせて客の間を飛び回っていた。

豊島屋は暑ければ暑いで暑気払いと称する客で込み合っていた。

「おい、こっちに冷やをくんな」

「熱々《あつあつ》の田楽《でんがく》だ」

一息ついたのは五つ（午後八時）の刻限だ。

店の外に置かれた空樽の腰掛けに一人ぽつねんと長身の彦四郎が座っていた。

「ごめんね、話もできずに」

しほは彦四郎のやるせない気持ちを察して言った。いつもの相手の亮吉はどこに行ったのか、行方を絶っている。

「あの野郎、どこで腹を空かしているんだか」

大きな体の彦四郎が小さく溜め息をついたとき、

「やっぱりここだったか」

と政次が龍閑橋から駆けてきた。

「紀伊様のご家来が殺されたって」

彦四郎が政次に聞いた。船頭の彦四郎はいろいろな客を乗せるから早耳だ。もう新大橋の辻斬りの一件を承知していた。

「綱定に寄って旦那と女将さんには断ってきた。親分が彦四郎、船を出してくれってさ」

「夜回りに加われってか、合点《がってん》だ」

彦四郎が俄然《がぜん》張り切った。

「すぐ出かけるの、政次さん」

「金座裏を五つ半だ。おれはさ、板橋宿の銀蔵親分のところの仁左さんと彦四郎の猪牙で堀回りだ」

「田楽食べる」

「夕飯を食べたばかりだ。腹がいっぱいだよ」

政次はそう言いながらも空樽に座り、手拭いで顔の汗をぬぐった。

「おお、来ていたか」

清蔵が顔を出した。

「彦の面《つら》を見れば、金座裏に船を出してくれって頼まれたな」

「ああ、夜回りだ」

彦四郎が手先みたいに胸を張った。

「これで亮吉がいるとな」

清蔵の嘆きはそこに行く。

「しほちゃんと彦四郎は、須崎村に行ってくれたって」

政次が聞いた。

「亮吉のやつ、おれたちが花見をした土堤《どて》でよ、一日中考え事をしていたんだって」

「夜は白鬚神社の軒下に寝たそうよ」

清蔵が舌打ちをして、

「野良犬《のらいぬ》みてえな真似《まね》をしなくてもいいじゃないか」

と怒ってみせた。

「朝方な、境内の掃除を手伝って朝飯をご馳走になったんだって。あいつらしいぜ」

「まあ、あの性分なら野垂《のた》れ死《じ》にはしめえ」

政次は彦四郎と清蔵の会話を黙って聞いていた。そこへ前掛けを引きずった小僧《こぞう》の庄太《しょうた》が姿を見せて、

「亮吉さんはまだ戻ってこられませぬか」

と心配げな顔をした。

庄太は食うに困って掏摸《ちぼ》を働き、亮吉に捕まったことがあった。事情が事情、常習でもないので宗五郎が清蔵に頼んで、豊島屋の小僧として働かせてもらうことになった。それだけに亮吉が姿を消したのを気にかけていた。

政次が顔を横に振った。

「亮吉さんは私の兄貴のようなものです、いなくなると寂《さび》しいです」

「しほちゃんに預けた小雀が飛び立てるようになる頃までには戻ってくるさ」

彦四郎が元気よく言い、

「猪牙を用意すらあ」

と立ち上がった。

八百亀を頭分にした夜回りの一行は、彦四郎の櫓で御城の東側から大川の間の運河や堀を巡回して回った。一晩じゅう移動して回ったが、辻斬りには出くわさなかった。

夜が白《しら》み始めたとき、猪牙舟は八丁堀《はっちょうぼり》の白魚橋際にいた。

「政次、おれっちも金座裏に戻る。おめえに元気が残っているのなら、神谷道場に行っていいぜ」

と八百亀が許してくれた。

「八百亀の兄さん、よろしいので」

「おお、行ってこい」

彦四郎が橋際の船着場に猪牙舟を寄せ、政次が岸に飛んだ。

「行ってきます」

丁寧に腰を折って挨拶した政次が走り出した。

「手先にしては物腰がえらく丁寧だぜ」

仁左が笑った。

「つい最近まで呉服問屋の松坂屋の手代だった男だ。彦四郎や亮吉とは兄弟のように同じ長屋で育った男でね」

道理で、と答えた仁左が何かを察したか、それ以上は問おうとはせずに、

「いずれいい手先になられるぜ」

と呟くように言った。

「政次のことよりおめえさんだ。どうやら乗蓮寺の跡取りはおめえさんのようだな」

「はるさんと所帯を持つことは決まってますが、親分の跡目のことは考えておりません。銀蔵親分のところには先代以来の方々もおられますから」

「そうか、おめえさんも気苦労してんだ」

八百亀が困った顔をして、

「仁左さん、おめえなら大丈夫、今のようにゆったりしてなせえ。物事ってのは落ち着くところに落ち着くもんだ」

仁左がうなずき、一晩じゅう漕ぎ続けてもびくともしない彦四郎を見た。

六尺を超えた長身で漕ぐ船はこゆるぎもせずに水面をすいっと走った。器用というのではない、持って生まれた櫓の天分なのだ。

楓川《もみじがわ》を抜けた猪牙舟は日本橋川へと左折して御堀へと上り、一石橋《いっこくばし》際で八百亀、仁左を下ろした。

「彦四郎、ご苦労だったな、ゆっくり休んでくれ」

八百亀に声をかけられ、猪牙舟は龍閑橋の綱定へと戻っていった。

だが、八百亀らはすぐに彦四郎と会うことになる。

金座裏に戻ってみると、なんと二晩続けて辻斬りの犠牲者が出ていたことが奉行所から知らされていた。

金座裏の宗五郎をはじめ、八百亀、仁左らが龍閑橋際に走り、岸辺に猪牙舟を舫おうとしていた彦四郎に八百亀が、

「彦四郎、徹夜明けですまねえが、川向こうの御蔵橋へ行ってくれ」

と声をかけた。

「やっぱり出やがったか」

即座に応じた彦四郎が再び流れに引き出した猪牙舟に、宗五郎らが飛び乗った。

彦四郎の櫓の動きが力強さを増した。相変わらずゆったりした手の使い方だが、巡回していたときとでは船の速さがまったく違った。

日本橋川を往来する魚河岸の船の間を縫《ぬ》うように走る様は、壮観だった。

一気に大川に出た猪牙舟は大川を上流へと飛ぶように漕ぎ上がった。

仁左は、六尺豊かな彦四郎が見せる渾身《こんしん》の櫓さばきに、もやもやした疑念を胸に持

った。だが、疑念の因《もと》が分からなかった。

猪牙舟は新大橋を潜《くぐ》って幕府の灰会所の岸辺に接近していった。すると昨日の朝、宗五郎らが見掛けたのと同じ光景が岸辺に見られた。

だが、今朝は幕はない。町方や御用聞きが輪を作って検死をしている様子が見えた。

彦四郎は猪牙舟の速度を緩《ゆる》めて、すいっと岸辺につけた。すると陸路先行していた常丸が宗五郎の許に走り寄ってきた。

「親分、今川町の千吉親分のお手先、為三《ためぞう》さんと捨松《すてまつ》さんが殺《や》られなすった」

「なんだと……」

さすがに宗五郎の顔色が変わった。

つかつかと人の輪に寄った宗五郎は、南町奉行所の定廻同心佐々木信太郎に丁寧に腰を折って挨拶し、そのかたわらで呆然《ぼうぜん》としている千吉に、

「今川町の、なんとも言葉のかけようもねえ」

と声をかけた。

「金座裏か、やられた……」

千吉が呟くように言葉を吐き出した。

千吉の前に手先の死体が並んでいた。

その顔には小俣と同じ驚きの色が残され、為三は一太刀、捨松は前から一度、背後から数度と力まかせに斬りつけられた跡があった。

宗五郎は二人の手先の亡骸《なきがら》に合掌すると、

「見せてもらっていいかえ」

と千吉に頼んだ。

千吉が腑《ふ》抜《ぬ》けのようにうなずいた。

宗五郎は子細に調べるまでもなく同じ辻斬りの仕業と睨《にら》んでいた。

為三の一撃はそれを表していた。捨松は一撃目を受けたあと、逃げ出そうとして背後から数度にわたって斬りつけられていた。それにしても凄《すさ》まじい力だ。

「こいつらは二人組になって川端を巡回していたんだ、まさかおれ自身が為三たちの死体を見つけるなんて思わなかったぜ」

千吉も夜回りから今川町に戻ろうとして、二人の手先の斬殺《ざんさつ》体を見つけたという。御用聞きの手先が殺されたというので、すぐに番屋から両奉行所に知らされ、紀伊藩の家来の辻斬りを探索する金座裏にも北町から使いが来たのだ。

千吉は二人の死体のあるところから十間ばかり離れた空地を見た。それは土堤脇に荷車を止めるための空地だ。そこが為三が倒れていた場所だという。

八百亀や仁左が辺りを調べていた。

「佐々木さん」

いつの間に来たのか、寺坂毅一郎の声がして南町の先輩同心に挨拶した。

「寺坂か」

「佐々木さん、二日続けて出るとは常軌を逸《いっ》していますぜ。なんとしても捕まえないと新たな犠牲者が出ますよ」

佐々木が大きくうなずいた。

「寺坂、金座裏、おめえらは紀伊様との関わりもあろう。うちは見てのとおりだ。遠慮なく辻斬りを暴き出すぜ」

寺坂がうなずいた。

宗五郎は二人の手先が襲われた場所に歩み寄った。その場から小俣が殺された新大橋が望めた。辻斬りは二日続けて新大橋界隈《かいわい》で殺しを繰り返していた。

「親分、昨日の辻斬りと見て間違いねえかえ」

八百亀が確かめた。

「間違いねえ。ありゃ、二本差しじゃねえ。技もなく力任せに叩き斬った跡だ」

「どうやら下手人は深川本所界隈に根城《ねじろ》がありそうだな」

寺坂が宗五郎のところに来て言った。

「まず間違いねえところでしょう」

「どうしたものか」

「なんとしても現場を押さえねえと。朝の間じゃなんともしようがねえ。いったん向こう岸に戻りませぬか」

と宗五郎が寺坂に言い出した。

「そうだな、そうするか」

と寺坂が答えたとき、

「親分、ちょいと回向院を覗《のぞ》かせてもらっていいですか」

と仁左が言い出した。

「お相撲かえ、いいとも。おめえはおれの客人だ」

宗五郎はそう答えながらもちょいと妙だなと思った。だが、それ以上のことは口にしなかった。

仁左がぺこりと頭を下げて、わずか数丁先の回向院に足を向けた。

朝稽古は今朝で打ち止め、大坂へ下向する旅仕度を若い相撲取りや呼び出したちが始めていた。

仁左は陣立親方を探して回った。

親方は回向院の住職と話をしていた。

「おっ、熱心だな。だがよ、もう稽古は終わりだ」

「いやさ、親方に聞きてえことがあってさ」

住職が二人に会釈《えしやく》して、その場を離れた。

「おめえはまだお上のご用を務めてなさるか」

陣立が聞いた。

「おれは板橋宿でご用を務めている。だがよ、今は金座裏の宗五郎親分の家に寄せてもらっている」

禿上《はげあ》がった額にてらてらと汗を光らせた陣立が、

「そうか、宗五郎親分の御用か」

と勝手に納得した。

仁左は誤解のままに曖昧《あいまい》にうなずくと聞いた。

「たんぽ槍は今朝稽古しましたかえ」

「待ってくれよ。姿を見たかな」

首を捻った陣立が通りがかりの若い呼び出しに、

「今朝、たんぽ槍は面を見せたか」

と聞いた。

「六角親方が、あいつ昨日は磯千鳥と諍《いさか》いを起こし、今朝は稽古にも姿を見せねえと怒ってましたから、さぼりですよ」

陣立が仁左の顔を見た。

「聞いてのとおりだ」

呼び出しがその場から去るのを待って尋ねた。

「たんぽ槍に大名家から召し抱えの話があったと言われましたな。どこの大名家ですえ」

「ああ、あれかえ、六角親方が言うには、御三家紀州様の江戸留守居役様から幕内に上がるようならと話があったとかなかったとか、そんな話だぜ」

「六角親方の部屋は今も深川北森下町に変わりありありませんか」

「そのとおりだがよ、たんぽ槍が何かしたと言うのかえ」

「いえ、それは……」

と答えた仁左は陣立親方に口止めして、北森下町に向かった。

仁左が汗みどろで戻ってきたのは四つ半（午前十一時）を過ぎた頃合《ころあい》だ。

「親分、ちょいとお耳に入れたいことが……」

「ほお、おめえは相撲の朝稽古の見物じゃなかったのか」

宗五郎がやっぱり何かあったなという顔で聞いた。

「相撲は相撲なんですがね……」

仁左はたんぽ槍という奇妙な四股名《しこな》の大男を回向院で目撃した話から、その若い相撲取りが勢い盛んだった頃、紀伊藩の江戸留守居役から、

「出世するようなら四股名を変えて召し抱えるように殿に進言する……」

という内々の話があったことなどを告げた。

「たんぽ槍は力が強い、張り手が得意だ。だが、膝を怪我《けが》してからからっきしでね。今は立派な体を買われて、谷風関の土俵入りの太刀持ちを務めているんですよ」

「刀を持っているってわけだな」

「へえ、太刀持ちですからね。ともかく突き下ろすような張り手の威力は尋常《じんじょう》じゃありませんぜ」

「仁左、えらいものを掘り当てたかもしれねえぜ」

宗五郎の御用聞きの勘《かん》が、大当たりと告げていた。

「余計なこととは思いましたが、気になったんで確かめに行ったんです」

「野郎、どうしてるな」

「明け方、ふらりと戻ってきたとか、部屋で眠りこんでおりやす。知り合いの呼び出しの勘太郎に見張らせています」

「八百亀、仁左の案内で北森下町の六角部屋に走れ。たんぽ槍が今晩動くかどうか、そいつが勝負だぜ」

張り切った仁左に案内されて、八百亀ら手先たちが再び川を渡った。

四

深川北森下町の六角部屋では、たんぽ槍岩松は昼過ぎに起き出したものの、

「てめえ、昨日は磯千鳥と騒ぎは起こす、今朝はさぼりやがった。大坂には連れていかねえからその気でいろ」

と六角親方に怒鳴られ、ふて腐れてまた自分の部屋に籠ったという。

そんな部屋を八百亀らが取り囲んで見張っていた。

夕暮れ前、大坂に運び出す明荷《あけに》など大男たちの大荷物が運び出され、若い相撲取りたちが裸で部屋の前を右往左往していた。荷物は大八車《だいはちぐるま》で回向院に運びこまれ、一緒

に東海道を京、大坂へと上がるという。そんな中にたんぽ槍の長身もあった。

今日もまた一日じゅう炎熱が江戸を照らしつけた。

夕暮れになっても暑さは一向に去ろうとはしなかった。そんなせいで馬方《うまかた》、船頭、人足《にんそく》、職人たちが店に押しかけ始めていた。

鎌倉河岸の豊島屋に政次が顔を見せたのはそんな刻限だ。まだ鎌倉河岸には光が散っていた。

「あら、まだ陽《ひ》が残っているというのに珍しいわね」

「八百亀の兄さんの使いでさ、金座裏に戻ってきたのさ。親分の供でまた川向こうに渡る」

「ご苦労様」

「彦四郎と待ち合わせしたんだ、今晩は徹夜になりそうでね」

「彦四郎さんもなの」

「おお、おれも捕物《とりもの》に一役買うことになった」

まるで金座裏のお手先のような顔で彦四郎がのっそりと姿を見せた。

「おまえら、辻斬りの探索か」

大店の主《あるじ》とも思えず、汗臭い男の客たちを相手にしているのが道楽という清蔵が大皿に名物の田楽を大盛りにして運んでくると二人の前にどんと置いた。

「腹が減っては戦《いくさ》ができぬというからな」

「ありがてえ」

彦四郎がすぐに田楽にかぶりついた。

「しほちゃん、雀は元気かえ」

「庄太さんが虫や糸みみずをとってきて食べさせてくれるの。ものすごい大食漢だわ」

「亮吉の分身だからな、しかたないよ」

政次が苦笑いした。

「政次さん、亮吉さんが心配で顔を覗かせたの」

小さくうなずいて政次が言った。

「亮吉が家出した因《もと》は私のようだ、気になってね」

「政次、それは違う」

と叫んだのは口に田楽をくわえたままの彦四郎だ。

「そうかな」

「おめえが松坂屋から金座裏に移った陰には、おれっちの知らねえ理由があるかもしれねえ。だがな、それで亮吉がへそを曲げたとしたら、あいつは馬鹿だ。でもよ、おれは亮吉がそれほど考えが浅《あせ》えとは思ってねえんだ、思いたくねえんだ。一時《いっとき》の気の迷いだ」

「そうよ、彦四郎さんの言うとおりよ」

しほも口を揃えた。

「政次、二人の言うとおりだ。これは亮吉の了見《りょうけん》違いだ。どこかで折り合いをつけて戻ってきたとき、あいつは一回り大きな人間になっていよう。そんときは皆で温かく迎えてやればいい。まあ、お伊勢《いせ》参りにでも出かけたと思うんだな」

清蔵も言った。

「旦那、彦四郎、しほちゃん、ありがとう」

「おめえがどーんとしてなければ、松坂屋さんの配慮も親分の親切も無駄になろうというもんだ」

清蔵の言葉にうなずいた政次だが、どこか胸の内に雲が薄くかかったようで気が晴れなかった。だが、皆の気配りに応《こた》えなければとも思い返した。

「これまで以上に精を出すしかないな」

「おお、それでいい」

清蔵が首肯《しゅこう》し、しほが言い足した。

「でも、朝稽古から徹夜の御用と寝る暇がないわ。亮吉さんみたいに力を抜くときを持たなきゃ、体を壊すわよ」

うん、とうなずいた政次は、

「しほちゃん、若いんだ。なんとしても乗り切るよ」

と答えていた。

北町定廻同心寺坂毅一郎と金座裏の宗五郎、政次を乗せた猪牙舟は大川を渡った。

もちろん船頭は彦四郎だ。

水上では幾分炎熱も薄らいでいた。

「風もねえな」

「この暑さがたんぽ槍に凶行を思いつかせたのですかね」

「おれはまだ相撲取りが辻斬りとは思えねえんだ」

「まあ、仁左の勘にかけてみましょうや」

宗五郎のほうはたんぽ槍の仕業と信じている言葉だ。

「仁左は乗蓮寺の銀蔵の婿《むこ》養子になるのかえ」

「銀蔵親分はその気でいますがね」

「言葉に含みがあるな」

「先代から従ってきた古手の手先がへそを曲げてるんで。新参者にってね」

「どこでもある話だ」

寺坂が笑い飛ばした。

政次は二人の会話をただ静かに聞いていた。

猪牙舟は大川から小名木川《おなぎがわ》に入り、万年橋《まんねんばし》を潜った。すると川幅がせまくなったせいで深川海辺大工町からむうっとした温気が押し寄せてきて、船上の男たちに襲いかかってきた。さらに紀伊藩の拝領屋敷の裏手から竪川《たてかわ》へと結ぶ堀に入った。両側を大名屋敷の塀にはさまれた深川六間堀は一段とせまくなり、熱気は重苦しさを増した。

深川北森下町の六角部屋は六間堀の中程、五間堀へ右折するところにあった。

彦四郎が猪牙舟を五間堀の入り口にある、小さな橋際に止めた。

常丸が飛んできた。

「どんな具合だ」

「それがちょいと心配なんで」

「どうした」

「弟子たちは明日の早立ちに眠りについています。たんぽ槍の姿は夕刻の荷の運び出しの折りに見かけただけで、他の弟子たちと一緒に寝てしまったのかどうか分からないんで」

「出かけた様子はねえな」

「それはもう」

「親方はいるか」

「親方連は旅興行の相談で回向院に集まってなさる」

八百亀が答えた。

「辻斬りにはまだ刻限も早い、辛抱《しんぼう》しようか」

寺坂と宗五郎の出馬で六角部屋一帯はぴーんと張り詰めた空気が漂った。

それから四半刻《しはんとき》（三十分）も過ぎた頃、五間堀の河岸をぶらぶらと提灯《ちょうちん》の明かりが見えた。近付く明かりを宗五郎らが見ていると仁左が、

「六角親方でさあ」

と宗五郎に耳打ちした。

その言葉を聞いて宗五郎が意を決したように立ち上がった。

寺坂は黙って宗五郎の動きを見ていた。

「親方」

宗五郎が微醺《びくん》をおびた相撲の親方に声をかけた。ぎくりと足を止めた六角大五郎が、

「物盗りじゃあるめえ」

と言いながらも身構えた。

「金座裏の宗五郎だ」

しばらく提灯の明かりで透かし見ていた親方が、

「おおっ、金座裏の親分だ」

と体の力を抜いた。

「どうしなさった、御用かえ、張り込みか」

「ちょいと親方に相談がある」

「こんな夜中に御用聞きの親分が相談とは何だね」

「幕下のたんぽ槍岩松だ」

「たんぽ槍がどうかしたか」

「おめえさん、たんぽ槍を大坂巡業に連れていく気かえ」

「弟子の一人だ、連れていくさ」

「そいつはどうかな」

六角親方がふいに黙りこんだ。

「親分、説明してくんな」

「たんぽ槍に辻斬りの疑《うたげ》えがかかっているんだ」

「なんだって！」

素《す》っ頓狂《とんきょう》な声を上げた親方が手をひらひらと顔の前で振った。

「土俵の上で得意技も出せねえような肝っ玉の小さな男だ。そりゃ、思い違いだ」

「怪我をする前、紀伊藩の留守居役がたんぽ槍に目をかけていたってな……」

宗五郎は仁左が探り出してきた事実を親方に話した。途中から六角の目付きが変わった。大きな体が緊張して、

「まさか……」

「そんなことはあるめえ」

と言い続けた。

「親方、すまねえが部屋にたんぽ槍がいるかどうか調べてくれまいか。それと土俵入りの刀が持ち出されてないかどうかもだ」

親方ががくがくとうなずき、

「今、調べよう。おまえさんも来なさるか」

　と同道を願った。

　六角と宗五郎は相撲部屋の戸の前に立った。六角は戸を叩きもせずに押し開けた。

「相撲部屋に泥棒に入るやつはいねえからね」

　寺坂たちは六角親方と宗五郎が姿を消すのを持ち場から眺《なが》めていた。

　長い時間が過ぎた。

　ふいに宗五郎一人が姿を見せた。

　八百亀が声をかけた。

「寝てましたかえ」

「てめえら、どこに目をつけてやがった」

　手先の問いには答えず、宗五郎の低い怒声が子分たちに飛んだ。

「いないんで！」

「野郎、夕刻、大きな体を大八車に隠して部屋を抜けたとよ。弟弟子に女に会いに行くから親方と兄弟子には内緒にしろと言ったそうな」

「すまねえ、親分」

　八百亀が血相を変えて謝った。

「今時分、頭なんぞ下げられてすむかえ」

子分たちは日頃温厚な親分宗五郎の怒りに身を竦《すく》めていた。

「宗五郎、どこに行ったと思うな」

寺坂が聞いた。

「へえ、部屋から土俵入りの太刀を持ち出してます。どこぞの大名家の贈り物で雲州《うんしゅう》家貞《いえさだ》の業物《わざもの》です。野郎、今晩もやる気だ」

「深川といっても広いぜ」

「たんぽ槍は紀伊の話が潰《つぶ》れたのを逆恨《さかうら》みしていたそうなんで。納戸役の小俣様を狙《ねら》ったのはそのせいです。二番目の千吉の手先の殺しはおそらく待ち伏せを見つけられたために殺ったのでしょう。となると拝領屋敷の周辺に潜《ひそ》んでますぜ」

「紀州藩の屋敷はご府内にもあるぞ」

「六尺を超えた体だ、橋を渡っていけば目につく道理だ。地縁のある新大橋際の拝領屋敷と見ましたがね」

「よし、行くぜ」

寺坂の声で一斉に六間堀端を紀州藩の拝領屋敷へと走り出した。そのあとを堀の上から彦四郎の無人の猪牙舟が追いかけていった。

紀伊藩の拝領屋敷は西を大川に南を小名木川に東を六間堀にと水にかこまれて広がっていた。ただ一か所、北を深川元町と六間堀町の町家に接していた。

常丸と政次は六間堀から町家との境のせまい路地を抜け、御用提灯の明かりでどこぞにたんぽ槍が潜んでいないか調べて歩いた。

刻限は四つ半（午後十一時）時分か。

「久し振りに親分の目玉を食ったぜ」

常丸が政次に言って首を竦めた。

「あのでけえ体だ、そんな器用なことはできめえと多寡《たか》を括《くく》ったのがいけねえ。おれっちのちょんぼだ、親分が叱《しか》りなさるのも無理はねえ」

「私も肝を冷やして、身震いしました」

「なんでもな、人の上に立つのは大変なこった」

常丸が言い、政次は素直に、

「はい」

と答えた。

河岸に出て大川から生温《なまぬる》い風が吹いてきた。

常丸と政次は河岸の道からせまい岸辺に下りた。

大川の流れの上に十三夜の月がかかっていた。だが、雲間にすぐに隠れて、水辺を照らすものは提灯の明かりだけとなった。

常丸が手にした御用提灯が川の流れに向けられた。

廃船が半ば水没して捨てられてあった。明かりは再び岸に戻った。

政次は萌葱色の着物が廃船の陰に丸まっているのを見逃さなかった。

「常丸兄さん」

政次が常丸に注意を呼びかけたとき、萌葱色の着物が立ち上がった。

行司《ぎょうじ》の夏衣装を頭から被って潜んでいたたんぽ槍が抜き身を振りかざして、明かりを持つ常丸に躍りかかり、雲州家貞の業物を叩きつけようとした。

政次は姿勢を低くして突っこみ、腰高のたんぽ槍の左足の内側を思いきり蹴《け》り飛ばした。よろついたたんぽ槍の巨体がばったりと岸辺に倒れた。

飛び下がった常丸が呼び子を夜空に吹き鳴らした。

翌日、金座裏の宗五郎は赤坂の紀伊中将の上屋敷に江戸留守居役常村尚左衛門を訪ね、辻斬りの一件を報告した。

常村は子細を聞くと、

「なんとそれがしが酒席で漏らした一言がめぐりめぐって小俣の命を奪ったか」

と嘆息《たんそく》した。

「逆恨みにございますよ」

「驚きいった次第じゃ」

「小俣様は橋上で行司の夏衣装を頭からすっぽり被ったたんぽ槍に不審を感じて近付いて声をかけられた。ふいに立ち上がったたんぽ槍にすでに抜いていた雲州家貞で斬りつけられたんで」

宗五郎は欄干に一筋引っ掛かっていた萌葱色の絹糸を常村に見せた。

「相撲取りなら小俣を抱え上げて川に投げこむくらい造作ないか」

感心したように常村が言った。

「小俣様を斬り殺した翌朝の稽古で兄弟子を張り倒しています。殺しの興奮がたんぽ槍に異様な闘争心を与えたのでございましょう」

「なんとのう」

「常村様、この暑さがもたらした妄想《もうそう》にございますれば、なんとも仕方のないことで」

「下手人の相撲取りはどうしたな」

「始末いたしました」

「死んだ、ならば紀伊の名が町奉行所に出ることはないな」

「常村様、二つばかりお願いの筋《すじ》がございます」

「金座裏、足下を見よって。申してみよ」

常村が笑って言った。

「下手人探索で犠牲になった御用聞き千吉の手先二人にいくらかお見舞い金を下しおかれるわけにはまいりませぬか。残された家族は喜びましょう」

「そんなことか」

常村は承諾《しょうだく》して、再び聞いた。

「して、もう一つとは」

「今回の事件でたんぽ槍の異様さに目をつけたのは板橋の銀蔵親分の手先の仁左です。この者、うちに来ておりまして、探索に加わりましてございます」

常村がそれで、という顔で宗五郎を見た。

「秋に銀蔵の娘はると所帯を持ちます。祝言《しゅうげん》の日に角樽《つのだる》の一つも贈っていただきます」

と、銀蔵も仁左も喜びましょう」

「宗五郎、そなたもあちらこちらと気苦労があると見えるな」

常村が鷹揚《おうよう》に笑って承諾した。

夕暮れ、鎌倉河岸の豊島屋では明日板橋宿に戻るという仁左の送別会が若い手先たちだけで行われた。そこには彦四郎も手先のような顔をして参加していた。

「おい、常丸と政次が手柄《てがら》を挙げたって」

捕物好きの清蔵がべったりと常丸たちの間に座りこんでいた。

「旦那、手柄の第一は仁左さんだ」

常丸がたんぽ槍に目をつけた相撲好きの仁左の活躍を話した。

「板橋宿にも腕利きがおられるんだねえ」

清蔵が嘆声を上げ、

「しほちゃん、どんどんさ、酒を飲ましてやんな。うちの酒は板橋宿にもないからね」

仁左はしほに酌《しゃく》をされてうれしそうだ。

「いやさ、おれたちのしくじりを帳消しにしてくれたのは常丸さんと政次さんだ」

「おれはいきなりあの大男に斬りかかられてよ、慌てて飛び下がっただけだ。なんと政次はさ、飛びこみ様《ざま》に蹴たぐりだ。なんとも鮮《あざ》やかに決まっておれは助かった」

「政次は相撲相手に蹴たぐりを出したか」

「あいつに政次の思いっきりがあれば、紀伊様のお抱え力士だって夢じゃなかったのにな」

常丸が嘆息した。

「で、おまえら二人でお縄にかけたのか」

清蔵が先を急がせた。

「力が強いのなんのって……」

常丸が昨晩の様子を思い出したように顔をしかめた。

政次は倒れたたんぽ槍の手の雲州家貞を蹴り飛ばした。が、たんぽ槍が立ち上がり様に張り手を飛ばした。

政次は必死で飛びのいたが指先が顎をかすって、がーんと衝撃が走り、吹っ飛ばされた。

常丸がたんぽ槍の腰に組みついた。が、首筋を片手で摑まれ、振り回された。息もできない。

政次が蹴り飛ばした家貞を拾うと峰に返して、脛《すね》を叩いた。

たんぽ槍は平然とした顔で常丸を投げ捨てると政次の袖《そで》をぐいっと引っ張った。手首を捻ると雲州家貞を取り戻した。

「御用だ！」

常丸の呼び子に八百亀が岸辺に飛び下りてきた。

宗五郎も金流しの十手を手に、

「たんぽ槍、もはや逃げられないぜ！」

と啖呵《たんか》を切った。

「宗五郎、おれが相手する」

赤坂田町の神谷道場で政次の兄弟子にあたる寺坂毅一郎が決然とたんぽ槍の前に立った。

「……寺坂様の業前《わざまえ》をひさしぶりに見せてもらいましたよ。政次をさ、投げ捨てたたんぽ槍も家貞を大上段に振りかぶって寺坂様の首筋に叩きつけるように斬りかかった。だがさ、寺坂の旦那は剣の達人だ。腰を沈めて抜き打ちにたんぽ槍の太い胴を抜かれた。ところがさ、あいつの体は鋼鉄のようでびくともしねえんだ」

常丸は一息ついた。

「だけど寺坂様は慌てることもなく一閃《いっせん》させた剣を虚空《こくう》で回してたんぽ槍の首筋を撫《な》

で斬られた」

「ほおっ」

清蔵が嘆声を漏らした。

「血しぶきがぴゅっと撒《ま》き散らされて、地響き立ててたんぽ槍が倒れたときには、思わず荒い息がみんなから漏れたぜ」

常丸が捕物の結末を述べた。

「死んだのか」

「ああ、死にました」

「三人も殺しているんだ。白洲《しらす》に引き出されるより幸せかもしれないな」

しほは常丸の杯《さかずき》に酒を満たしながら、

（亮吉さんがいれば……）

と無性に思った。

第四話　外面似菩薩《げめんじぼさつ》

一

旧暦六月は雨が少ないことから水無月《みなづき》、あるいは風待月《かぜまちづき》ともいう。

江戸の町に炎暑が居座っていた。

昼間、涼を呼ぶ水売りや金魚売りが気怠《けだる》く売り声を上げていく。人々は、夕暮れともなると蚊《か》やりや団扇《うちわ》を手に堀端などに夕涼みに出て、水面《みなも》を吹き渡る風を待ち焦《こ》がれた。

金座《きんざ》裏《うら》ではこの昼下がり、おみつが金魚売りから金魚やめだかを買って、江戸の町を走り回る手先《てさき》たちに少しでも涼しい気持ちになってもらおうと玄関にぎやまんの鉢を置いた。だが、二日過ぎても三日経《た》っても気がついた者はいなかった。

（うちの男どもは食い気か色気ばかりだ……）

とがっかりした夕暮れ、しほが金座裏に顔を出して、ぎやまんの金魚に目をつけた。

「お上《かみ》さん、ここだけ涼気が漂ってますね」

「さすがにしほちゃんだ、気がついてくれたかい」

しほは豊島屋《としまや》の清蔵《せいぞう》の命《めい》で正木町《まさきちよう》まで使いに行った帰りだ。

「しほ、帰りにな、金座裏に暑中見舞いの挨拶《あいさつ》に寄ってこい」

と酒の切手《きつて》を持たせた。

日頃陰日向《ひごろかげひなた》なく働くしほにおみつさんの手伝いをしてきてもいいぜと清蔵が息抜きをさせたのだ。

庭に水が打たれた縁側に通され、女だけで白玉《しらたま》を食べた。

「皆さん、御用ですか」

「うん、近ごろね、夕涼みに出た男どもが若女房風《ふう》の女に引っ掛かって尻《しり》のけばまでむしり取られる事件が続いてね、その探索に走り回っているのさ」

おみつは蚊やりから立ちのぼる煙に目をやった。

「亮吉《りようきち》さんはどうしてますかね」

「あいつがいなくなって一月《ひとつき》になるね。いたらいたで騒がしい男だが、いないとなると無性に寂《さび》しいよ」

おみつの言葉にしほがうなずいて聞く。

「江戸を離れているんでしょうか」

「八百亀《やおかめ》も旦那《だんな》の源太《げんた》らも御用のついでに行方《ゆくえ》を追っているのだが、さっぱりだ。ひょっとすると江戸にはいないかもしれないね」

「昼間、むじな長屋を訪ねて亮吉さんのおっ母《か》さんに会いました」

「せつさんは心配していたろう」

「それが……」

せつはあっけらかんとして、

「しほちゃん、寂しくなりゃあ、戻ってくるさ。あんまり心配しないこった」

と堂々としたものだった。

「肝《きも》っ玉《たま》おっ母さんだからね、でもさ、胸の内では心配しているよ」

しほも明るく振る舞って気を紛《まぎ》らわそうというせつの気持ちが痛いほど分かった。

「親分のお帰りだ」

玄関先で常丸《つねまる》の声がして、宗五郎《そうごろう》や手先たちがどかどかと座敷に上がってきた。

「やれやれ、無粋《ぶすい》な男どものお帰りだ」

夏羽織《なつばおり》を着た宗五郎が居間に入ってきて、

「おお、来ていたか」

としほに声をかけた。

宗五郎は奉行所《ぶぎょうしょ》に呼ばれた戻り道、八百亀らと一緒になったのだという。

「豊島屋の旦那が暑中見舞いだと酒の切手をしほちゃんに持たせてくれたんだ」

「清蔵さんにはいつも気を遣わせてすまないね」

「皆さんが捕物《とりもの》話をしてくれる礼だそうです」

「清蔵さんは好きだからな」

と八百亀が次の広間から会話に加わった。

「もっとも真打《しんう》ちがいなくなった」

「違《ちげ》えねえ」

宗五郎の言葉に老練な手先が相槌《あいづち》をうった。

「姐《あね》さん、井戸端《いどばた》の西瓜《すいか》が冷えてらあ」

下駄貫《げたかん》が大声で催促《さいそく》した。

「忘れていたよ。下駄貫、台所に持ってきな」

おみつの言葉にしほも立って台所に急いだ。

井戸端で手足を洗った政次《せいじ》が大きな西瓜を抱えて台所に入ってきた。

「政次さん、呉服屋さんとどっちがきつい」

「気を遣うところがまったく違うよ、なんとも言えないな」

政次が小声で答え、

「おかみさん、西瓜、切りますか」

とおみつに尋《たず》ねた。

「こいつばっかりはだれも手を出しちゃいけないのさ」

まな板と包丁をおみつが用意すると八百亀が顔を出した。

「政次、西瓜を切り分けるのは八百屋の仕事だ」

そう自慢しただけあって八百亀は実に見事に均等に切り揃《そろ》えて盆に盛った。それをしほと政次が持って親分や手先たちのところに運んでいった。

冷えた西瓜は外から戻った政次やしほの口にことさら甘く感じられた。

「今年の夏はことさら暑いな」

「だから、欲ボケの男どもが鼻毛ばかりか懐《ふところ》のものまで盗まれるんだ」

下駄貫が親分の言葉に応じた。

事件は届けられただけで五件に達していた。柳原土堤《やなぎはらどて》や大川端《おおかわばた》で一人歩きしたり、涼んでいたりすると大店《おおだな》の若女房といった風情《ふぜい》の女が寄ってきて、恥ずかしそうに、

「遊んでくれませんか」

と誘いをかけるのだという。その楚々《そそ》とした風情はなんとも男たちの劣情《れつじょう》を誘って、

「おまえさん、商売には見えないが、どうしなすった」

などとつい声をかけてしまう、それほど細面柳腰《ほそおもてやなぎごし》の美人だという。

「亭主が病気でお店《たな》が傾き、薬代にもことかく有様《ありさま》にございます」

と蚊の鳴くような声で言われると、

「名はなんといわれる」

「おえいにございます」

「おえいさんか、遊び代はいくらだい」

「初めてのことにございますれば、お気持ちだけを」

「おめえの亭主孝行を無下《むげ》にもできまい」

とつい応じてしまう。近くに荷船がございますと誘われ、初めて稼ぎに出た素人《しろうと》女が船まで待たせる手際《てぎわ》のよさを疑うこともなく男たちは従った。そして、用意された酒に口をつけ、いざおえいの肉体にといざり寄ると頭がくらくらして気を失い、気がついたときには懐の金をそっくり抜かれて、川辺に転がされているという単純な手口だ。

これまで被害に遭《あ》った男たちは少ないもので二分一朱、多いもので六両余りの金銭

を抜かれていた。

寺坂《てらさか》も宗五郎も、奉行所に届けない者が届けた者の何倍もいると見ていた。

八百亀たちは柳腰のおえいを追っていたが、男の欲望が発端だけに今ひとつ力が入らなかった。だが、宗五郎は、

「このままじゃ終わるめえ、いつか怪我《けが》人や死人が出ねえともかぎらねえ」

とおえいの捕縛《ほばく》を督励《とくれい》していた。

玄関先に訪問者の気配がして、政次が飛んでいった。しばらく応対する声がして政次が居間に戻ってきて、広間に座ると声をかけた。

「宇田川町《うだがわちょう》の宮大工《みやだいく》、彰五郎《しょうごろう》さんが親分にお目にかかりたいと弟子の方を連れてお見えにございます」

「おお、芝《しば》の棟梁《とうりょう》かえ。上がってもらえ」

宗五郎の言葉に政次が玄関に戻った。

宇田川町の彰五郎は、江戸でも名高い宮大工の棟梁で名人と呼ばれる人物だ。彰五郎の仕事は江戸のあちらこちらで見掛けることができた。

白髪《しらが》頭に小さな髷《まげ》を結《ゆ》った彰五郎が宮大工彰五郎と名入りの長法被《ながはっぴ》を着て、

「金座裏、無沙汰《ぶさた》したうえに用事のときだけ面《つら》を出してすまねえ」

と入ってきた。そのかたわらには土気色《つちけいろ》の弟子が従っていた。年は三十三、四か。

「棟梁、無沙汰は相身互《あいみたが》いだ。なんぞ宗五郎が役に立つことにでくわしましたかえ」

宗五郎は二人の様子を見て、磊落《らいらく》に話しかけた。深刻な話に深刻に応じると話が進まないことが多い。

「いやさ、こいつが例の川端の女に引っ掛かりやがった」

かたわらの弟子を振り見た。

「ほう、やられなすったか」

「磯次《いそじ》は魔がさしたと言ってますがね。大事な用事の帰りだというのを忘れてしまいやがった」

彰五郎が吐き捨てた。

「金座裏、うちじゃ、寛永寺《かんえいじ》下の千手院《せんじゅいん》の普請《ふしん》を請《う》け負《お》ってね、ようやく終わったところだ」

「聞いた聞いた。立派な普請ができたそうだ」

うなずいた彰五郎が言った。

「三年かかった普請だ、大工の出入りも多い。そこでうちじゃ、上野のさる寺筋から五百両の借金をして資材やなんぞのやりくりをした。だが、普請を終えたんで千手院から残金を頂戴《ちょうだい》した……」

そこで彰五郎は前借りしていた方々に早速支払った。弟子のうちでも老練の磯次には五百両の借用金を借り受けた寺に最後の利息の二十五両とともに支払いに行かせた。それが三日前の昼過ぎのことであったという。磯次は寺で無事に返済を済ませ、彰五郎が入れた証文を貰《もら》いうけて辞去しようとした。すると、千手院の建築祝いだと般若《はんにゃ》湯《とう》を出してくれて、普請の苦労話などをさせたという。

磯次がその寺を出たのが六つ半（午後七時）時分、下谷車坂《したやくるまざか》から一枚橋を渡って神田川に架かる和泉橋に出た。その橋上で江戸小紋を着た楚々とした女に話しかけられたという。素人女のそそるようなまなざしについ磯次は従った。柳原土堤にとめた屋根船に誘いこまれ、女の酌《しゃく》で一杯飲んだあと、意識が途切れた。

「金座裏、こいつの懐の銭は大したことはねえ。だが、五百二十五両の証文も盗まれやがった……」

彰五郎が愕然《がくぜん》たる事態を告げた。

「五百二十五両は返したんだ、証文が紛失しようと寺から催促は来めえと思っていた。ところが今日さ、広小路の金貸し讃岐屋善兵衛《さぬきやぜんべえ》と名乗る男がうちに来てね、寺から借用証文を譲りうけた、ついては支払いをと言ってきたんだ。讃岐屋は確かにおれが書いた、磯次が盗まれた証文を持ってやがった……」

「棟梁、引っ掛かりなすったねえ」

「磯次をつれて寺に走った。が、なんと寺じゃ磯次が来たこともなければ、返済を受けたこともねえって話だ。磯次は懐に飲んでいた鑿《のみ》で喉《のど》をついて死ぬの殺すのという大騒ぎだが、もうここはおまえさんしか頼む人間はいねえとこいつを引っ張り、恥を忍んで訪ねてきたってわけだ」

「彰五郎さん、話はおよそ分かった。今度はおれが磯次さんに聞く番だ、まず女だがどんな女だったえ」

「へえ」

磯次は小さな声で返事すると、

「年は二十二、三。抜けるような白い肌で目鼻立ちは整《ととの》っておりました、背丈は五尺二寸（約百五十七センチ）ほどでしょうが振るいつきたくなるような美形なんで……」

馬鹿《ばか》野郎、と棟梁に怒鳴られた磯次は大きな体を小さくした。

「棟梁、この場はおれに任せねえな」

「すまねえ、つい口が出る」

彰五郎が言い、宗五郎が再び聞いた。

「女の名を聞いたか」

「聞いたには違いねえが、よく覚えてないんで」

「おえいとは名乗らなかったか」

「そうそう、そんな名だ」

磯次の答えはどこか信がおけなかった。

「連れこまれたのは荷船かえ」

「いえ、どこぞの船宿の屋根船でしたぜ。ですが、屋号にはすだれなんぞをかけて隠されておりやした」

「船頭がいましたかえ」

「いえ、女がひとりで」

磯次は重い溜《た》め息をついた。

「寺で頂《いただ》いたのは一合ばっかりの酒なんで。空《す》きっ腹だったせいか、意外に利《き》きやがった」

「棟梁、建て前の前借りをしたのはどこの寺だえ」

「言わなきゃ駄目《だめ》かねえ」

「どう見ても寺もグルだ。おれに任せねえ」

「谷中《やなか》の小円寺《しょうえんじ》だ」

「磯次、おめえはだれに五百二十五両もの大金を返した」

「棟梁は副住職の嬋永《ぜんえい》様にと言われたんで、おれも玄関先の坊主に嬋永様に会いたいと申し出たんだ」

「そんとき玄関先で用件を述べたかえ」

「相手がどんな用か聞いたから、むろん答えたさ」

「嬋永と会ったんだな」

「ああ、棟梁の言われたように小太りで二重顎《にじゅうあご》の坊さんだったぜ」

「嬋永さんが金貸しを担当なさっているんで」

と彰五郎が補足した。その言葉にうなずいた宗五郎は目をつぶってしばらく考えていたが、

「酒をおめえに勧《すす》めたのも嬋永かえ」

「いやさ、嬋永様が引き下がったあと、嬋永坊主と一緒にいた中年の坊様だ」

「しほはまだいるか」

と宗五郎はだれともなく聞いた。

「はい、台所でお上さんを手伝っています」

政次がうてば響くように答えた。しほを呼んでくれと命じた宗五郎は、

「八百亀、だれぞを豊島屋にやって、清蔵さんにしほをしばらく借りたいと断ってきな」

と言った。

しばらくすると、しほが姿を見せて、居間の端《はし》に座った。それを見た宗五郎が磯次に言った。

「磯次さん、おめえさんを騙《だま》した女の人相風体《にんそうふうてい》をな、うちの絵師にもう一度話してくんな。小袖《こそで》の模様だろうが顔立ちだろうがなんでもいい、慌てることはねえ。ゆっくりと思い出すんだ」

磯次はしほを振り見てびっくりしたような顔をした。

「若い女絵師で驚いたか。だがな、しほは手柄《てがら》を何度も立ててお奉行様からご褒美《ほうび》をもらったほどでな、腕は確かだ」

半刻《はんとき》（一時間）後、しほの手で一枚の人相描きの輪郭《りんかく》が出来上がった。

「棟梁、こいつだ、ようく似てるぜ」

磯次が叫んだ。

しほは政次に頼んで竹の子長屋から持ってきてもらった絵の具で彩色をした。すると今度は磯次が言葉をなくしたように呻《うめ》いた。

「そう、このよ、まなざしに惑《まど》わされたんだ」

宗五郎らも伏し目がちなまなざしに艶《つや》を湛《たた》えた女の風情にぞくっとさせられたほどだ。

「こりゃ、男なら引っ掛かるぜ」

下駄貫が言う。

「でしょう」

と同意を求めた磯次に、

「だがな、大事な借用証文を盗まれたのはおめえだけだ」

と棟梁の彰五郎が嫌味《いやみ》を言った。

宮大工の主従が金座裏を辞したあと、しほは何枚か女の人相描きを描いた。

「よし」

と言って宗五郎が命《めい》を待つ手先たちに聞いた。

「磯次の引っ掛かった女は柳腰のおえいかえ」

「これだけの美人はそういますまいぜ。まず手口といい、間違いなかろう」

八百亀の意見に大半の手先が賛同した。

「おめえはどうだ、政次」

宗五郎が政次に顔を向けた。

「これまでのは男の懐を狙《ねら》った小銭稼ぎでした。今度の一件はいろいろとお膳立《ぜんだ》てを整えて大金を狙ってます、どうも手口が違うように思えます」

「ほかに何かあるか」

「はい、船宿の屋根船を柳原土堤に用意していたのが気になります」

「それまでおえいが使ったのは船宿のものじゃねえ、だれぞの持ち船だ」

と応じて宗五郎が命じた。

「八百亀、小円寺の一件は寺坂の旦那と相談して、寺社方《じしゃかた》に断らなきゃなるまい。今はこっちだ、腹も空いていようが人相描きを持って、被害に遭った男どもに確かめてこい」

「へえっ」

八百亀らが一斉に金座裏を飛び出していった。

「遅くなりまして申し訳ありません」

金座裏で夕餉《ゆうげ》をご馳走《ちそう》になったしほが豊島屋に戻ったのは五つ（午後八時）前のことだ。鎌倉河岸《かまくらがし》には今晩も暑さがどんと居座っていた。そのせいかいつもより早く豊島屋の賑《にぎ》わいは峠《とうげ》を越えていた。

「おおっ、戻ったか」

豊島屋の主夫婦の清蔵ととせが出迎えた。

「金座裏のお内儀さんがうちのお内儀さんにって」

しほが京下《くだ》りの銘菓の干菓子《ひがし》と流行の白粉《おしろい》など酒の切手の返礼に持たされた品々をとせに渡した。

金座裏には出入りの大店や大名家からいろいろと珍しい届け物がある。しほを遅くまで引き止めたこともあって、おみつがとせに品々を持たせたのだ。

「おや、今年流行《はやり》の紅《べに》もあるよ」

とせがうれしそうな声を上げた。

「こりゃ、えびで鯛《たい》だね。おまえさん」

「そんなことよりも新しい事件が出来《しゅったい》したようだな、何が起こった」

「豊島屋の旦那はそう聞かれるに違いない。絶対に喋《しゃべ》るなって親分に釘《くぎ》を刺されました」

「宗五郎さんもそんな……」

清蔵ががっかりした。

「しほも人が悪くなったよ」

と、しほの顔色を読んだとせが笑い出した。

「話しておやりよ、親分さんがそんな意地悪を言われるわけがないもの」

さすがに大所帯の豊島屋を切り盛りするとせだ。すべてお見通しだ。

「そうだよな、宗五郎親分がそんなことをこの私に言われるわけがないや」

しほは宮大工の彰五郎と弟子の磯次の名は伏せて、およその話を告げた。

「なんとねえ、銭につまるといろいろと悪知恵を働かせる者が出るよ」

清蔵が事件の概略を知って安心したか、嘆息《たんそく》した。

「で、八百亀たちの返答はなんだえ」

「柳腰のおえいという女に間違いないと言う人と、ちょっと違うかなと小首を傾《かし》げる人が半々で、宗五郎親分も判断に迷っておられます」

「もっともな、そんなときの男というのはだらしないものでさ、あばたもえくぼに見える。ただただ頭ん中は妄想《もうそう》にかられて、何も覚えてないもんさ」

「おや、おまえさんも覚えがありそうだね」

「とせ、わたしゃそんな年じゃありませんよ」

豊島屋夫婦の他愛《たわい》ない掛け合いでその夜は終わった。

二

広小路の讃岐屋善兵衛は四年前に讃州《さんしゅう》から江戸に出てきて金貸しを始めた人物とか。

定法通りの利息でこれまでお上の世話になるような商売はしていなかった。

宗五郎が常丸と政次を供に黒塀を巡《めぐ》らした讃岐屋の玄関に立ったとき、

「まいどおおきに」

と上方訛《かみがたなま》りの番頭に送り出された女客が宗五郎らに会釈《えしゃく》して出ていった。

「ごめんよ」

宗五郎が挨拶しながら暖簾《のれん》を分けて店に入った。

格子《こうし》帳場の向こうに番頭と手代《てだい》らしい男が三人机を並べて新たな訪問者を見た。

「これはこれは、お上のご用にございますか」

番頭が素早く宗五郎らの身分を見抜いて言った。

「商《あきな》いの最中に邪魔をしてすまねえ。金座裏で北町奉行所の御用を賜《たまわ》っている宗五郎
というもんだ」

「金座裏の宗五郎親分といえば、名代《なだい》の金流しの親分さんやおまへんか。これまでかけ違って失礼をしております」

「おれたちに縁がないほうがいいにきまってらあな、痛み入った挨拶で恐縮するぜ」

「分限者《ぶげんしゃ》の金座裏がわてらに金を借りに来る道理もおまへんな。今日は、なんぞ御用でっか」

「宇田川町の宮大工、彰五郎の借用書の一件だ」

「ああ、あれでっか。同業の者から急に金がいるんや、用立ててと言われましてな、割り引いて譲られた証文どす。それが何か……」

「ありゃ、彰五郎が三年前に谷中の小円寺から借りた借用金の証文だ。彰五郎は弟子の磯次を使いに出して四日前に小円寺に返し、証文を貰い受けたと言っている」

「わてのとこでも昨日、棟梁の家を訪ねましたんや。そしたら、借金は返して証文は受け取った。借金を返しに行った弟子が帰りにすべた女に引っ掛かって、証文を盗《と》られたなんぞと阿呆《あほう》げなことを言いますんや。うちではそんなけったいな話に納得《なつとく》できますかいな。今日明日にも棟梁に掛け合いにと思っていたところどす」

「そうかえ。おめえのところも面倒に巻きこまれたか」

「さようどす」

「証文を割り引いてくれと頼んだ同業はだれだえ」

「金座裏の親分さん、この商売は口がかたいのんが大事なことですわ。そればかりは御用の筋でも答えられまへんのや」

「それは困ったな」

「親分さん、小円寺はんに掛け合われましたか」

「寺は寺社奉行の係だ」

「そうでしたな、町方《まちかた》では手が出せまへんな」

番頭が鼻先で笑った。

「おめえの名はなんといわれるな」

「へえ、種三《たねぞう》にございます」

「主《あるじ》の善兵衛にお目にかかりたいものだな」

「あいにくと本日は他出しておりましてな」

「無駄足だったか」

宗五郎はさっと立ち上がると、

「種三さん、今日は挨拶だ。またお目にかかるときもあろう」

「いつでも待ってます」

宗五郎らを送り出した種三が、

「なんや、金座裏の親分や金流しやと褒《ほ》めそやすから、もちっと骨のある男かと思うたら、へなちょこやで」

とせせら笑った。そこへ他出しているはずの讃岐屋善兵衛が顔を出した。

「番頭さん、宗五郎をなめたらあきまへん」

「かといって旦那様、恐れることもおまへんな」

「いや、用心にこしたことはおへん」

と、善兵衛が言った。


宗五郎らは広小路をはさんで讃岐屋の門前を見ることのできるべっこう飴《あめ》屋を訪ねた。間口《まぐち》一間《けん》半ながら上野の名物の飴屋だ。宗五郎とは餓鬼《がき》の時分からの知り合いだ。

「おや、金座裏の親分」

主の照蔵《てるぞう》がべっこう色に光る飴を器用に切りながら顔を上げた。その他には鍋《なべ》の飴をかき回している若い職人が一人だけの小さな店だ。だが、そこには職人の意地と技が漂って、空気がぴーんと張り詰めていた。

「向かいの讃岐屋は四年も前に店開きしたんだったかな」

「金貸しには縁がねえ、親分」

「客の噂《うわさ》話でいいのさ」

「先代の善兵衛さんは腰の低い商人だったそうな」

「今のは二代目かえ」

「番頭だった男が先代が亡《な》くなったあと、かみさんとくっついて勝手に二代目を名乗ったのが春先のことだ」

「先代はなんで亡くなりなさった」

「なんでも心臓《しんのぞう》が悪かったという話だがよ。ぽっくりいったあと、近所の連中の間では番頭とかみさんが一服盛ったなんて噂が流れてね。いやさ、そんな噂が流れるほど急な話、それに番頭とかみさんは先代の生前からわりない仲だったのさ」

「番頭の種三も食えねえ男と見たがね」

「先代の従兄弟《いとこ》って話で店の切り盛りはこの種三が仕切っているそうだ。商いも先代の頃とはがらりと変わって、厳しい取り立てに死人も出たという話だが、飴屋には真相はわからねえや」

照蔵は飴を切りながらぼそぼそと話した。

宗五郎は天井を手で指しながら聞いた。

「店の二階は空き家だったな」

「へえ、材料なんぞを置いてありますけど、だれも住んではおりません」

「こいつらをしばらく置かしてくれめえか」

手先たちを顎で指した。

「汚くていいんなら好きにしなせえ、出入りは裏から自由にできらあ」

照蔵が二つ返事で引き受けた。

「ときにおきみはどうしてるね」

照蔵は十七、八年前に女房を亡くし、二歳《ふたつ》のおきみを男手一つで育て上げた。

「三年も前に所帯を持ってな、孫が二人だ」

照蔵は若い職人を振り見た。

「あれが亭主の幾三郎《いくさぶろう》ですよ」

「そいつは知らなかった」

宗五郎は財布から二分金を一枚出すと懐紙に包んだ。

「孫に飴でも買ってやりねえと言いたいが飴は売り物、おもちゃでも買ってくれめえか」

照蔵の前に差し出す。

「金座裏からの小遣いだ。ありがたく受け取ろう」

江戸っ子らしくさばさばした態度で照蔵は受け取り、婿《むこ》の幾三郎もぺこりと頭を下げた。

「常丸、飲みこんでいるな」

「へえっ、上方者の鼻をあかすまで引き下がるつもりはありません」

常丸と政次を飴屋の二階に残した宗五郎は古い知り合いの店をあとにした。

この日の夕刻から夜にかけて、江戸一帯ににわか雨が降った。そのせいで気温が下がり、しのぎやすくなった。だが、客の込む時分の雨のせいで、店はいつもより静かだった。

鎌倉河岸の石畳も雨に濡《ぬ》れそぼって、常夜灯の明かりが美しく老桜を浮かび上がらせていた。

豊島屋に彦四郎《ひこしろう》が姿を見せたのは店仕舞いをしようとした刻限だ。

「しほちゃん、今日な、深川蛤町《はまぐりちょう》まで客を送っていったんだ。それでよ、鍛冶《かじ》職人になった友達の金次《きんじ》の仕事場に面《つら》を出したら、亮吉を見掛けたと言うんだ」

「どこで、いつ」

しほの大きな声に清蔵が寄ってきた。

「昨日の夕暮れ、富岡八幡宮《とみおかはちまんぐう》の境内《けいだい》でさ、ぼうっと立っている亮吉を見たんで声をかけたんだと。すると亮吉はびっくりした顔を見せて逃げていったんだって。金次は御用の途中か、悪いことしたなって思ったと言っていたぜ」

「金次さんがだれかと間違ったってことない」

しほは金次を知らなかった。

「金次も鎌倉河岸界隈《かいわい》で育った男だ。亮吉を見間違えるものか」

「逃げたってのが怪《あや》しい、亮吉に間違いない」

と清蔵も言い出した。

「金座裏には知らせたの」

「まずはしほちゃんに知らせてさ。それから行こうと思っていたんだ」

「ちょうどいい。残り物で悪いが田楽《でんがく》をさ、御用から戻ってきた常丸たちに持っていってくれまいか」

と清蔵が台所に大声で皿に田楽を盛るように命じた。

しほは彦四郎が風呂敷に包まれた大皿を提《さ》げて、龍閑橋《りゅうかんばし》を渡っていくのを見送りながら、

（富岡八幡宮に行ってみようか）

と考えていた。

同じ刻限、宗五郎は金座長官後藤庄三郎《しょうざぶろう》と面会していた。

京の金座から庄三郎が内密に問い合わせた返書が来たというので呼ばれたのだ。

「宗五郎、助蔵《すけぞう》には新小判の仕様図は持たせてないそうじゃ」

庄三郎は膝《ひざ》に一通の封書を置いてほっとしたように言った。

「後藤様、ともあれ一難は去った。なれど助蔵はなぜ殺される羽目に陥《おちい》ったかにございますよ」

「品川の女郎《じょろう》との揉《も》め事《ごと》ということはないか」

「私どものこれまでの調べではそのような様子はございません」

宗五郎はしばし考えにおちた。

「後藤様、助蔵が殺された背景にはやはり御用が関わっていると思えてしようがありませぬ。いや、それを頭に入れて探索したほうがいい。痴情のもつれで助蔵が殺されたとしたら、下手人《げしゅにん》は助蔵を品川の浜に捨てていきましょう。それを下手人はわざわざ戸田川《とだがわ》まで運んでいる。それも武士が同行していたという」

「なにっ、武士がな」

銀蔵《ぎんぞう》の婿養子になる仁左《じんざ》が調べてきた事実を庄三郎に告げた。

「それに翌日には死体を運んだ船を品川に戻しています。女の諍《いさか》いで殺すような者がこんな面倒なことはいたしません」

いったん晴れかかっていた後藤の顔が曇った。

「助蔵は新小判の意匠《いしょう》にかかわった人物だ。仕様図は持っていなかったまでも頭に叩《たた》きこまれた仕様図を教えろと脅され、断ったので殺されたのかもしれません。あるいは私どもが考えもつかない企《くわだ》てが進行していて、それに絡《から》んで殺されたとも考えられる……」

ふーむと庄三郎が呻いた。

「後藤様、仕様図を京から助蔵さんが持参しなかったのは金座にとって幸運なことでした。だが、事件は終わっちゃいねえ、わっしの勘がそう教えております。どうか普段にも増して、警戒をおこたらないでくださいませ」

「相分かった」

宗五郎が後藤の前を退いて裏玄関に戻ってくると、用人《ようにん》の喜十郎《きじゅうろう》が待ち受けていた。

「親分、おまえさんに頼まれていた一件だ。この数年、金座を辞《や》めた男たちは十二人に達する。だが、手代の助蔵と関わりがあった者は、この三人だけじゃ」

老用人は几帳面《きちようめん》な字で書かれた退職者の履歴《りれき》を宗五郎の手に渡した。

「調べます」

宗五郎は喜十郎と別れると金座の裏口と向き合う格子戸に歩み寄った。

「親分」

声がして振り向くと船頭の彦四郎が手に風呂敷包みを提げて立っていた。

「なんぞあったか」

「亮吉のことだ」

うなずいた宗五郎は、風呂敷包みに目をやった。

「豊島屋の旦那が手先の夜食にって売れ残った田楽をくれたんだ」

「ともかく上がりねえな」

と彦四郎を家に招じ入れた。

手先たちがたむろする広間には八百亀らが宗五郎の帰りを待っていた。

明日の探索の指示を仰ぐためだ。

もちろん広小路の飴屋の二階で張り込む常丸と政次ら何人かの手先の姿はなかった。

「あれ、豊島屋の匂《にお》いがすらあ」

下駄貫が鼻をひくつかせた。

「清蔵さんからおめえさんらに田楽の差し入れだ」

彦四郎が風呂敷を上げてみせた。

「ちょうどいいや、小腹が空いたところだ」

住み込みの若い伝次《でんじ》がうれしそうな顔をして、

「姐さん、豊島屋から差し入れだ」

と大声で呼ばわった。

「野中の一軒家じゃあるまいし、大声を張り上げなくても聞こえるよ。それにしてもおまえらの腹はどうなってるんだえ。四半刻《しはんとき》（三十分）も前にどんぶり飯を食ったばかりじゃないか」

とおみつが言いながらも、

「彦四郎さん、風呂敷をおろしなさいな」

と台所に小皿や箸《はし》を取りに行った。そのあとを下駄貫が追いかけて、

「姐さん、田楽だけじゃ間が持たねえ」

ともみ手しながら台所に入っていった。

「酒かえ、燗《かん》をつけるんなら自分たちでやりな」

「この気候だ、冷やでいい」

金座裏の広い台所には常丸らまだ帰っていない手先たちの膳《ぜん》が残されてあった。その片隅に菰《こも》かぶりがおいてあった。

下駄貫は樽《たる》から大徳利《おおどっくり》に酒を移した。

大徳利と茶碗《ちゃわん》を盆に載せた下駄貫が広間に戻ったところで、彦四郎が風呂敷包みをほどくと、ぷーんと味噌の匂いが金座裏に漂った。

「夏の田楽も悪くないね」

彦四郎も相伴《しょうばん》する気で茶碗をもらっていた。

「彦、酒もいいが亮吉の話たあ、なんだ」

「あっ、忘れるところだった」

彦四郎はしほと清蔵に喋った話をここでも繰り返した。

「深川の富岡八幡宮なんぞにいやがったか」

「どうしたもんかね。仕事の合間に捜しに行こうか」

「おめえら、友達だ。捜しに行くのを止めはしねえ。だが、おれは放っておく」

「親分、そりゃちょいと薄情だ」

茶碗で酒をくいっとひっかけた八百亀が言い出した。

「亮吉はなにもおれが怒って追い出したわけじゃねえ、自分で出ていったんだ。自分が帰る気をおこさなきゃあ、首に縄をつけて引っ張ってきてもまた出ていくことになる。八百亀、そうじゃないかえ」

「まあな、親分に言われれば、そのとおりだがな」

「あいつが一人前になるためには、自分でどうするか腹を決めなきゃならねえ。それまでだれも手助けはできねえ、待つしかねえんだ」

「そうか、そうだな。あいつのことだ、野垂《のた》れ死《じ》にもしめえ」

八百亀の言葉に彦四郎もうなずいた。

「広小路の飴屋の見張りはどうだ」

「代わりは送ってある、常丸たちはおっつけ戻ってこよう」

八百亀が見張りの手筈《てはず》がついていることを親分に告げたとき、玄関先に人の気配がして常丸たちが広間に顔を見せた。

「ただ今、戻りました」

「ご苦労だったな」

政次は彦四郎の大きな体が一座の中にあるのを認めて、目顔で挨拶した。

「常丸兄い、政次よ、豊島屋の旦那がおめえらに田楽を食べさせろとおれに頼みなさったんだ」

と屈託《くったく》のない声を上げた。

彦四郎は亮吉の一件は二人のときに教えようと思っていた。

政次がうなずき、親分の長火鉢の前、先輩の常丸の少し後ろに控えた。

「親分、讃岐屋は尋常な商人とも思えねえ。政次と交替でさ、裏口も見張ってたんだが、夜になると浪人者にやくざ者、坊主まで得体《えたい》のしれねえ野郎が裏口から出入りすらあ」

「ほう、坊主な」

「そこそこの貫禄《かんろく》はあるがよ、なんだかうさん臭《くさ》い野郎だぜ」

「叩けば埃《ほこり》が出そうなのは番頭のしたたかな面《つら》をみれば分かった。下駄貫、明日からおめえら全員で讃岐屋のことを調べあげろ。どこから来てどんな商いをしてきたか。それにさ、讃岐屋の先代がほんとうに心臓の持病で亡くなったかどうか出入りの医師に探ってみねえ。医師がぐるだといけねえ、そのへんは用心してかかれ」

「へえ」

「夜の見張りを裏にもつけろ」

「早速にも手配りしよう」

と八百亀が承知した。

「常丸、政次、おめえらは金座の一件に戻る。何をするかは明朝話す」

宗五郎が命じ、二人がうなずいた。

「親分、小円寺のほうはどうなったえ」

八百亀が問い、宗五郎が、

「おおっ、忘れていた」

と頭を掻《か》いた。


この朝、宗五郎は一番で北町奉行所を訪ね、定廻《じょうまわり》同心《どうしん》寺坂《てらさか》毅一郎《きいちろう》に宇田川町の宮大工彰五郎の一件を報告していた。

「谷中の小円寺か。確か寛永寺の寺中の一つだぜ」

徳川家の菩提寺《ぼだいじ》と関わりがあるとなると、いよいようっかりは手が出せない。

「今泉《いまいずみ》様にお頼みして寺社奉行に話を通そう、おまえも一緒してくれ」

と言うので与力《よりき》の今泉修太郎《しゅうたろう》に宗五郎も面会した。

話を聞いた今泉は、

「なにっ、柳腰のおえいの一件がそんなところに飛び火したか」

と驚きを見せた。

「今泉様、わっしの考えじゃ、この一件はこれまでの手口とちょいと違っているように思えます」

「流行《はやり》の柳腰のおえいに似せた別件か」

「そんな感じですが、今はまだはっきりとは言えません。ともかく宇田川町のほうは五百二十五両の借金をもう一度払うようなことになれば、宮大工の看板は下ろさなければと申しております」

「江戸でも名代の大工をそんな理由で潰《つぶ》したのではわれらの沽券《こけん》にも関わる。お奉行にお断りして寺社方と話してみる。一両日、時をくれ」

と寺坂と宗五郎に約束してくれた。

「……ということだ。寺社に話を通すにはもうすこし時間がかかろう。そのまえに讃岐屋と小円寺の副住職嬋永とのつながりを探り出して、有無を言わせないようにしておけ」

「へえっ」

と八百亀らが畏《かしこ》まった。

「常丸、政次、うしお汁も温まっているよ、めしにしな」

戻ったばかりの手先におみつが声をかけ、二人が立ったのをしおに彦四郎も政次と話すために台所に移った。

三

谷中の小円寺はさほど大きな寺ではなかった。だが、闇《やみ》の金貸しのせいで内証《ないしょう》は裕福と見え、門前から境内の手入れも行き届いていた。

この日、小円寺に壮年の男と若い女の二人連れが訪ねてきて、副住職の嬋永に面会を求めた。男はどこぞの店の主人、女はその娘といった風情だ。

二人が通された部屋に待っていると小太り、二重顎の僧侶の嬋永がいかめしい袈裟《けさ》をかけて姿を見せた。

「初めてのお方かな」

「はい、京橋のほうで小間物屋をやっております京屋増左衛門《きょうやますざえもん》という者にございます。本日は嬋永様にお願いの筋《すじ》がありましてお訪ねしました」

男の相貌《そうぼう》には必死の気配があった。

が、嬋永は美貌の娘の顔をじろじろと見ていた。

「用事は何かな」

「今月中に用立てせねばならない仕入れの金の都合がつきませぬ。いえ、来月になりますと売掛金が入るあてがあります。それまで二百両ほどご融通願えないかと……」

「なんぞ勘違いされたらいけませぬな。ここはお寺、金貸しとは違います」

「いえ、それは承知にございます。佐久間町の仏具屋越後屋《えちごや》様から小円寺様には御仏《みほとけ》の慈悲があると教えられたことにございます」

「なにっ、越後屋が喋った。困ったな」

と檀家《だんか》の名を出されて嬋永は舌打ちした。

「うちは本堂の改修の費用に寺社方からお目こぼしで、檀家からの預かり金をご融通しています。そのことをな、ようお含みおきくだされ」

「はい」

「利息は月一割四分、用立てた元金から差し引かせてもらいます」

「承知しました」

「京屋さん、担保《たんぽ》はございますかな」

「担保といってもぎりぎりの商い、店屋敷しかございません」

「小間物の在庫はおよそどれほどありますかな」

「さあて二百五十両から三百両といったところでしょうかな」

「二百の担保には足りませんな」

そう言った嬋永は、

「京屋さん、娘ごか」

と、ふいに若い女のほうを指した。

「へえ、娘のさよにございます」

「在庫の品に娘さんを加えさせてもらいましょう」

「えっ、担保に娘をでございますか」

「花魁《おいらん》にするには少々薹《とう》は立っています。じゃが、この美貌なら百両やそこらの金は吉原《よしわら》も融通しましょうでな」

嬋永は平然と言い放った。

「嬋永様、それぱかりは……」

「できませぬか。ならば他をお当たりなされ」

思い悩む父と娘を見た小円寺副住職は、

「よう親子で相談して答えが出たら来なされ、二百両は大変なお金です」

と、さっさと座を立ち、悄然《しょうぜん》とした親子はしおしおと小円寺を辞して門の外に出た。

「しほ、坊主の面をみたな」

「はい、すぐにも人相は描けます」

京屋増左衛門と娘に扮した宗五郎としほがそう言い合いながら、池之端《いけのはた》に向かっていた頃合《ころあい》、小円寺でも嬋永が、

「どこぞの目明かしが下手《へた》な芝居をしくさって」

と吐き捨てていた。

宗五郎は自らしほの描いた嬋永の人相描きを持って宮大工の磯次に確かめに行った。

すると同席した棟梁の彰五郎が、

「よう描けてますな、嬋永さんそっくりだ」

と感心し、磯次は、

「棟梁、おれの会った副住職とちょいと違うぜ、もっとふっくらしていたな。それに頭の格好も違わあ」

と言い出した。

「なんだと、嬋永さんはこの方なんだよ」

「だけどよ、おれが会った嬋永様は別の坊さんだ」

磯次は頑固に言い張った。

「おめえは別人に五百二十五両を返したか」

「だって、おれが玄関番の坊主に嬋永様に面会をと言ったら、出てきたんだぜ。それに証文もくれたんだ」

磯次の顔色が変わっていた。

「親分、どういうことだ」

彰五郎が金座裏に聞いた。

「棟梁は借金の返済に行くのを前もって小円寺に知らせていたかえ」

「なにしろ五百二十五両もの大金だ。前々からあの日に戻しに行くのは打ち合わせ済みだったんだ。それに数日前には若い奴《やつ》を小円寺にやっておお約束どおりに返済しますと断ってあらあ」

「尻尾《しっぽ》を出しやがったな」

「親分、おれは何も……」

「棟梁、おまえさん方のこっちゃねえ。小円寺だ」

「小円寺がどうかしたか」

「寺社方から奉行所に返事が来たのさ。それによれば、磯次が五百二十五両を持参した日の刻限、住職の隆達《りゅうたつ》も副住職の婵永も本山の寛永寺の集まりに出ていたそうな」

「そんな……」

磯次が泣き出しそうな悲鳴を上げた。

「確かに二人は本山の衆議に出ていた。たくさんの坊主どもが二人を目にしていた」

彰五郎も磯次も言葉もない。

「おれはだれに返金したんだ」

「そして磯次、おめえはだれから戻された借用書を盗まれたんだ……ここいらにからくりがあろうよ」

宗五郎は二人の前から立ち上がった。

「親分、讃岐屋の取り立てが厳しいんだ。払えなきゃあ、家屋敷におれがこれまで集めてきた床柱の珍木奇木などすべて差し押さえるとよ」

「棟梁、のらりくらりと時を稼ぐことだ、磯次も少し辛抱《しんぼう》しねえ」

と二人に言い残した。

この朝、常丸と政次は宗五郎の指示で金座を辞めたか、辞めさせられた者のうち、殺された助蔵と親しかった三人、警護役の江吉《こうきち》、金吹き職人の保次郎《やすじろう》、刻印方《こくいんがた》の丹三《たんぞう》の行方を追って江戸じゅうを駆け回っていた。

宇田川町を出た宗五郎はその足で上野広小路にあるべっこう飴屋を裏口から訪ね、

「邪魔するぜ」

と店に声をかけて二階への階段を上がった。

せまい部屋では首に手拭《てぬぐ》いを巻いた八百亀が一人、広小路をはさんで見渡せる讃岐屋の表口を見張っていた。閉め切られた二階の部屋にはじっとしていても汗が噴き出してくる暑さが籠《こも》っていた。

「どうだえ、なんぞあったか」

「表口はないな。だが、稲荷《いなり》の正太《しょうた》がおもしろいことを聞き込んできやがった。二代目になった讃岐屋善兵衛だがよ、吉原から女郎を身請《みう》けしていたそうな。吉原じゃあ、絹女《きぬじょ》と呼ばれたその女は、男心をそそるような風情だそうだぜ。今さ、しほちゃんの描いた人相描きを持って、稲荷が吉原に飛んでいらあ」

「早くもぼろが出やがったか」

「どこぞに囲っているんだろうが、先代のかみさんを恐れてか、だれにも囲った場所を言ってねえようだ」

「そのうち尻尾を出すさ」

宗五郎は腹心の手先にしほの人相描きが役に立った話をした。

「小円寺の坊主ども、小器用な細工をしやがるぜ」

「あんまり細工をすると、かえってぼろが出やすくなるもんだ」

「違《ちげ》えねえ。だがよ、今度ばっかりはうちの手柄になるめえな」

「小円寺は寺社奉行から引導を渡させるさ。おれたちは讃岐屋だ」

階段が軋《きし》んで下駄貫らが姿を見せた。

「親分、ここにいなさったか」

べっこう飴屋の二階は男たちでいっぱいになった。

「うさん臭い野郎が動き出すにはまだ早かろう」

宗五郎は若い手先の波太郎《なみたろう》を二階に残すと汗だらけの八百亀と下駄貫を外に連れ出し、藪《やぶ》そばの看板を上げた武蔵庵《むさしあん》に連れていった。

「やっぱり外はせいせいするな」

暑さの残る町に夕風が吹き始めていた。

「いらっしゃい」

と開け放たれた奥の台所から坊主頭を覗《のぞ》かせて武蔵庵の主の中之助《なかのすけ》が、

「おや、金座裏のお歴々かえ」

と迎えた。

「座敷を借りるぜ」

涼しげな簾《すだれ》越しに通りを見渡せる小座敷に三人は上がった。

軒先《のきさき》では朝顔の絵が描かれたぎやまんの風鈴が風に鳴っていた。打ち水が撒《ま》かれた小さな庭からそこはかとない涼風が吹いてきた。

「まずは冷やをもらおうか」

宗五郎が酒を注文すると下駄貫が舌なめずりして、言い出した。

「親分、先代の讃岐屋のかかりつけのお医師はさ、根岸《ねぎし》の河合東古《かわいとうこ》先生だ」

「東古先生なら一服盛る輩《やから》に荷担するなんぞは考えられないな」

「へえ、そのとおりだ。東古先生も言っていたがね、先代は江戸で商いを開いた心労が祟《たた》って早死にしたに違いないって。ただな……」

「どうしたえ」

「先代は女房のたつが番頭とできていたのを生前から承知していた風《ふう》で、相手が相手、番頭が店の主に収まれば、たつは捨てられるに決まっているのにと嘆《なげ》いていたそうだぜ」

「なんとな」

冷や酒がきた。

「手酌でやりねえ」

宗五郎は手先たちにそう言うと考えこんだ。

「讃岐屋は夜になって出入りが多いと言ったな」

「へえ、賭場《とば》でも開いているような出入りだぜ」

一杯目をおいしそうに飲み干した八百亀が答えた。

「だれぞ使いを宇田川町に出して磯次を呼んでこい。どうせ磯次は仕事も手につくめえ、ならばうちの仕事を手伝わそうじゃないか」

「それはいい。讃岐屋に出入りの客の中に偽《にせ》坊主か、柳原土堤で磯次をたらしこんだ女がいりゃ、一気に解決だぜ」

「下駄貫、物事そううまくいくものか」

ざるがきた。

三人は冷やを飲み干すとそばを啜《すす》りこんだ。

宗五郎は中之助を呼ぶと、

「あとで二人ばかりうちのが来らあ」

とその分を含めてお代を払った。

常丸と政次はようやく金座の元金吹き職人だった保次郎を巣鴨《すがも》村の御薬園で見つけていた。

「金座裏の常丸さんじゃありませんか」

保次郎は常丸の顔を覚えていた。

二十九歳になる保次郎は広大な御薬園の乾燥室で、二人の手先には何の薬とも知れない薬草を丁寧《ていねい》に調べては束ねていた。

常丸が用件を述べると、

「金座手代の助蔵さんだって、また懐《なつ》かしい名ですね」

と遠い昔を思い出すような顔をした。

「ちょいと聞きたいのだが、最近助蔵さんと会いなすったか」

「三年前に金座を辞して以来、金座のだれとも会ってはいませんよ」

「おまえさんは御薬園に住み込みかえ」

「ええ、こちらのお長屋に住んでおります」

「なぜ金座を辞めなすった」

「仕事はおもしろかったですよ。でもさ、毎日仕事が終わるたびに裸にさせられて調べられるのにはどうも慣れなくてね」

保次郎は、

「あれは毎日やらされる者じゃなきゃあ、分かりますまい」

と苦笑いした。

金座で働く職人は毎日仕事が終わると真っ裸にされて金塊などを持ち出していないか口の中から尻の穴まで調べられた。

保次郎はそれが嫌《いや》だったと転職の理由を述べたのだ。

「金座はお上の御用金を鋳造《ちゅうぞう》するところだ、調べは厳しいからな」

「そんなとき、御薬園で働く伯父《おじ》がこっちに来ないかと誘ってくれたんですよ。私は金吹きよりも土いじりのほうが性《しょう》に合ってます」

「そりゃなんぼか、御薬園のほうが体にも心持ちにもいいぜ」

常丸が応じると聞いた。

「おまえさん、近ごろ旅はしなかったか」

「旅ですって、何年も江戸を離れてませんよ」

保次郎は明言し、大きくうなずいた常丸が、

「保次郎さん、刻印方にいた丹三か警護役の江吉の居所を知るめえか」

と聞くと、

「丹三はなんでも深川あたりでいい顔になっているという噂を、辞める前に金座のだれかが喋ってましたが、ほんとかどうかも知りませんね。江吉は顔も覚えていませんね」

と答えた。

常丸と政次が金座裏に戻ってきたのは五つ（午後八時）過ぎのことだった。

居間には宗五郎とおみつだけがいた。

「八百亀の兄いたちはまだ頑張ってますかえ」

「あっちは夜通し仕事だ」

常丸が金吹き職人だった保次郎に面談した様子を話した。

「御薬園の同僚たちにも会いましたが、保次郎が江戸を離れたことはありません。それどころかこの半年は御薬園から出てもいませんや」

「保次郎は裸で調べられるのが嫌さに辞めたか」

「親分は分かりますかえ」

「牢《ろう》入りの調べじゃあるまいし、金座は大事な仕事だがなあ」

「おりゃ、仕事だろうがやっぱり嫌だ。なんたっていつも疑われているようで、おもしろくねえや」

常丸が言い、おみつが、

「私も保次郎の転職した気持ちは察しがつくよ」

と言い出した。

「親分、八百亀の兄いのところに応援に行こうか」

「あっちは十分手があらあ」

「そんなことより、まずはおまんまを食べな」

おみつが二人に言うと手先の給仕に台所に立った。

吉原に調べに出ていた稲荷の正太が飛びこんできたのは、四つ（午後十時）過ぎのことだ。

「常盤町《ときわちょう》の親分にやられたぜ」

「どうしたえ」

「吉原から蔵前通りを歩いて浅草御門にかかったときよ、柳原土堤のほうで御用御用の叫び声が上がったじゃねえか。そんで走って行ったんだ、そしたらよ、常盤町の宣《せん》太郎《たろう》親分と手先たちが柳腰のおえいと船頭風の男を引っ括《くく》ったところでさ」

「おおっ、お手柄だったな」

「なんでも常盤町じゃ、垂れこみがあったとかで柳原土堤に張り込んでいたらしい。そこへまたどこぞのお店の番頭が通りかかって危うく餌食《えじき》になるところを常盤町の手先たちが船に乗りこんで、捕り押さえつけたってわけだ」

「そいつは朗報だ」

「朗報たって常盤町の宣太郎親分に先んじられたんだぜ」

「正太、手柄争いは二の次だ。柳腰のおえい一味が捕まれば、欲にくらんだ男どもが泣きを見ずにすむ」

「だけどよ、八百亀の兄いたちの見張りもお釈迦《しやか》だ、無駄にならあ」

「柳腰のおえいと磯次が騙された女は別口だ。正太、それより吉原はどうだったえ」

常丸も政次も広間から聞き耳を立てていた。

「ああっ、忘れていた！　きぬこと絹女ってのは外面似菩薩内心如夜叉《げめんじぼさつないしんによやしや》って遊女でな、手練手管《てれんてくだ》も床《とこ》も上手、讃岐屋とおっつかっつの悪《わる》だそうだぜ。絹女がいた妓楼《ぎろう》じゃあ、懐の温かい客しか大事にしねえ、仲間と諍いは起こすと、楼主は絹女が身請けされてよ、ほっとしていたぜ」

「しほの描いた絵を見せたか」

「ああ、絹女そのものだって、だれもが太鼓判を押した」

「稲荷の正太、しっかりしねえか。常盤町の引っ括った柳腰のおえいは小銭狙いの女だ。五百二十五両の証文を騙しとろうなんて、きぬのような才覚はねえよ」

「ああ、そうか。おれはよ、宣太郎親分の得意げな顔を見たら、かっとしてしまってよ」

政次が茶碗酒を稲荷の正太のところに運んできた。

「ああ、喉がからからだ」

稲荷の正太はぐいっと一気に冷や酒を飲み干した。

「きぬが身請けされて移った先はわからねえか」

「なんでも根岸あたりの小粋《こいき》な別邸らしいという話だぜ」

「根岸か、八百亀らの張り込みが先か、根岸の絞り込みが先か、明日っから先陣争いだ」

宗五郎が呟《つぶや》くように言った。

四

夏の陽光がきらきらと堀の水を照らしつけていた。めらめらとした陽炎《かげろう》が立って御堀の向こうの大名屋敷の甍《いらか》も御堀の天守閣もゆらいでいた。

しほは龍閑橋《りゅうかんばし》を渡って船宿の綱定《つなさだ》に行った。大きく開けられた玄関先には、

御船宿綱定

と染め抜かれた厚地の紺布が斜《なな》めに張られ、日射しを遮《さえぎ》っていた。

「おはようございます」

しほの両眼は日除《ひよ》けを潜《くぐ》って広い玄関に通ると数瞬、白い闇に包まれた。

「あら、しほちゃん」

「女将《おかみ》さん、彦四郎さんは仕事に出たの」

しほの目はようやく視力を取り戻して、白っぽい絽《ろ》を粋《いき》に着こなしたおふじの姿を映じた。

「河岸にいなかった」

「あら、私ったら気がつかなかったわ」

「亮吉さんのことなの」

「そうなんです」

「独楽鼠《こまねずみ》がちょろちょろしないと寂しいね」

「お金もないだろうに御飯なんかどうしているのかしら」

「あいつのことだから、うまく立ち回って施《ほどこ》しをうけながら生きていると思うけどね」

「そうだといいけど……」

しほはそうおふじに言い残して、堀端に行った。すると柳の細い枝が造る薄い日陰で大きな体の彦四郎が猪牙舟《ちょき》の手入れをしていた。

「おお、しほちゃんか」

振り向いた彦四郎の額《ひたい》は汗に光っていた。

「用件をあててみようか、亮吉を捜しに富岡八幡宮に行ってみないかと誘いに来たな」

しほはうなずくと岸辺に上げられた猪牙舟に背をもたせかけた。

「だめ?」

「おれもあのときは、捜して歩こうかと思ったけどよ」

「やめたの」

「親分がな、亮吉は自分の了見で金座裏を出たんだって、ならば無理に捜し出したってまた出ていくかもしれないって。それより亮吉が自分でその気になって戻るのを待つしかないだろうって」

「このことで苦しんでいるのは亮吉さんばかりじゃないわ」

「ああ、政次も思い悩んでいる。だけどさ、政次は顔に出さないからな」

しほはうなずき、

(体をいじめることで政次さんは苦しみに耐えている)

と思っていた。

「何もできないの、私たち」

「ああ、できない。亮吉がさ、今おかれた立場をよ、素直に受け入れるまでだれも手が出せない」

彦四郎は何度も考え抜いたことを決然と言った。

「そうね」

「そうとも、しほちゃん」

「ああ、あいつだぜ」

磯次が叫んだ。

今しも讃岐屋の店先に駕籠《かご》が止まり、小太りで二重顎の僧侶が堂々と店に入っていった。昼下がり、江戸じゅうがめらめらと燃え上がって、人通りも絶えた刻限だ。

「野郎、引っ摑まえてやる」

今にも飛び出していきそうな磯次を止めた八百亀が言った。

「稲荷、親分にご注進だ」

「へえ」

と稲荷の正太がべっこう飴屋の階段を二段おきに飛び下りていった。

「偽坊主にしては堂々としたもんだぜ」

八百亀が呟くと、

「兄い、あいつは偽なんかじゃねえ」

と下駄貫が言い出した。

「知った面か」

「小石川《こいしかわ》村にさ、了念寺《りょうねんじ》という破れ寺があってな、そこの住職の眼斎《がんさい》だ。飲む、打つ、買う、なんでもござれの破戒《はかい》坊主さ」

「間違いねえか」

「あいつの近くに寄ると、腐臭が漂ってくるぜ」

「讃岐屋に銭をたかりに来たか」

宗五郎が来るまえに眼斎が姿を見せて、待たせていた駕籠に乗った。

「下駄貫、波太郎」

八百亀の言葉を待たずに二人の手先が飛び出していった。

磯次が、

「ふうっ……」

と大きな溜め息をついた。

「磯次さん、あせもだらけになった甲斐《かい》があったというもんだ」

「まだおれから証文を騙しとった女が残っていらあ」

「一人が手繰《たぐ》り寄せられれば、あとは芋《いも》づるだ」

「そうかねえ、そうなるかねえ」

と磯次が言ったとき、宗五郎が、迎えに行った稲荷の正太といっしょに姿を見せた。

「坊主の正体が割れたぜ、下駄貫が見知っていた」

「ほお、どこの坊主だえ」

「小石川村の了念寺の眼斎だ。今、下駄貫らが駕籠を尾《つ》けていらあ」

「そろそろ飴の匂いも飽きたろう」

「ああ、できることなら豊島屋の酒の匂いがいいね」

八百亀が応じた。

「下駄貫が戻ってくるまで辛抱しねえ。どうやら幕は近そうだ」

そう言い残した宗五郎はまた金座裏に戻っていった。


その夕暮れ時分、金座裏に若い手先の波太郎が飛びこんできた。

「親分、眼斎の野郎、根岸の小粋な家に寄りやがった」

「吉原の女郎だったきぬが讃岐屋善兵衛に囲われたという家かえ」

「そういうことだ」

「讃岐屋はひでえ坊主を仲間に引き入れたもんだ。眼斎ときぬは讃岐屋に隠れてできてやがるのか」

「それはねえな、眼斎の野郎、讃岐屋で金の無心を断られたらしく、その腹癒《はらい》せに妾《めかけ》のところで酒を飲んで嫌がらせをしてんのさ。きぬは適当にあしらっているようだが、腹ん中じゃうんざりしている様子だぜ」

宗五郎は煙管《キセル》に刻みを詰めて火を点《つ》けた。しばらく煙草《タバコ》を吸いながら黙念と考えて

いたが、

「いぶりだすか」

　と呟いた。

「波太郎、鎌倉河岸に走って兄弟駕籠屋の繁三《しげぞう》と梅吉《うめきち》がいたら連れてこい」

　手先は返事をする間もなく飛び出していった。

「常丸、政次、べっこう飴屋に寄って金座裏に引き上げていいと伝言しろ」

「へえ、それで下駄貫の兄いの助っ人に走れってわけだね」

「そういうことだ」

「おもしれえ趣向があるのかえ」

「根岸の妾宅《しょうたく》を芝居小屋にしようじゃないか。痴話《ちわ》喧嘩《げんか》の一幕ものか、大立ち回りか。まずは役者を揃えようかえ」

「合点《がってん》だ」

　政次は常丸の尻に従って、まだ炎暑の漂い残る江戸の町に飛び出していった。

　五つ半（午後九時）、根岸あたりにようやく涼風が吹き抜けて、日中の炎暑を幾分和《やわ》らげてくれた。すると藪蚊《やぶか》が音を立てて、北町定廻同心の寺坂毅一郎、金座裏の宗五郎、八百亀たち手先、宮大工の磯次らを襲ってきた。

宗五郎は豊島屋の常連の駕籠屋の繁三と梅吉の兄弟を金座裏に呼ぶと知恵を授けた。

「ほんとに好き放題、言っていいんですかえ」

先棒の弟の繁三が嬉《うれ》しそうに念を押した。兄の梅吉が無口なのとは好対照にお喋り繁三で通っていた。

「おお、強請《ゆす》りたかり自由だ。口先で強請れるものなら何百両でも強請ってこい。おめえらの稼ぎだ」

「しめた!」

空駕籠を担《かつ》いだ二人は勇んで讃岐屋に出向いた。繁三が店先で口上を始めた。

「番頭さん、旦那はいるかえ」

「おまえさん方はだれだえ」

「見てのとおりの駕籠屋だ」

「用件を伺《うかが》いましょうか」

「根岸からの言付《ことづ》けだ、旦那に直接と言われてきたんだがね」

番頭はしばらく迷った末に旦那の善兵衛を呼んだ。

「おまえさんが讃岐屋様かえ。おれっちが根岸の先まで客を乗せて空駕籠でさ、洒落《しゃれ》た家の前を通りかかったと思いねえ。小女《こおんな》がさ、おれっちを呼びとめてよ、広小路の讃岐屋に急を知らせてくれとの頼みだ」

「何があった」

「眼斎とかいう坊さんが寮に上がりこんで酒を飲みくらっているんだよ。それできぬさんがお困りだとか」

「あの糞《くそ》坊主めが」

善兵衛が歯ぎしりした。番頭が、

「銭をねだりに来たのを追い返したのを恨みに思って、根岸で嫌がらせをやっているんですな」

と思わず漏らしていた。

「番頭さん、わてが眼斎に灸《きゅう》をすえましょ」

尖《とが》った眼をした善兵衛に繁三が、

「旦那、根岸じゃさ、こっちで使い賃は貰えと言われたんだ」

と手を差し出した。

「なんやて、おまえら、金をねだろうという魂胆《こんたん》か」

「いけませんかえ。こちとら、わざわざ回り道してよ、妾の危難を親切にも知らせに来たんだぜ。それを礼の言葉もなしに強請り呼ばわりか」

宗五郎にせいぜい店先でごねて、小遣い銭をむしりとってこいとお墨付きをもらってきた繁三だ。威勢がいい。

「銭なんぞいらねえや、その代わり……」

繁三の言葉を制して善兵衛が言った。

「番頭はん、銭の二十文も渡してんか」

「おい、讃岐屋、餓鬼の使いじゃねえ。こちとら、江戸っ子だ、そんな端《はし》た金《がね》なんぞいらねえ。妾の危難を救って、礼をしねえと江戸中に言い触らしてやるぜ！」

繁三はさらに大声を張り上げた。

「そんな声、店先で張り上げんといてえな」

番頭が慌てて二分ほどを繁三の手に摑ませた。

「最初からありがとうの一言がありゃ、銭なんぞいらなかったんだ」

繁三は胸を張って金を手にすると無口な兄貴を伴い、店を出た。

「繁三、おめえは気が小さいな」

無口な兄がぼそりと言った。

「金座裏の親分は何百両でも強請りとれるならおまえらのもんだと許しなさったんだぜ。それをたった二分ぽっちで手をうちやがって……」

「兄い、このへんがおれっちの頃合だ。豊島屋のつけが払えらあな」

二人は空駕籠を担いで鎌倉河岸に走っていった。


讃岐屋善兵衛は駕籠屋兄弟の知らせに根岸に駆けつけた。

「眼斎、おのれは……」

善兵衛と酔っ払った眼斎の怒鳴り合う声が響いていたが急に静かになった。

「役者は揃った、踏みこみますかえ」

八百亀が宗五郎に聞いた。

「この一幕、茶番があらあ」

闇の通りに駕籠屋の息杖《いきづえ》の音がして、辻駕籠が現われた。

「だれです」

下駄貫が聞いた。

「讃岐屋の女房をおれが誘ったのさ」

「そりゃ、大変《てえへん》だ」

恐妻家の下駄貫が首を竦《すく》めた。

「金座裏、おめえも人が悪いな」

「先日、讃岐屋には小僧扱いを受けましたんでねえ、しっぺ返しだ」

寺坂が苦笑した鼻先を通り過ぎた駕籠がきぬの家の前に止まり、年増《としま》女たつが転がりこむように玄関先に突進していった。

「おまえさん、私ってものがありながら、吉原から女郎をひかせて妾にしたんだって!」

たつの声が響き渡り、その直後、

「ひえいっ!」

というたつの悲鳴があがった。

「行くぜ!」

寺坂毅一郎の声に宗五郎たちがきぬの小粋な新居に踏みこんだ。

鎌倉河岸では繁三と梅吉兄弟がべろんべろんに酔って、

「清蔵の旦那、おれはよ、生まれて初めて、強請りってのをしてのけたぜ。讃岐屋の帳場の前でよ、上がりかまちに七三に構えて座ってよ、さあ、讃岐屋善兵衛……」

「……って啖呵《たんか》を切ったんだろ。金座裏の親分がせっかく好きなだけ強請ってこいと許されたのにたった二分ぽっちで引き上げてきたんだろ」

「清蔵さんは何もかもご存じだ」

「ご存じもなにも、おめえはさっきから何度同じことを繰り返しているんだ」

「おれさ、金貸しに啖呵切ったのがうれしくってよ」

と際限のない会話を重ねていた。

すでに他の客は帰り、暖簾は下ろされていた。こくりこくりと眠り始めた繁三を見た彦四郎が、

「長屋まで担いでいかなきゃ駄目かね」

と清蔵にとも、しほにともつかずに聞いた。

「商売道具の駕籠はどうするの」

「おれがいくら力持ちでも兄弟ふたりと駕籠までは運んでいけねえや」

彦四郎が言ったとき、常丸と政次が豊島屋に入ってきた。

「おっ、きたきた」

とうれしそうに叫んだ清蔵が、

「しほちゃん、二人に酒と田楽を持ってきてやんな」

と命じた。

しほは急いで台所に走った。

「讃岐屋を引っ括ったか」

清蔵の問いにしばらく二人は答えなかった。

「どうしたえ、逃がしたのか」

しほが酒と田楽を盆に載せて運んできたとき、常丸が、

「女は怖《こわ》いぜ」

とぼそりと言った。

「なにがなんだか分からないよ、最初から説明しな」

「旦那、一杯、飲ましてくんな」

しほは二人の茶碗に酒を注いだ。常丸は一気に、政次はゆっくりと飲み干した。

「ふーう」

と肩で息をついた常丸が、

「親分が根岸の妾宅に役者を呼び出したと思ってくれ」

「おお、それは繁三の話で察していた」

「親分はさ、讃岐屋のかみさんまで呼んだのさ」

「おおっ、そりゃ修羅場《しゅらば》だ」

「寺坂様の命《めい》でおれたちが一斉《いっせい》に踏みこんだ……」

寺坂毅一郎も金座裏の宗五郎も一瞬思わぬ事態に立ち竦んだ。

洒落た座敷の床には酒や料理、皿や徳利が散乱し、血塗《ちまみ》れになった了念寺の破戒坊主の眼斎が呻いていた。両手で押さえた腹からは血といっしょに腸が飛び出していた。

そしてそのかたわらではきぬが血塗れの出刃包丁を振りかざして讃岐屋の女房に斬りかかっていた。

「きぬ、年貢《ねんぐ》の納め時だ！」

金座裏の宗五郎の一喝《いっかつ》が響くと、讃岐屋善兵衛が座敷から逃げ出そうとして八百亀らに叩き伏せられた。

血走った眼を宗五郎に向けたきぬが出刃の切っ先を突き出した。

「血迷うな！」

宗五郎は素手で出刃をはたき落とした。そのきぬに、

「この女《あま》が……」

とたつが摑みかかっていった。

「静かにしねえか、北町同心寺坂毅一郎様のお出張りなんだよ！」

宗五郎の叱声《しっせい》にたつの動きも止まった。そして、わあっ、という叫び声を上げて泣き出した。

常丸と政次がきぬの両手を摑んだ。するときぬは、

「畜生《ちくしょう》！」

と叫んで、二人の腕を振り解《ほど》こうとした。

「常丸が女は怖いって言った意味が分かったぜ」

清蔵は言い、さらに聞いた。

「破戒坊主はどうなった」

「苦しみ抜いて死んだ。自業自得《じごうじとく》と言えばそれまでだが、讃岐屋が姿を見せたのに勢いづいたきぬはいきなり眼斎を出刃で刺したらしいや。そこへ本妻の登場だ……」

「こりゃ大変だ」

「本格的なお調べは明日からだがな、小円寺の住職の隆達と副住職の嬋永は本山の目を盗んで金貸しをやっているうちに大欲をかきやがった。眼斎なんぞを表に立ててよ、宮大工の棟梁から二重に借金をむしり取って、懐に入れようとしたんだ。寺社方の調

べなんで、なんともいえないと親分は言ってなさるが、小円寺を追われた上にきつい咎《とが》めは間違いのねえところだ」

「讃岐屋もこれで終わりだな」

「坊主どもに荷担して大金の二重取りを策した上に眼斎殺しまで加わったんだ。まあ、善兵衛もきぬも獄門台は間違いなかろうぜ」

常丸が語り終えた。

「宮大工の磯次さんがおもしろいことを言っていた……」

政次が言い出した。

「きぬが縄を打たれたときにさ、おれが菩薩だと思って引っ掛かった女は、夜叉だったのかってね」

「きぬの形相《ぎょうそう》は怖かったもんな」

常丸も言った。

しほは何も答えられなくてただ黙っていた。

「寒い」

酔いが覚めた繁三がぼそりと言った。

その声が豊島屋の広い店にうすら寒く響いた。

第五話　ほたるの明かり

一

中山道《なかせんどう》の板橋《いたばし》宿にある加賀《かが》金沢《かなざわ》藩の前田《まえだ》家の広大な下屋敷の中を石神井《しゃくじい》川《がわ》が貫流して、邸内の大池から湧《わ》き出す水と合流する。豊かさを増した川は滝野川《たきのがわ》村へと流れこんでいく。

寿福寺《じゅふくじ》は石神井川の左岸にあって、清らかな水辺にはほたるが淡《あわ》い黄緑色の明かりを放って飛び交っていた。

腹を空《す》かせた亮吉《りょうきち》は力なくほたるの光が明滅する光景を寿福寺の階段から眺《なが》めていた。

富岡八幡宮《とみおかはちまんぐう》の境内《けいだい》で、鍛冶《かじ》職人になった幼馴染《おさななじ》みの金次《きんじ》に声をかけられ、慌《あわ》てて逃げ出した亮吉は行くあてもなく江戸の町を突っ切ると板橋宿に迷いこんでいた。

（腹が減ったな……）

寺の他には林や畑作地で人家はない。

それが亮吉の寂《さび》しさを募《つの》らせた。

（金座裏《きんざうら》に、むじな長屋に帰りてえな）

政次《せいじ》がいかなる理由から金座裏に移ってきたとしても、亮吉はもはや受け入れる気持ちになっていた。

（人間には器《うつわ》というものがあらあ）

政次は政次、おれはおれだ。

そう考えたにもかかわらず、親分に無断で飛び出してきたことが申し訳なくて金座裏には足が向けられなかった。

亮吉の着たきり雀《すずめ》の単衣《ひとえ》の縞《しま》模様は汗染みと汚れで判別がつかなくなっていた。そのせいで貰《もら》いが少なくなっていた。

（板橋宿は銀蔵《ぎんぞう》親分の縄張りだ。乗蓮寺《じょうれんじ》に行けば蕎麦《そば》くらい食わせてくれるかな）

だが、

（待てよ、すぐにも金座裏に知らせが行くな）

階段からふらふらと下りた亮吉は寺の湧き水で空腹をごまかすと寺の本堂の床下に潜《もぐ》りこんだ。

(明日は何か考えなきゃあ、いよいよ飢《う》え死《じ》にだぜ)

眠りはなかなかやってこなかった。

だが、ほたるの光が消えた頃《ころ》、亮吉を浅い眠りが襲ってきた。

どれほどの時が経過したか、亮吉の眠りこけた耳に囁《ささや》くような声が聞こえてきた。

「平岩《ひらいわ》さんよ、金座裏の宗五郎《そうごろう》が助蔵《すけぞう》殺しを追っているぜ。戸田《とだ》の渡しなんぞに運んできたのがかえってまずかった」

「ちと細工が過ぎた」

町人の言葉に侍が応じた。

亮吉の眠った頭脳が鈍《にぶ》く反応していた。

(夢なんぞみて、腹が空き過ぎたせいだ)

「丹三《たんぞう》、お頭《かしら》はどう言ってなさる」

「秋口にもお務めをなさるとよ」

「引き込みもなしでやる気か」

「様子は分かっていらあな。それにお頭が凄《すご》い手を考えていなさるそうだ」

しばらく沈黙があった。

「お頭からの命だ、金座裏の宗五郎を殺す仕度《したく》を始めておけとさ」

「腕利《うでき》きは集めてある」

「決行の日はおれが連絡《つなぎ》に行く」

「十条《じゅうじょう》の寺で待てばよいな」

「浪人者が何人も集まって暮らしているとなると、怪《あや》しまれるのがオチだ。あまり派《は》手《で》な真似《まね》はしねぇようにとのお頭からの命令だ」

「相分かった」

丹三と呼ばれた男の声に聞き覚えがあるようなないような……亮吉がそんなことを夢うつつに考えていると、二人の会話が消え、足音が遠のいていった。

亮吉はとろりとろりとした眠りにまた落ちた。


しほはその朝、富岡八幡宮の広々とした境内にいた。

やはり亮吉のことが心配でだれにも無断で川を渡って捜しにきたのだ。あてもなく一刻《いっとき》（二時間）ほど尋《たず》ね捜したが、亮吉らしい人物があたりに徘徊《はいかい》しているのを見た者はいなかった。

（鍛冶職人の金次さんの見間違いではあるまいか）

しほは門前の蕎麦屋に入り、昼食代わりにしっぽく蕎麦を頼んだ。注文の品ができ

てくるまで持参してきた亮吉の似顔絵を何気なく見ながら、

(亮吉さん、どこにいるのよ)

と話しかけていた。

「お待ちどおさん」

卓上に、膳《ぜん》に載《の》せられたしっぽく蕎麦が運ばれてきた。

「ありがとう」

しほは似顔絵をかたわらに置いて、膳に向かった。

「あら」

と、しほと同年輩の女が驚きの声を上げた。

「この絵、亮吉さんよね」

「えっ、知っているの」

今度はしほが驚く番だ。

「知っているも何も、つい先日まで薪割《まきわ》りだなんだと手伝って、うちの台所で残り物を食べさせてもらっていたのよ」

「つい先日っていつのこと」

「四、五日前にはいなくなったわね」

金次が亮吉らしい人物に声をかけたという日の直後だ。

（金次さんは間違ってはなかった、亮吉さんはこの界隈《かいわい》にいたんだ）

「親方がね、こまめに働くのを見て住み込みで働いてみないかと誘いなさったのさ。だけど、亮吉さんは気持ちはありがたいが事情があってと断ったの」

女はそう言うと、

「どこに行ったんだろうね」

としほの気持ちを代弁するように呟《つぶや》いた。はっきりしていることは、もはや亮吉が深川の富岡八幡宮には戻ってこないという一事だった。

しほは伸びはじめていた蕎麦の丼《どんぶり》を手にすると味を感じることもなくただ啜《すす》った。


この昼下がり、旦那《だんな》の源太《げんた》が金座裏にやってきた。

源太は下《した》っ引《ぴ》きの一人で普段は小僧を従えて、近江《おうみ》は伊吹山《いぶきやま》のもぐさを売って歩いている。そうしながら江戸の町からいろいろと情報を集めてくるのだ。

「親分、金《きん》を売り歩いているのがいるそうだぜ」

「金は幕府《おかみ》が管轄《かんかつ》しているもんだ。それをどこのどいつが売り歩いているんだ」

「それがさ、鉄くずを重さの調節に混ぜた陶器のかけらに金の薄紙を器用に張りつけた偽《にせ》の金なんだよ。それをさ、二分で売ってさ、半年後に三分で買い取るという約束だ。事実、儲《もう》けたというサクラが客を煽《あお》った」

　年利になおせば十割という高利だ。

「そんな芝居でも欲の皮の突っ張った金の亡者《もうじゃ》が引っ掛かるものさ」

「最初は小店《こだな》の旦那が密《ひそ》かに買いためていたらしい。そのあと、小金を持った後家さんなんぞが手を出していた。そろそろ最初の客が半年を迎えたんだがさ、しげく顔を出していた男たちが顔を急に見せないとか。それでさ、木箱に入っていた金をかじった職人がいてさ、中が陶片だと分かったんだと。みんな、奉行所《ぶぎょうしょ》に届けていいのかどうか不安がっているぜ」

「偽金を買った欲深い人間は何人くらいだ」

「芝《しば》から京橋筋にかけて二十人は下るめえ。被害の額はおれの知るかぎりざっと百三十両といったところだ」

　まだ増えるな、と呟いた宗五郎は、

「八百亀《やおかめ》、聞いてのとおりだ。手先《てさき》を動員して、引っ掛かった人間を洗い出せ」

　と命じた。

「へえっ」

「源太、偽金を売った男どもの正体はどうだ」

「男三人に女が一人、訛《なま》りがあってさ、江戸の人間じゃなさそうだというぜ」

「四人組か、こっちのほうも気にして動け。江戸者じゃないとすると京橋近辺の旅籠《はたご》に転々としているかもしれねえ。旦那も聞き耳たてて、探り出してこい」

「へえ、承知だ」

旦那の源太が頭を下げてその上に両手を重ねて、宗五郎の前に突き出した。

宗五郎は長火鉢の小さな引き出しから二両を出して掌においた。

おや、という顔で重さを確かめていた源太が、

「こいつは豪勢だ」

と破顔《はがん》した。

「旦那、金の一件は金座裏のおれには気にかかることだ。鉄くずなんぞを混ぜた陶片に金箔《きんぱく》を張りつけた技は素人《しろうと》ができることじゃあるまい。なんでもいいから、探り出してこい」

「合点《がってん》だ」

「それと被害に遭《あ》った女年寄りがよからぬことを考えねえともかぎらねえ。そのへんを頭に入れて気配りしろ」

宗五郎は手先と下っ引きに注意した。

源太は二両を懐《ふところ》に仕舞うと立ち上がった。そして、八百亀たちが京橋から芝一帯の聞き込みに出ると、金座裏は一時《いっとき》、静寂を迎えた。

「おまえさん、暑いときには熱いもんだ」

おみつが茶を淹《い》れると長火鉢に置いた。

「亮吉がいなくなって二月《ふたつき》がくるよ、どこでどうしているのかねえ」

「あの野郎、意地を張り通しているわけじゃあるまい。戻るに戻れなくてうじうじしてるんだろうよ」

「よからぬ考えを起こさなきゃいいがねえ」

宗五郎はうなずくと茶碗を取り上げた。

この夜、鎌倉河岸《かまくらがし》に涼風が吹いた。

石畳の上を老桜から散り落ちた葉っぱが吹き転がって舞った。

「夏だ夏だと思っていたが、季節ははや秋だぜ」

清蔵《せいぞう》が店の前から御堀あたりを見ながら呟いた。

「いつのまにか袷《あわせ》に着替えていますよ」

「そうだな」

清蔵としほが季節の移り具合を話していると、龍閑橋《りゅうかんばし》に彦四郎《ひこしろう》の長身と政次の締まった体が姿を見せた。一人は六尺を大きく超えており、政次だって五尺八寸近くはあったから、すぐに分かった。

「政次は相変わらず朝稽古《げいこ》に励《はげ》んでいるのか」

「赤坂田町《あかさかたまち》行きは続いているようですよ」

「寝る間もないな、だが、そんな時期を経験するかしないかじゃ、あとあと人間の出来がさ、辛抱《しんぼう》が違ってくる。今の政次には苦労は買っておいて損はない」

それは分かっていたが、政次が体を壊さないか心配なしほだった。

「今晩は」

政次は手に菊の鉢を提げていた。黄色の菊が小さな蕾《つぼみ》を持っている。

「ちょいと家に寄ったら、お袋が金座裏とこちらに届けろって、持たせてくれたんです」

政次の両親はむじな長屋から別の町の二階長屋に移り住んでいた。母親のいせが素人ながら菊造りに励んでいるという。

「いい香りが漂ってくるわ」

「小さい秋だな」

清蔵が政次から受け取り、

「お父《とっ》つあんもおっ母《か》さんも元気かい」

「二人とも口やかましいくらい達者です」

政次の親父勘次郎《かんじろう》は腕のいい飾り職人だ。

「それなら重畳《ちょうじょう》……」

そう答えた清蔵は、

「うちの客にはもったいないが店に飾っておいてやろうか」

と菊の鉢をしほに渡した。

「しほ、二人に酒と田楽《でんがく》をな」

「はい」

しほが店の奥へと消えた。

「なんぞ探索の帰りか」

政次が返答する前に彦四郎が答えた。

「陶片に金箔を張りつけた偽の金を売りつけている男女がいるんだって。そいつの探索におれも駆り出されたんだ」

　彦四郎はまるで金座裏の手先みたいな口を利《き》いた。

「どうせ親分を京橋あたりまで猪牙《ちょき》で送っていっただけだろうに」

「あれっ、旦那はお見通しだ」

　彦四郎が頭を掻《か》いて、政次が続ける。

「半年後に五割の金利をつけて買い戻すって乱暴な手口に結構な人数が引っ掛かって
いるんですよ。被害は二百両を超えそうだ」

「下手人《げしゅにん》のあたりはあるのかえ」

「昼間に旦那の源太兄さんの知らせで探索に手をつけたばかり、今のところは引っ掛
かった人たちを洗い出すところです」

　しほが盆に徳利《とっくり》と田楽を載せて運んできた。

「外で食べるの」

「長居もしてられないもの、鎌倉河岸を眺めながら食べるのも悪くない」

　彦四郎と政次は空樽《あきだる》に腰を下ろした。

「精々うちの酒と田楽で力つけて、偽金売りを引っ括《くく》ってくれ」

　言い残した清蔵が店に入っていった。

「彦四郎さん、約束を破っちゃった」

としほが言ったのは彦四郎が最初の一杯目を飲み終えたあとだ。

「約束って何だ」

「亮吉さんのこと……」

「富岡八幡宮に行ったのか」

うなずいたしほが門前の蕎麦屋で聞き知ったことを二人に告げた。

「金次の話したとおりだ。あいつ、そんな暮らしをしていたか」

「もうあのあたりにはいそうにないわ」

「ああ、居場所を変えてら。だがよ、しほちゃんの調べであいつが江戸を離れてないことが分かった。冬前にはきっと金座裏に戻ってくるぜ」

「くるかしら」

「帰ってくるとも」

二人の会話を政次はただ黙って聞いていた。


偽金事件が動いた。

全財産を偽金に投資した双葉町の裏長屋に住む老女とよが首吊《くびっ》り自殺したのだ。

とよは富《とみ》くじ売りや糊《のり》売りで生計を立てていたが、爪《つめ》に火を点《とも》すように貯《た》めた三両二分余をそっくり騙《だま》しとられていた。

下駄貫《げたかん》たちが聞き込みに来たのを知って、いよいよ騙されたと覚悟したとよが自殺を図ったという。

知らせを受けた宗五郎は北町同心《きたまちどうしん》の寺坂毅一郎《てらさかきいちろう》に同行を求めて双葉町に走った。

双葉町は旦那の源太の住む町内でもある。

寺坂と宗五郎が肩を並べて芝口橋《しばぐちばし》を渡ると、すいと源太が寄って来て、

「寺坂様、親分、すまねえ。気配りしていれば……」

と謝った。

「あれだけ注意しただろうが。年寄りの一人暮らしは目がはなせねえ、そんなことは当たり前のことだ」

低い声の叱責《しっせき》に源太は何度も、すまねえと詫《わ》びた。

「源太、偽金を売りさばいた男女四人組を追え。それがばあさんの供養《くよう》だ」

へえ、と畏《かしこ》まった源太が二人の許《もと》を離れた。

下っ引きは身分を隠して御用を務めるのだ。

長屋の木戸口で大家《おおや》らしい老人と八百亀が話していた。

「寺坂様、親分、ご苦労に存じます」

八百亀が腰を折って挨拶《あいさつ》すると、

「大家の錦兵衛《きんべえ》さんで」

と紹介した。

「親分さん、私の目が行き届かなかった。もうちっと気を配っていれば、うちの長屋から首吊りなんぞを出さずに済んだ」

錦兵衛の嘆《なげ》きもそこにあった。

寺坂と宗五郎は菊の鉢が置かれたとよの長屋に入っていった。お定まりの九尺二間の長屋だ。その上がりかまちに下駄貫がへたりこむように座っていた。

「親分……」

下駄貫がぴくりと立ち上がった。

「すまねえ」

と平身低頭した。

「今ごろ謝ってすむことか」

と、宗五郎はそれだけ言った。

下駄貫の背後には煎餅《せんべい》布団に横たえられたとよの姿があって、枕辺《まくらべ》に線香が白い煙を漂わせていた。首にはまだしごき紐《ひも》がかかっていた。検死が終わらないかぎり、長屋の者でも手をつけるわけにはいかない。

宗五郎はとよの亡骸《なきがら》に合掌《がっしょう》して、首筋のしごき紐を、そして、その端《はし》っこが垂《た》れている梁《はり》を見上げた。とよが首吊りの台代わりに使った茶箱が部屋の隅にあった。

「しごき紐はとよのものだ。それに隣《となり》の住人が夜明け前に、とよが念仏を唱《とな》えているのを夢うつつで聞いている」

宗五郎は寺坂を見た。

「死体を下ろしたのは長屋の連中か」

「へえ、建具《たてぐ》職人の留次《とめじ》が包丁でしごきを切って下ろしたんだ」

「まず覚悟の自殺と見て間違いあるまい」

紐の結び目を子細に調べていた寺坂が言った。

「遺書なんぞはあるめえな」

「とよは字が書けねえ」

と下駄貫が答え、懐から手拭《てぬぐ》いに包んだ偽の金片を五つ出して見せた。それは思ったよりも小さくて重みのないものだ。

「こんなものに引っ掛かるかねえ」

寺坂が嘆いた。

「人間、欲にくらむと目が見えないものでさ」

「まったくだ」

　と言った寺坂が、

「自身番《じしんばん》に運びこむこともあるまい。大家に下げ渡せ」

　と検死が終わったことを宣言した。

「下駄貫、おめえもこのままじゃ、寝覚めも悪かろう。精出して偽金を売り歩いた四人組を暴《あば》き出せ」

「へえっ」

　と緊張の顔で応じた下駄貫が、

「錦兵衛さん、とよの湯灌《ゆかん》をしていいぜ」

　と呼ばわった。

二

　とよが死んだことで偽金売りは南北両町奉行所の追及を受けることになった。

　最初に旦那の源太が拾い上げてきたネタだ。それに下駄貫のちょんぼもあって、なんとしても四人組を引っ括れと、金座裏では宗五郎に手先たちが督励《とくれい》されていた。

しほが宗五郎に呼ばれたのはその日のうちだ。

八百亀に連れられて旦那の源太を訪ね、被害に遭った男女数人から話を聞いて、得意の似顔絵を何枚も描かされたのだ。

頭分格は四十前後の無口な大男で手先が器用だという。

手下の男二人は、細身で話上手な三十三、四の男が番頭格で、もう一人が走り使い、そして、如才《じょさい》なく客の暮らしぶりなどに相槌《あいづち》をうった女は、年の頃は二十六、七、下脹《しもぶく》れした男好きのする顔立ちだという。

次の日、常丸と政次は組になって、朝の間から四人組のねぐらを探し歩いていた。

宗五郎に命じられた探索の地域は四ッ谷御門外の麴町《こうじまち》一帯であった。むろん常丸の懐にはしほが彩色までした四人組の人相描きがあった。

江戸の旅籠は馬喰町《ばくろちょう》から小伝馬町《こでんまちょう》にかけて旅人宿と百姓宿が集中していた。

元来、幕府では江戸に旅人が滞在することを嫌って、狭い地域に宿を集中させ、監督した。だが、公事や御用や商《あきな》いや寺社参詣《さんけい》で上府する者たちが増えて、江戸市中に宿が散在するようになっていた。

麴町は四宿《ししゅく》の一つの内藤新宿《ないとうしんじゅく》に向かう通りの左右に長く延びた町筋で、秩父《ちちぶ》の絹商人たちが泊まる宿がある。受け入れる旅籠の主《あるじ》も甲州《こうしゅう》や武州《ぶしゅう》の出の者が多く、屋号も甲州屋とか武州屋と称するものが多かった。

二人の手先はその昼下がり、ようやく昼めしにありついた。

その先は麴町から四ツ谷伝馬町と町名が変わるあたり、甲州街道、青梅《おうめ》街道に向かう旅人や馬方《うまかた》相手の、通称追分前《おいわけまえ》のめし屋だ。

街道はこの先で甲州街道と青梅街道に分かれた。だから新宿追分前のめし屋ということになる。

出てきた菜はサバの切り身の焼き魚にコンニャクと里芋《さといも》の煮付け、茄子《なす》の漬物で丼めしを二杯ずつ食べた。台所を夫婦ものが仕切り、客の相手を矍鑠《かくしゃく》としたじい様と小女《こおんな》がしていた。

「おい、姉《ねえ》さん」

と常丸が頰《ほお》がまだ赤い、山出しの小女に声をかけた。

「このあたりに宿はねえかえ」

「日が高いのにもう泊まりかね」

「馬鹿《ばか》を言うんじゃねえ、こちとらは江戸の者だ」

二人の話を縄暖簾《なわのれん》ごしに聞いていた老爺《ろうや》が、

「兄さん方、御用の筋《すじ》かい」

と正体を察したようで聞いてきた。

「察しのとおり、金座裏の手先だ」

「なんだ、宗五郎親分の身内かい」

「親分を知ってなさるか」

「親分といっても先代だ。内藤新宿で捕物《とりもの》騒ぎがあったときに初めて顔を出しなさった。安永《あんえい》年間（一七七二～八一）のことだな」

「こいつはお見それしました。おりゃ、安永だなんて、この世にまだいなかったぜ。九代目だって駆け出しの時期だ」

「以来さ、八代目の親分はうちの前を通るたびに声をかけなさった。暇《ひま》なときは立ち寄って渋茶を飲んでいきなさったものだ」

老爺は遠い昔を懐《なつ》かしむように往来を眺め、聞いた。

「先代が亡くなられて何年になるね」

「来年が十三回忌だって話だぜ」

「そんなに歳月が過ぎたか、年をとるはずだ」

「親分にこの話をしたら喜びなさろう。じいさんの名はなんだえ」

「追分前の義助《ぎすけ》と言ってくんな」

「承知した。ところで最前《さいぜん》の話だが……」

「この裏手に青梅屋って商人宿があらあ。ここいらじゃ、青梅屋一軒だな」

「ならば腹ごなしに青梅屋を訪ねてみようか」

めし屋の路地を入った突き当たりに鰻《うなぎ》の寝床のような旅籠、青梅屋があった。

裏手は簞笥《たんす》町に通じていてどちらにも出入りできた。

「こいつは馴染《なじ》みでなければまず飛びこむめえな」

常丸が政次に言った。

政次は常丸のきびきびした動きや相手によって話し方を変える探索ぶりや粘り強さを頭と体に叩《たた》きこもうとただ必死で観察しながらついて回っていた。するとどうしても口数が少なくなった。そんな政次に探索のいろはを飲みこませるように常丸は、気長に付き合ってくれた。

「ごめんよ」

薄暗い玄関先に立った常丸が声をかけると、

「へえ、お早いお着きで」

と主とも番頭ともつかない中年の男が出てきた。

「すまねえ、客じゃねえんだ」

常丸は小声で御用の筋だと身分を名乗った。

「客はだれぞ残っているかえ」

「この時分ですよ、いやしませんよ」

「おまえさんは」

「主の金兵衛《きんべえ》ですけど」

常丸は上がりかまちに腰を落とし、政次は戸口に控えた。

「半年も前から江戸に入ったと思われる四人組の男女を捜しているんだ」

常丸はしほが描いた人相描きを見せた。

金兵衛は小さく息を飲み、しばらく黙りこんでいたが、

「何をやらかしたんです」

と聞いた。

「知った口振りだな」

常丸の声が緊張して、身を金兵衛のほうに乗り出した。

「まずおれの問いから聞こうか」

金兵衛はがくがくとうなずいた。

「この半年余り、長逗留《ながとうりゅう》していたか」

「いえ、一月に六、七日から十数日、泊まっては商いに出かけ、また旅商いに行くという繰り返しで……」

「そいつらはなんと名乗っていたね」

「歳太郎《さいたろう》、市兵衛《いちべえ》、藤吉《とうきち》、おくら」

金兵衛はすらすらと名を挙げた。

頭は無口の歳太郎、番頭格は市兵衛、一番若い藤吉、愛想のいい女がおくらの、四人組だという。

「最初に四人が面《つら》を出したのはいつのことだ」

「越中富山《えっちゅうとやま》はまだ寒いって言ってましたから、二月の頭と思いましたけど」

「越中の人間かえ」

「薬売りは越中富山に決まってまさあ」

「薬売り?」

「へえ、薬の詰まった籠《かご》を市兵衛と藤吉の二人が背負って出かけましたよ。なんでも歳太郎と藤吉、市兵衛とおくらが組になって新規の得意先を見つけて歩いているんだって話で」

「宿帳を見せてくれまいか」

常丸の要求に金兵衛がうなずき、奥へ消えた。

「先代がおれたちをここに呼んだんだぜ」

常丸が政次にうれしそうに言った。

「薬売りに化《ば》けていましたか」

「訛りがあると被害に遭った連中が覚えていたのは越中富山訛りか」

「常丸兄さん、越中富山ってのはぴーんと来ませんね」

「じゃあ、どこだえ」

「加賀様の御城下では金箔を張る工芸品が盛んと聞いております。陶片に金箔を張る技を持っている者が四人組に加わっているとしたら、越中富山ではなく加賀金沢の人間ではありますまいか」

なるほど、と常丸が応じたとき、金兵衛が宿帳を持ってきた。

政次はそれを受け取ると、歳太郎ら四人組が最初に泊まった二月七日から都合八度におよぶ滞在の期間を捕物帳に書き写していった。それによれば長いときで十四日、短いときで七日の滞在となっていた。

「おめえさんのところから離れるときには次の到来日を言い残していくのかえ」

「へえ」

「最後に青梅屋を発《た》ったのはいつのことだえ」

「六日前です」

金兵衛に代わって政次が答えた。

「次に来る日を言いおいたか」

「十二日後にはまた顔を出すと市兵衛さんが……」

常丸と政次は顔を見合わせた。

「八度の滞在で都合七十八日も泊まっていますね。こちらで故郷《くに》のことや身の上話などしませんでしたか」

政次は宿帳から書き写す手を休めて聞いた。

「日中は薬の商いに歩いてますからね、うちじゃ寝るだけで話すようなことはなかったねえ。それにすぐに部屋に引っこみなさったからね。あいつら、何をやらかしたんで」

常丸が偽金売りの一味かもしれないと簡単に話すとさらに聞いた。

「青梅屋ではめしも出すかえ」

「うちは宿だけです」

「湯もめしも外か」

「市兵衛、おくら、藤吉の三人は表のめし屋に何度か酒を飲みに行ってますよ」

なんと青梅屋のことを話してくれた義助じいの店に四人組のうち、三人が顔を見せていたとは……。

「歳太郎たちが泊まる部屋はいつも一緒かえ」

「六畳に三畳の続き間が注文でね」

見せてもらおうと常丸が立ち上がり、政次も捕物帳を閉じた。

四人組が泊まった部屋からは表通りにも篁笥町の裏通りにも出られた。

捕方に踏みこまれたときの逃げ場所を二つ確保したつもりだろうか。

「金兵衛さん、今日はこれぐらいで帰るが、親分か定廻《じょうまわ》りの旦那が改めて訪ねてくることになりそうだ。今日の一件は家人にも話さないでくんな」

「分かってますよ」

旅籠の主は町奉行所の名を出されて畏まった。

「おや、またためしかえ」

めし屋の老爺が二人が戻ってきたのを見て言った。

常丸が人相描きを出して見せた。

「義助さん、おれっちが捜しているのはこいつらだ」

「何をやったんで」

「陶片に金箔を貼《は》りつけて金塊だと称し、半年後には高く買い取るからって売って回った連中だ」

へえっ、と義助が感心してみせた。

「あいつらにそんな頭があったとはねえ」

「知っていることを話してくれねえか」

「市兵衛は普段《ふだん》から鉋《かんな》くずに火がついたみてえにお喋《しゃべ》りでよ、酒が入るとさらに勢いがついてぺらぺら話したね。ところがよ、おくらって女が市兵衛が酔うと見るとすぐに裏の青梅屋に連れ戻るんだ」

「それでも薬売りのこととかよ、漏《も》らさなかったか」

「そうそう、うちのかねがな、腹痛おこしたことがあってよ、熊《くま》の胆を分けてくんなと言ったことがあったっけ」

義助は山出しの小女を指した。

かねがうなずく。

「するとよ、酔った市兵衛が熊の胆とはなんだと言い出して、そこにいた馬方の竹《たけ》に、越中富山の薬売りが熊の胆を知らねえのかとからまれたことがあったっけな」

「市兵衛はなんと答えた」

「そんときもおくらがよ、市さんは酔うとこうですからって、慌てて外に連れ出していきましたぜ。二人はできてるな」

「故郷《くに》がどこか漏らしませんでしたか」

政次が聞いた。

「さあてな……」

義助は首を捻《ひね》った。するとかねが言った。

「藤吉さんがひとりで昼ごはんを食べに来られてよ、加賀も大きいが江戸はもっと大きいなとぼそりと漏らしたことがあったぞ」

「確かか、かね」

と念を押したのは義助だった。

「確かなこった。わらは旦那みてえに物覚えは悪かねえ」

かねが義助に言い切った。

「だんだんと生意気《なまいき》な口を利くようになりやがって……」

ありがとうよかねさんと、ぼやき始めた義助を制して礼を言った常丸が聞いた。

「藤吉は、また江戸に戻ってくるとか話さなかったか」

いや、とかねは首を横に振り、

「なんでも深川ちゅうところに青梅屋と同じような宿があるそうだ」

「おもしろいな、深川といっても広いや。深川のなんとか町とか言わなかったか」

「わらは日本橋《にほんばし》だってまだ行ったことがねえ、深川は深川だ」

常丸が頭を抱えた。

「かねさん、藤吉はいつ加賀に帰るとか言ったことはありませんか」

政次が聞いた。

かねはしばらく考えた末に、

「そう言われれば、雪が積もる前に江戸を離れることになりそうだと話してたかもしれねえな」

と答えた。

「常丸、政次、でかしたな」

夕刻、金座裏では宗五郎が報告を終えた手先を褒《ほ》めた。

八百亀ら手先たちも江戸の町々を必死で走り回り、なんの収穫もないまま探索から戻って広間に顔を揃《そろ》えたところだった。

そこへ吉報《きっぽう》がもたらされたのだ。

「そうか、加賀ならば金細工の本場だ。九谷《くたに》もある。陶片に金箔を貼りつけて、金塊に見せるくらい造作もねえ職人崩れがいても不思議はあるめえ。どっちの知恵だ」

宗五郎が二人の若い手先を見た。

「親分、面目《めんぼく》ねえがおれじゃねえ」

「ほう、政次か」

「いえ、松坂屋《まつざかや》のご隠居《いんきょ》がいつぞや話されていたのを記憶していたまでにございます」

「その雑多な知識がな、探索にはときに役に立つ。年寄りは宝だ、邪険《じゃけん》にしちゃならねえ」

と満足そうに金座裏の親分が笑った。

「それにしても義助じいさんがまだ元気だったとはな」

「親分も知ってなさるか」

「親父に連れられて、義助じいの女房の弔《とむら》いに行ったことがある」

「そうでしたか」

そう答えた常丸が、追分前のめし屋の近隣の湯屋を聞き込みに回ったが、市兵衛の右腕に入れ墨《いずみ》があることが判明したくらいで、一味のことをそれ以上知っている者は見当たらなかったと報告した。

「ざっとした聞き込みだ、手落ちがあるかもしれねえ」

「上出来だ。これで目星がついた」

八百亀が聞いた。

「親分、青梅屋を明日《あした》っから張り込みますかえ」

そうだなと煙管《キセル》を取り上げて宗五郎が答えた。

「旦那の源太を呼べ。あいつを今晩から、もぐさ売りの小僧を連れてな、青梅屋に泊まらせる」

「へえ」

八百亀が若い手先を、下っ引きの住む双葉町に走らせた。

「八百亀、義助じいさんの店には、おめえらが交替で詰めろ。おれは昼前には義助じいさんに挨拶に出向こう」

「合点《がってん》だ」

と答えた八百亀が聞いた。

「戻ってきますかね」

「藤吉が加賀に雪が降る前に戻ると小女に漏らしたのは本音だろうぜ。となると、どこぞでもう一稼ぎしているかもしれねえ」

と言った宗五郎が下駄貫を見た。

「おめえは明日から深川近辺に行き、四人組の旅籠を探り出せ。今川町《いまがわちょう》の力も借りるんだ」

「千吉《せんきち》親分の助けを借りねばなりませんかえ」

下駄貫が不満そうに言った。

千吉は南町《みなみまち》奉行所の同心佐々木《ささき》信太郎《しんたろう》の鑑札《かんさつ》をもらう十手《じって》持ちだ。

「深川は広いや、やはり土地の十手持ちには敵《かな》わねえよ。お上《かみ》の占有なさる金で金儲けをしようという話だ。これは北だ、南だって手柄争いするって話じゃねえ。早く引っ括らねばお上の威光にかかわる」

「へえ」

「下駄貫、双葉町で首を括ったばあさんの二の舞いが出るかもしれねえんだ。おまえはばあさんの弔い合戦のつもりで必死で働け。今川町に知恵を借りるんだ、分かったな」

宗五郎が厳しく命じ、下駄貫がうなずいた。

その夜、鎌倉河岸に常丸と政次が姿を見せたのは夕めしのあとのことだ。

「あら、こんな刻限に珍しいわね」

しほがまだ粘っている彦四郎のかたわらから声をかけた。

「親分からしほちゃんにご褒美《ほうび》だ」

「あら、何かしら」

政次が小さな紙包みを渡した。

「しほちゃんがさ、描いてくれた人相描きが役に立ったのさ。それで親分が一分とさ、おかみさんが京の下《くだ》りものの紅《べに》をくれなさった」

「そんな……」

遠慮するしほの手に包みを押しつけた政次はうれしそうに、

「常丸兄さんと私も一分ずつ小遣いを貰ったんだ」

と掌に持ってきた一分金を見せた。

「政次、湯気が出てるぜ」

彦四郎がちょっぴりうらやましそうにからかった。

「いつもいつも彦四郎に世話になっているからさ、今日はおれの奢《おご》りだ」

政次が一分を出して、

「清蔵旦那、彦四郎に好きなだけ酒を飲ましてくださいな」

と頼んだ。

「政次、酒なんぞはただで浴びるほど飲ませてやる。それよりおめえらが挙げた手柄話を聞かさないか」

清蔵がでーんと空の樽に座りこみ、話すまでは動かないという表情をした。

鎌倉河岸の豊島屋ではいつものように夜が更《ふ》けていこうとしていた。だが、だれの胸のうちにも一人だけ足りない人間のことがどこかに居座って、ぽっかりと空《うつ》ろな穴を作っていた。

三

亮吉は腹を空かして戸田川の渡し船の往来をぼうっと見つめていた。

日和《ひより》は晩夏というよりも初秋の気配を見せて、空が抜けるように青く澄み切っていた。今しも対岸の蕨《わらび》宿から板橋に渡しが着いて、旅人たちがどやどやと下り立った。

江戸へ社寺参詣か、そんな風情《ふぜい》の年寄りと孫娘の二人連れが亮吉の座っている土堤《どて》に歩み寄ってきて座り、娘が風呂敷から竹皮に包んだ握り飯を取り出した。

亮吉の空きっ腹に味噌《みそ》を塗って焼いた握り飯の、なんともうまそうな匂《にお》いがぷーんと漂ってきた。

じい様が一口食って、亮吉のうらやましそうな顔に気がついた。

「兄さん、腹が空いてなさるか」

亮吉は思わずうなずいていた。

「みよ、兄さんに竹皮包みを一つ上げなさい」

みよと呼ばれた娘がすぐに竹皮の包みを亮吉に差し出した。

「頂《いただ》いていいのかえ」

笑みを浮かべた娘がうなずいた。

「ありがてえ」

亮吉は娘の手から竹皮包みを奪うようにして取ると開け、二つの握り飯のうち一つにかぶりついた。その一つ目を一気に食べて思わず吐息をつくと、

「ああ、うめえ」

と漏らしていた。

「おまえさん、江戸の方のようじゃが、店《みせ》をしくじりなさったか」

亮吉は二つ目の握り飯に手を伸ばして、じい様にうなずいた。そして、握り飯を食べながら、

「わっしは金座裏で御用を務める宗五郎親分の手先でございました……」

と金座裏を出てきた理由をぼそりぼそりと語っていた。亮吉の双眸《そうぼう》からいつしか涙が流れ落ち、握り飯の味噌加減と一緒になってほろ苦く喉《のど》を通っていった。

「おりゃ、馬鹿だ。取り返しのつかねえことをしてしまった」

亮吉は二人の差し出した握り飯までを夢中で食べながら、初めて会ったじい様と孫娘に身の上話を聞かせたうえに後悔の言葉まで吐いていた。

「亮吉さん、おまえさんの気持ちはもう十分に親分さんも朋輩《ほうばい》衆も察しておられるよ。ものには潮時ちゅうもんがある、つまらない意地なんぞ捨てなせえ。皆さんがおめえ様の戻りを待っておられるんだ、金座裏にお帰りなせえ」

草加《そうか》宿から江戸見物に行くという征左衛門《せいざえもん》はそう言い聞かせるように言うと、

「年寄りはお節介《せっかい》だ。こうして会ったのも何かの縁、わしらが付き添おうか」

と申し出てくれた。

孫のみよはじっと亮吉を見詰めている。

「ありがとうございます。物貰いみてえな境遇に落ちたのはおれの自業自得《じごうじとく》だ。だか

らこそ金座裏に戻るときは一人で帰りたい、親分と仲間に詫びたい。心遣いはありがてえが許してくんな」

「おお、好きなようにしなさるがいい、だがな、年寄りの言うことは聞くもんだよ」

「へえ、肝《きも》に銘じましてございます」

亮吉は心から答えていた。

征左衛門はいつの間に包んだか、懐紙《かいし》になにがしかの金を入れて、

「親分の許に戻るときは髷《まげ》も髭《ひげ》もあたって身なりを整《ととの》えて帰りなせえよ」

と渡してくれた。

征左衛門とみよの背を亮吉はいつまでも合掌して見送った。そうしながら、

（金座裏に戻ろう）

と考えていた。だが、そのためには、

（手土産《てみやげ》の一つも持って帰らねば、むじな長屋の亮吉の沽券《こけん》に関わる）

と思案していた。

十手持ちの手先の手土産となれば、御用の筋だ。

（なんぞ知恵はないか……）

再び土堤に座りこんだ亮吉は沈思《ちんし》した。が、土堤はぽかぽかした陽気で腹は満たさ

れていた。

亮吉はいつしかこくりこくりと居眠りしていた。

金座裏ではその朝、八百亀らが麹町に飛び、義助が仕切る追分前のめし屋に見張りを置かせてもらう交渉をした。

「おお、いいとも。昨日もそこにいる兄さん方に話したが、金座裏とは先代以来の付き合いだ。好きにしなせえ」

義助は快《こころよ》く引き受けてくれた。

そこで常丸と政次が青梅屋の玄関先を見渡すめし屋の三畳間に住み込みながら、店の手伝いをすることになった。

「義助じいさん、おめえんちじゃ、いきなり二人も若い衆を雇《やと》ったか」

隣人が店の手伝いをする常丸らを見て、聞いた。

「おおっ、江戸の知り合いの者だがよ、親から勘当《かんどう》されて行き場所がねえのよ」

「二人して男前だ。吉原《よしわら》あたりで遊女に化かされたか」

「吉原って面《つら》じゃねえ、品川の安女郎《じょろう》に入れこんだのさ」

「若いうちはそれも薬だ」

半刻《はんとき》（一時間）もしないうちに内藤新宿に向かう街道のめし屋の新入りは、なんなく受け入れられていた。

昼下がり、北町定廻同心寺坂毅一郎と一緒に金座裏の宗五郎が義助じいさんのめし屋に顔を見せた。常丸と政次には素知《そし》らぬ顔だ。

「じいさん、元気でなによりだ」

「親分さん……」

と言った義助はしばらく宗五郎の相貌《そうぼう》を眺めてから言った。

「先代そっくりの顔になりなさった。八代目もいなせだったが、九代目も負けず劣らずだ。うれしいね」

「世話になる」

宗五郎が短く言い、御用のことを心得た義助がうなずいた。

寺坂の小者《こもの》に持たせた手土産を宗五郎は義助に渡した。

「帰りにまた寄る」

そう言い残した宗五郎は、寺坂に従って青梅屋を訪ねた。

昨日の今日だ。

江戸から町奉行所の同心と金座裏の親分が出張ってきたというので、主の金兵衛は口も利けないくらいに緊張した。

「昨日はうちの若い者が邪魔したたな。なんぞ聞き漏らしたことがないかと同心の寺坂様に足を運んでもらったんだ」

金兵衛は顔を横に振った。

「親分さん、知っていることは兄さん方に話したよ。だがな……」

と言葉を切った金兵衛が、

「うっかり忘れていたことがあるんで」

「ほう、何かな」

「あいつらが最初に来たときさ、二重の麻袋を三つばかり持ちこんでさ、部屋に上げようとするから、そんな汚ねえ袋は納戸《なんど》に置いてくんなとさ、ほれ、三和土《たたき》の奥にある納戸部屋に強引に置かせたんだ。以来、納戸の奥が薬の素とかいう袋の置き場所だ。やつらは時折り袋から小分けに持ち出していたがね、そのうち、次に来るときまでうちが預かることになっていた。その袋がまだ納戸に残っている」

「見ようか」

宗五郎は身軽に立つと三和土の奥の板戸を引き開けた。真っ暗で湿気臭い匂いが鼻《び》孔《こう》をついた。

「明かりを貸してくんな」

宗五郎の注文に金兵衛が納戸の壁に付けられた行灯《あんどん》に火を入れた。

ぼうっとした明かりが四畳ほどの納戸を照らし出した。

「あれなんで」

金兵衛の指す棚にその麻袋は一つだけ残っていた。中身が半分ほどしかないと見えて、ぺっしゃりしている。

「最初、何個持ちこんだって」

「三袋でしたよ」

宗五郎が袋を抱えるとずしりと重かった。

明かりの下に移してしっかりと結ばれた袋の口を丹念に解《ほど》いて、袋を開いた。

「おおっ！」

金兵衛が叫んだ。

行灯の明かりに山吹色《やまぶきいろ》に輝く金塊が姿を見せた。

「金座裏、やつらはここに戻ってくるぜ」

「欲をかくとしたら、こいつを取りに引っ返してきましょうな」

「じっくり腰をすえようか」

「へえっ」

偽の金塊を発見したことによって、歳太郎らが青梅屋に戻ってくる見込みが強まった。

宗五郎は金兵衛に手先の常丸と政次が表のめし屋に住み込んでいることを告げ、一味が戻ってきたら、

「これまでどおりに素知らぬ顔で迎えてくんな」

と命じた。

「できますかな。膝《ひざ》が震えて口も満足に利けないかもしれない」

と金兵衛は怯《おび》えた表情を見せた。

「心配しなさんな、うちの奴等《やつら》が義助じいさんのところにいるんだ。やつらが戻る日が迫ったら、おれも出張る。おめえや泊まり客に怪我《けが》をさせることだけはしないからな」

宗五郎は下っ引きの旦那の源太と小僧の弥一《やいち》がすでに青梅屋に泊まりこんでいることは金兵衛に話さなかった。

下駄貫は千吉親分の手先たちの力を借りて、偽金売りの歳太郎の一味が泊まる旅籠

を虱《しらみ》つぶしに当たっていた。

夕刻前、旅籠は見つからなかったが、偽の金を売りつけられた後家に出くわした。

本所長岡町《ほんじょながおかちょう》で炭屋の後家いつが偽金を六個三両で購入していた。これが偽金で半年後に買い取りに来るあてなどないことを知らされるといつは両眼を血走らせて、

「そんなことがあるものか、市兵衛さんがちゃんと一つ三分での買い取りを約束してくれたんだよ」

と喚《わめ》いた。

下駄貫から芝町あたりですでに半年が過ぎても買い取りに来ず、町奉行所へ訴えがなされていることを知らされると人前もはばからずにわあわあと泣き始めた。

「照三郎《しょうざぶろう》さん、どうやらこの界隈で引っ掛かった連中が出そうだ。千吉親分に相談して、被害に遭った人間を調べ上げてはくれますまいか」

今川町の千吉親分の手先に言うと、気のいい照三郎が答えた。

「ほい、きた。今川町まで一《ひと》っ走り戻ってこよう。おめえさんはどうしなさるね」

「おれかえ、もう少しこの界隈を当たってみよう。日が落ちたらさ、親分に挨拶なしだが橋を渡って金座裏に失礼しようか」

「そのことも親分に言っておくぜ」

照三郎は下駄貫の前から走って消えていった。それを見定めた下駄貫は、横川《よこかわ》ぞいに船頭たちの泊まる旅籠が散在する竪川《たてかわ》との合流付近に歩いていった。

亮吉は板橋宿の寿福寺に戻ってきた。

征左衛門は二朱ほどくれた。その金で夕飯を食べて、腹がくちくなっていた。

（なんぞ一手柄あげなければ……）

暗闇《くらやみ》を飛ぶほたるの姿はもう消えていた。

（どうしたものか）

うまく考えがつかない。そのうち眠気が襲ってきた。本堂の床下に這《は》いずっていきながら、

（そういえばへんな夢を見たぜ）

と思い出しながら、干し草を敷いた寝床に転がりこんだ。

翌朝、金座裏に二人の訪問者があった。

亮吉に施《ほどこ》しをした草加宿の征左衛門とみよの二人だ。親分の居間に通された二人は男ばかりが多い十手持ちの家を興味深く眺めていた。

「お初にお目にかかります、草加宿の征左衛門に孫のみよにございますよ。おまえ様が宗五郎親分ですな」

「へえ、わっしが金座裏で御用を務める宗五郎にございます。おまえさん方はこの宗五郎を名指しで訪ねてこられたそうな」

「はいはい、草加でも金座裏に立派な親分さんがお住まいと聞いてはいたが、いやはや、なかなかの構えにございますな」

「なあに古いばかりだ」

と言うと宗五郎は用件はという顔で催促《さいそく》した。

「そうそう、親分さん、余計なこととは思ったがどうしても気になったでな。こうしてみよと伺《うかが》いました。亮吉さんのことです」

「なにっ！　亮吉ですって」

茶を運んできたおみつが叫び声を上げた。

「静かにしねえか。亮吉となると取り乱しやがって」

広間の手先たちも聞き耳を立てていた。

征左衛門は戸田川の土堤で会った亮吉との話を語った。

「なんと亮吉は戸田の渡しにいましたかえ」

宗五郎が呆《あき》れたように言った。

「それにしても、よう知らせてくれなすった。うちでも心配はしているんだが、一人で勝手に出ていった人間だ。あいつの考えが定まらねえかぎり捜し出して連れ戻しても仕方あるめえとさ、今日か明日かと帰りを待っているところだ」

「さようでしたか。私の見るところ、亮吉さんはこちらに帰りたくて仕方がない。けどね、最後の一歩の決心がつかないでいる様子に見受けられました」

「ならば、そう長いことではありますまい」

おみつがその場を立つと、みよが喜びそうなものを探しに行った。

「征左衛門さんはどちらにお泊まりですな」

「馬喰町《ばくろちょう》のしぐれ屋にございますよ。浅草なんぞを孫に見せますんでな、三、四日は江戸にいるつもりでございます」

「みよちゃん、気にいってくれるといいけど」

おみつが京細工の髪飾りや袋ものを持って戻ってきた。

「お上さん、そんな高価なものを……」

征左衛門が遠慮した。

「うちは見てのとおり、男ばかりの所帯でしてね。みよちゃんのような女っけがない

んですよ。私がさすにはちょいと年を食い過ぎだ、気にいったらもらってください
な」
おみつが差し出すとみよがうれしそうに受け取った。

下駄貫はこの日も一人で深川一帯を歩き、その刻限には歳太郎一味の江戸での第二の旅籠、水夫たちが多く泊まるという常陸屋《ひたちや》の近くまで接近していた。

そこは南十間川に架かる旅所橋《たびしょばし》付近に広がる深川北松代町だ。

船頭がたむろする船着場に下りた下駄貫はしほが描いた人相描きを広げてみせると船頭たちに、

「男女の四人組だが知らないか」

と聞いた。

「おめえさん、御用聞きの手先かえ。この近くじゃ見かけねえ面だな」

髭面の船頭が、土地の者でもない者がという顔で睨《にら》んだ。

「確かにおれは金座裏から出張ってきた者だ。なにかえ、土地の岡《おか》っ引《ぴ》きじゃねえと答えられねえと言うのかえ」

下駄貫が声を張り上げた。

その声を偶然にも聞きとがめたのはあろうことか、歳太郎一味の一人、おくらだった。彼女は橋の上から船着場を眺め下ろして、自分たちの人相描きを広げて、船頭相手に啖呵《たんか》を切る下駄貫を認めた。

（くそっ！）

煙草《タバコ》屋に行くのをやめたおくらは慌てて歳太郎たちがいる木賃宿《きちんやど》に戻っていった。

下駄貫が歳太郎一味がいた水夫宿の常陸屋に辿《たど》りついたとき、一刻（二時間）前に四人は逃走したあとだった。

おくらが外出から戻ってくると四人組は慌ただしく常陸屋を引き払う準備を始め、旅籠代の釣り銭も受け取らずに姿を消したという。

下駄貫は深川一帯の別の旅籠に移っていないか、血相変えて捜し回った末に宗五郎の許に戻った。

「なにっ！　逃げられたって」

宗五郎はなぜ急に逃げ出したか、訝《いぶか》しく思いながらも麴町の常丸と政次に使いを走らせた。ついで八百亀や下駄貫らを従えて、自らも追分前のめし屋に急行した。だが、歳太郎らが青梅屋に移ってきた様子はないという。

「高飛びしましたかねえ」

下駄貫が宗五郎の顔色を窺《うかが》いながら聞いた。

「常陸屋にいた四人組がなぜ泡《あわ》食って逃げ出したかだ。下駄貫、おめえに思いあたる節《ふし》はねえか」

へえ、としばらく考えていた下駄貫が、

「もしかしたら……」

と言い出した。

「歳太郎一味が常陸屋を引き上げる前後にさ、常陸屋の近くの船着場でおれと船頭がちょいとした諍《いさか》いをしたんだ」

下駄貫から事情を聞いた宗五郎は、

「そいつだ、その諍いをおくらに見られたんだよ」

と答え、

「下駄貫、今川町の手先と一緒じゃなかったのか」

と問い質《ただ》した。

「すまねえ。今川町には偽金の被害に遭った連中を調べてもらっていたんだ」

「下駄貫、おれがなんと言っておまえを送りだしたえ。土地の千吉の助けを借りろと厳しく言ったはずだぞ。ドジを踏みやがって……」

追分前のめし屋の奥で宗五郎に散々怒られた下駄貫は真っ青になって三和土に突っ立っている。

「親分、加賀への街道筋を追ってみますかえ」

八百亀が憤激の表情をまだ残した宗五郎に聞く。

「加賀への道といっても中山道もあれば東海道を行く方法もあらあ。やつらも尋常《じんじょう》な道は選ぶめえ。江戸のどこかに隠れすんで、ほとぼりが冷めてから動き出すことも考えられる」

宗五郎は義助に煙草盆を借りて、火を点《つ》けた。一服しながら沈思した宗五郎は、

「どっちにしろ、おれたちに残された最後の糸は青梅屋だ。しばらく歳太郎一味と根《こん》比《くら》べ、義助じいさんの店で頑張ろうか」

と決断した。

「あいよ、親分さん。好きなだけいなせえよ」

八百亀らが返答する前に義助が答えた。

宗五郎らはまんじりともせずにその深夜まで歳太郎一味が青梅屋に現れるのを待った。が、木戸口が閉まる四つ（午後十時）を過ぎても一味が姿を見せることはなかった。

四

鎌倉河岸は御城近くで大名家、旗本高家などの屋敷町と境を接していた。そのせいか神社仏閣は少なかった。

亮吉と母親のせつが長年住むむじな長屋界隈に氏神様《うじがみ》らしきものがあるとすると皆《みな》川町《がわちょう》の出世不動《しゅつせふどう》くらいなものだ。境内は小さく、石門から御堂へ二十間余り石畳が延びていた。

その朝早く起きたしほは出世不動にお参りに行った。亮吉が無事に金座裏に戻ってくるように願《がん》をかけに行ったのだ。

すると朝靄《あさもや》をついて、お百度参《ひゃくどまい》りする女の姿があった。

格別出世不動に百度参りの習わしはない。が、近くに神社が少ないので、鎌倉河岸では何かあるとこの出世不動の石畳を往復して、願をかける。

朝靄をついて一心不乱にお百度を踏む女は亮吉の母親のせつだった。

時折りしほが訪ねていくと、

「亮吉かい、帰ってくるときにゃ帰ってくるよ。しほちゃん、あいつのことを心配するだけ損だよ」

などと平気がっていたが、内心は心配で堪《たま》らないのだ。

しほは駒下駄を脱ぐと黙ってせつのお百度に加わった。

その夕暮れ、鎌倉河岸の豊島屋ではしほと清蔵が、

「金座裏は忙《いそが》しいのかしら」

「ここんとこ、政次も常丸も顔を見せないね」

と言い合っていた。

この日は、常連の彦四郎さえ姿を見せなかった。

「あいつらが顔を出さねえと、なんか気が抜けたようでいけねえな」

江戸でも名代《なだい》の酒問屋の主は捕物話が大好き、馬方や船頭相手が気楽という性分、老舗《しにせ》の旦那という風格に欠けた。

その分、女房のとせと倅《せがれ》の周左衛門《しゅうざえもん》が番頭以下の大勢の奉公人を束ねて、酒の仕入れから販売までしっかりと目を光らせ、大身代は小揺るぎもしなかった。

「政次たちは今日も駄目《だめ》かえ」

と彦四郎がようやく顔を出したのは、鎌倉河岸の老桜がちょっぴり寂しそうに葉を風に落とす六つ半（午後七時）の刻限だ。

　清蔵が首を振った。

「麹町でよ、偽金売りの一味を張りこんでいるんだ。ひょっとしたら、江戸から高飛びしてるかもしれねえな」

　これもまた捕物好きの船頭が手先みたいなことを言った。

「お酒、飲むの」

「一人で飲んでもよ、つまんないしな」

「そんなときゃ、止《や》めとけ。銭だけ損だ」

　酒問屋の主が商売っけのないことを言い、

「亮吉でもいりゃ、酒のつまみになるのによ」

　と表を見た。

「あっ、忘れていたぜ。亮吉が戸田の渡しで見掛けられたそうだぜ」

「彦四郎さん、そんな大事なことを……」

「おれもついさっき金座裏でおかみさんに聞かされたんだ」

　彦四郎は事情を二人に説明すると、

「親分さんは板橋宿の銀蔵親分に使いを立てて、捜してもらっているそうだ」

「そうだったの」

「見つかるといいな」

「しかしよ、亮吉らしいぜ。握り飯につられて足跡を残してやがる」

「彦四郎さん、お腹が空けばだれだってそうなるわ」

「ならばさ、意地なんぞ張らねえで帰《けえ》ってくればいいじゃないか」

しほは初めて会った孫連れの老人に身の上を聞かせた亮吉の心境を察して、悲しい気持ちになった。が、清蔵は、

「そんな風《ふう》じゃ、亮吉が帰ってくるのはそう遠い先のことではないな」

と楽観的な見通しを語った。

江戸市中と内藤新宿を結ぶ往還の人通りは絶えなかった。

常丸と政次はめし屋の居候《いそうろう》の面を装《よそお》いながら、ひたすら歳太郎一味が戻ってくるのを待った。

「そろそろ店仕舞いだよ」

義助の声に二人の男たちは小女のかねと一緒になって、街道の埃《ほこり》と馬《ば》糞《ふん》に汚れた暖《の》簾《れん》を下ろし、縁台を片付けた。

義助は客のいない店の一角で腰を下ろして茶碗酒を飲んでいた。仕事後の一杯がな

による楽しみだった。

台所では遅い夕飯の仕度に義助の倅夫婦が精を出していた。

箒《ほうき》を手にした常丸が店から通りに出ようとしたとき、顔色を変えたかねが通りから戻ってきて、常丸を強引に店の奥に押し戻した。

「どうした」

政次も緊張を掃《は》いたかねの顔を見た。

「おくらさんが」

「姿を見せたか」

かねが大きくうなずいた。

「義助さん、頼まあ」

常丸と政次は台所に姿を潜《ひそ》めた。

「今晩は」

女の声がした。

茶碗酒を飲む義助じいさんは目を細めて往来を透《す》かし見ると、

「おや、おくらさんかえ」

とのんびりした声をかけた。

「青梅屋は変わりないかしら」

「百年も前から変わりなんぞあるものか。一杯飲んでいくかえ」

「泊まれる部屋はあるかねえ」

「二階にもぐさ売りの主従が泊まっているくらいで、おまえさん方の部屋は空いているよ」

義助はまるで青梅屋の親父みたいに答えた。

「まずは青梅屋に顔出してこようかな」

「そうするがいい。市兵衛さんたちはどうしたえ」

「あとから来るよ」

おくらは青梅屋の様子を見に来たようだ。

「そろそろ故郷《くに》に帰る仕度かえ」

「ああ、雪が降る季節の前にね、峠《とうげ》を越えないとね」

そう言い残したおくらが路地に消えた。

「かねさん、手筈《てはず》どおりに金座裏の親分に知らせてくれ」

常丸に言われて、かねが前掛けを取りながらうなずいた。

かねはこれまで何度か使いに出されて、麴町から金座裏への道順は飲みこんでいた。

それに野育ちで足腰が強いかねは駕籠《かご》屋並みの早歩きができる。

「行ってきます」

「頼んだぜ」

常丸の声に送られてかねが通りに出ていった。

旦那の源太は青梅屋の板の間で小僧相手に一合の酒をちびちび飲んでいた。そのとき、酔眼を上げるとしほの人相描きどおりの女、おくらが入ってきた。

「おや、おくらさん、予定より二、三日早いじゃないか」

二階から下りてきた金兵衛が声をかけた。

「そうなのよ、ちょいと里心《さとごころ》がついてね。いつもの部屋はあるそうね」

「おめえさん方に取ってあるよ」

と答えた金兵衛が玄関先を覗いて聞いた。

「男衆はどうしなさった」

「あとで来るよ」

おくらは真っ赤な顔の源太に視線を向けた。

「近江伊吹山の名産、もぐさ売りの源太だ。よろしくな、姉さん」

おくらは腹を空かせて旦那の相手をする小僧の様子に注意の目を向け、小さくうなずいた。そして狭い階段を上がっていった。

「源太、一味と出くわしたからといって泡食っちゃならねえ。どーんとしてな、見張っていろ」

親分の宗五郎から注意を受けていた源太は高鳴る胸を鎮《しず》めて、残りの酒をなめていたが、

「畜生《ちくしょう》、煙管を部屋に忘れたぜ」

と独《ひと》り言《ごと》を言うと座を立った。

源太の部屋はおくらが入った部屋とは狭い廊下をはさんで反対側にあった。

追分前のめし屋に向かい合う二階の自分の部屋の窓から手拭いを干して、一味が戻ってきたことを常丸たちに知らせた。

板の間に戻ってめしを食うときも源太は、

（歳太郎らがいつ現れるか）

と思い、落ち着かなかった。

下っ引きは江戸の町から細々《こまごま》とした情報を拾い集めてくるのは慣れていても、捕物の現場に出ることなんぞはまずない。それが偽金遣いの女と一つ屋根の下にいるのだ。

（常丸たちは見落としてないか）

（親分にはもう連絡は行ったか）

と不安なことおびただしい。

だが、歳太郎たち三人の男はなかなか姿を見せなかった。用心をしているのか、何か別の事情があってのことか。

四つ（午後十時）過ぎにおくらが金兵衛に、

「この分だと明日になるかもしれないね。旦那も戸締まりして寝てくださいな」

と声をかけたのをしおに青梅屋の明かりが落とされた。

おくらも二階の三畳に戻って寝についたようだ。

八つ（午前二時）、源太はみしりと階段を忍んで下りる物音を聞いた。さらにだれかがそっと潜《くぐ》り戸《ど》を開けたようだ。

（だれぞが厠《かわや》に立ったか）

源太は太った体を起こすと廊下に出た。すると廊下の板が軋《きし》んで大きな音を立てた。

心臓がどきどきと脈打つのを感じた。

廊下を這うと六畳と三畳の続き部屋の様子を襖《ふすま》越しに窺《うかが》った。

寝息もしなければ人の気配もないようだ。

（おくらめ、逃げやがったか）

源太は立ち上がると階段に忍び足で近付いた。

どこからか風が吹き上がってきた。それも何人もだ。

階下の三和土で人の気配がした。それも何人もだ。手燭《てしょく》の明かりがちらちらと三和土の奥の納戸から漏れてきた。

（おくらが呼びこみになって、残された偽金を引き上げてやがるな）

源太は階段の踏み板に右足を乗せた。すると、

「もぐさ売りの旦那、なんの真似ですね」

と言うおくらの声がすぐそばから聞こえ、頬にぴたりと抜き身の短刀が当てられた。

「わああっ！」

仰天した旦那の源太は思わず絶叫した。

「おくら、どうした！」

納戸から市兵衛が手に麻袋を持って飛び出してきた。

「怪しげなもぐさ売りがばたついているのさ」

「おくら、逃《ふ》けるぜ！」

市兵衛の声におくらが階段を二段おきに飛び下りると市兵衛らのために開けた潜り

戸から外に飛び出していった。

すると追分前のめし屋の路地に強盗提灯《がんどうぢょうちん》の明かりが煌々《こうこう》と照らしつけられ、

「神妙にしねえ、偽金遣いめ！」

という御用の声が響き渡った。


翌日の昼下がり、店を開けたばかりの豊島屋に常丸と政次が姿を見せた。

「おや、麴町の張り込みはどうなったえ」

清蔵が目敏《めざと》く二人の手先の姿を認めて、声をかけた。

しほも二人のそばに駆け寄った。

「偽金遣いの四人組はお縄になりましたぜ、旦那」

「金座裏の手柄だろうな」

常丸が胸を張ってうなずいた。

「おい、座れ。座って話を聞かせろ」

清蔵が空樽に腰を下ろすと二人の手先にも座るように促した。

しほは二人のために茶を台所に取りに行った。

お盆に二つ茶碗を載せて、まだ客のいない店に戻ったとき、常丸の講釈が始まろうとしていた。

「今度の一件は、なんだかどたばた芝居で幕をおろしたんですよ」

「どたばた芝居とはどういうことだ」

「いやさ、下っ引きの源太兄さんは図体《ずうたい》はでけえが、肝っ玉は爪の先もねえ。捕物の間じゅう、絞め殺される鶏《にわとり》みてえな兄さんの悲鳴が麹町じゅうに響いてさ、なんとも賑《にぎ》やかでしたぜ……」

歳太郎と市兵衛、藤吉が転がるように青梅屋を出た。すると明かりが当てられ、御《ご》用提灯《ようぢょうちん》が取り囲んだ。おくらは青梅屋の裏口から箪笥町の路地に逃げようと身を翻《ひるがえ》そうとした。そのとき、背をぴしりと叩かれ、尻《しり》を膝《ひざ》で蹴《け》り飛ばされて、明かりの下に転がされた。

「何日も前から金座裏の手先、常丸と政次がおめえらが来るのを待っていたんだよ」

いつの間に青梅屋に忍びこんでいたのか、常丸がおくらに啖呵を切った。

めし屋の辻では抵抗する歳太郎と市兵衛、藤吉が下駄貫らに突き転ばされ、地面に体を押しつけられて縄を掛けられていた。

表の騒ぎは静まった。

「おい、常、旦那の口にぼろ手拭いを突っこんでこい。うるさくて敵わねえや」

宗五郎の声がのんびりと響いて、苦笑した常丸が潜り戸に消えた。

「蔵太郎は政次が睨んだとおりに加賀は金沢の金細工師でな、文箱《ふばこ》なんぞに金箔を貼りつける仕事をしていた。それに割れた茶碗の継ぎ目に金泥《きんでい》を流しこむ腕も持っているそうな」

「常丸さん、そんな立派な腕を持った人がなんで偽金を江戸で売る羽目になったの」

しほが聞いた。

「お定まりの博奕《ばくち》でさ、あちらこちらの仕事を渡り歩き、ついには親方の手文庫の金に手をつけたところを見つかって金沢に居られなくなったのさ。市兵衛、藤吉、おくらは賭場《とば》仲間だそうだ」

「江戸で稼いだ金はどれほどだえ」

「旦那、欲の深い人間は多いね。金片を二分で買って半年後に三分になれば、こんな楽な話はねえ。だが、こんな単純な手口にさ、引っ掛かった人間が結構いたと見えて、蔵太郎らの懐にはなんと四百六十余両の大金があったぜ」

「偽金を作る元手はいくらだ」

「仕事場でくすね集めた金箔を貼りつけたらしいや、ほとんど元手なしだそうだ」

「呆《あき》れたね」

「偽金に引っ掛かった人間が明日から町奉行所に押しかけることになるぜ」

「まあ、何はともあれ、二人目の首吊りが出なくてよかったよ」

「ああ、よかった」

常丸はそう言うと冷えた茶を啜り、にやりと笑った。

「清蔵の旦那、語りが真打ちでなくて悪いな」

「そろそろ真打ちが旅から戻ってくるといいのにな」

清蔵もまじめに答えた。

真打ちとは亮吉のことだ。

豊島屋の清蔵に手柄話を聞かせ始めたのは亮吉だったのだ。

「旦那、しほちゃん、私らはまた別の探索だ」

政次が最後に言った。

「もう一働きしてこい。夜にはな、旨《うま》い酒と田楽を存分にご馳走してやる」

そう約束した清蔵としほは常丸と政次を豊島屋の店先で見送った。

二人の手先に降りかかる日射しには秋の気配がそこはかとなく漂っていた。

第六話　御金座破り

一

たわわに実った渋柿を、烏《からす》がつついていた。

その木の下を村の童《わらべ》が草履《ぞうり》をばたばたさせて走っていった。石神井川《しゃくじいがわ》へ川遊びにでも行く感じだ。

江戸の近郊ではすっかり秋の気配を見せていた。農家の軒《のき》には干《ほ》し大根がぶら下がり、畑作地から白い煙がうっすらと立ちのぼっていた。

西に傾きかけた日が加賀《かが》金沢《かなざわ》百二万石《ごく》の下屋敷の広大な屋敷の北側に位置する豊島《としま》郡十条村を陰影濃く照らしつけていた。

（秋の日はつるべ落としだぜ）

と亮吉《りょうきち》は額《ひたい》に浮かんだ汗を汚れた単衣《ひとえ》の袖《そで》で拭《ふ》いた。

昨日から亮吉は広い十条村をあちこちと、剣客《けんかく》たちが潜《ひそ》む寺を探して歩いていた。

夢うつつで聞いたのは金座裏《きんざうら》の親分を暗殺するとかしないとか、最初、夢を見たかと考えていたが、どうもあれはほんものの会話と思えてきた。ならばなんとしても阻止しなければ、

（亮吉の名が廃《すた》る）

というもんだ。

村での寺探しなんぞ、金座裏で修業した亮吉様には簡単なことだと思った。が、それが難航を極めた。なにしろものを聞こうと百姓や女に近付くと、

「おこもさん、えらく臭《くさ》いな。こっちに来ないでくれよ」

「男衆を呼んで村から放り出してもらうよ」

と、まったく相手にしてもらえない。

亮吉の鼻は異臭に慣れたのだろう。それでも風の吹き具合で自分の臭《にお》いが鼻につくことがある。

仕方ない、自分の勘《かん》と足で探すかと探索を始めてみたが十条村は広い。それでも西《さい》音寺《おんじ》、真光寺《しんこうじ》、地福寺《じふくじ》など主《おも》だった寺は探った。が、怪《あや》しげな剣客が隠れ住んでいる様子はなかった。そこで今日は十条村の隣村、稲付村に足を延ばして鳳生寺《ほうしょうじ》、法真寺《ほうしんじ》などを訪ねた。が、無駄に終わり、また十条村に戻ってきたところだ。

（どうしたものかな）

腹も減っていた。

（じゅうじょうのてら……）

は十条村の寺という意とは違うのではないか。ならば、

（じゅうじょう）

とは何か他の意味か。

亮吉の頭上で烏が鳴いた。そしてねぐらに帰るのか、柿の枝から飛び立っていった。

（おれも金座裏にもどりてえな）

と亮吉の目が潤《うる》んだ。

「おこもさん」

声がして振り向くと老婆《ろうば》が麦飯の握りに青菜漬けを添えた竹皮を差し出していた。

亮吉はへたりこんでいた路傍から立ち上がると、

「おありがとうございます」

と押し頂《いただ》いていた。

「おめえさんもまだ若い身空《みそら》だ。やりなおしも利こう、親方の許《もと》でも親のところにでもな、戻って詫《わ》びなされ」

「へえ」

亮吉は真剣に答えていた。

常丸《つねまる》と政次《せいじ》はその刻限、品川遊郭《ゆうかく》にいた。

信濃屋《しなのや》の抱え女郎秋世《あきよ》から使いをもらったからだ。

久し振りに会った秋世はどこかさばさばとした顔をしていた。

「この度、御金座の用人《ようにん》様とうちの主《あるじ》が話し合いをなさりまして、助蔵《すけぞう》様の残された金を私の身《み》請《う》けの残り金にあててくださり、自由の身になりましてございます」

「姉さん、そいつはなによりの話だ。で、品川を出てどうなさる」

「はい、故郷の房州白浜《ぼうしゅうしらはま》に戻ろうと思います」

「そうかえ、それでおれっちに知らせてくれたか」

常丸の問いに秋世は首を振った。

「いえ、今日のことはそれだけではありません」

「…………」

「信濃屋では楼で亡《な》くなられた姉さん方を南品川の南願寺《なんがんじ》という小さな寺の墓地に葬《ほうむ》ります。私は昨日、南願寺にお線香を上げに行って参りました……」

秋世は品川の信濃屋に九年ほど奉公した。その間に労咳《ろうがい》にかかったりして死んでいった三人の姉女郎を見送っていた。

秋世は共同の墓石を丁寧《ていねい》に水で洗い、菊の花を捧《ささ》げ、線香を手向《たむ》けて、故郷に帰る報告をした。

秋世が閼伽《あか》桶《おけ》を庫裏《くり》に戻しに行ったとき、住職の想豁《そうかつ》が、

「もしやおまえ様は信濃屋の方ではないか」

と聞いてきた。

「はい、信濃屋の女《もの》にございますが」

「ならば、朋輩《ほうばい》に秋世と申される方はおられぬか」

「秋世は私にございますが」

「ほう、おまえさんがな、そいつは好都合……」

南願寺の住職が私の名を出すとは、と訝《いぶか》しく思っていると、

「おまえ様への預かりものがある」

と言い出した。

「どなた様からの預かりものにございますか」

「金座の助蔵さんという方がな、ふいに訪ねてこられてなにがしかの喜捨《きしゃ》をなされ、頼まれた」

住職は部屋に姿を消すと薄い包みを持参してきた。

「もし私が戻って来ぬときは信濃屋の秋世に渡してほしいとな、頼まれていたのじゃ」

包みが渡された。

「助蔵様が預けられたのはいつのことにございますか」

「さて二月《ふたつき》以上も前のことかな、旅仕度《たびじたく》の姿で見えられてな」

お渡ししますぞ、と助蔵の遺品が秋世に渡された。

「それがこれにございます」

秋世は丹念な字で、

「寛政《かんせい》京都金座出仕日誌」

と書かれた道中日誌を常丸に渡した。

「おまえさん、読みなすったか」

秋世は静かに首を横に振った。

「もし助蔵様の日誌に下手人《げしゅにん》の名がありますならば、お上の手で捕まえ、厳しい裁きをしてくださいな。それが助蔵様の供養《くよう》になりましょうから」

「確かに承《うけたまわ》ったぜ、姉さん。なんとしても引《ひ》っ括《くく》る」

と請け合った常丸は、

「いつ、江戸を発《た》ちなさる」

「三日後に……」

手先たちはその日までになんとかかたちをつけたいと肝《きも》に銘じて信濃屋を辞した。

金座裏に戻った常丸と政次は中身も見ないままに親分の宗五郎《そうごろう》に渡した。宗五郎は表紙を見ると二人にうなずき、日誌を開いた。読み終えた宗五郎が、

「ようやったな」

と二人の手下《てした》を褒《ほ》め、おみつに羽織《はおり》を出せと命じた。そして、着替えると「寛政京都金座出仕日誌」を懐《ふところ》に、金座に出向いていった。

半刻《はんとき》（一時間）後、金座から下がってきた宗五郎は、手先たちを広間に呼び集めた。

「これまで金座の手代《てだい》助蔵殺しには常丸と政次の二人を専従させてきたが、動きがあった。明日から全員でかかる」

と宣告した。

「助蔵を殺した一人は元刻印方《こくいんがた》の丹三《たんぞう》と思える」

手先の間に小さなざわめきが起こり、静まった。

「京都の金座での仕事を終えた助蔵は、東海道を江戸に戻ってくる道中、知立《ちりゆう》の宿で丹三に出くわしている。最初、丹三は偶然を装っていたらしいが、助蔵はしつこく付きまとわれるうちに、丹三が何か狙《ねら》いを持って待ち受けていたことに気がついた。というのも金座の役人が京都の金座を往来する場合、各宿場で泊まる旅籠《はたご》は決まっている。だから、丹三は知立の金座御用の旅籠に狙いをつけていれば、京で仕事を終えた助蔵と会うことができる算段だ……」

宗五郎は言葉を切ると、おみつが運んできた茶で喉《のど》を湿《しめ》した。

「助蔵は京都の金座で新しく改鋳《かいちゅう》される小判の意匠《いしよう》に携《たずさ》わっていた。ひょっとしたら新小判の仕様図を持参して江戸に戻る途中ではないかと金座の後藤様も推量され、心配されていた。助蔵が新小判の仕様図を巡《めぐ》って殺されたのではないかと考えられたからだ」

「違うので」

常丸が思わず口をはさんだ。

「京に問い合わせて助蔵が仕様図を持参していなかったのが判明した。だがな、助蔵の頭に新小判の意匠が叩《たた》きこまれていることには変わりねえ。丹三がそれを狙ってのことなら、助蔵から吐き出させる手もある。まだ、疑いを拭《ぬぐ》い去れねえが、助蔵が残した道中日誌にはこのことは一切《いっさい》触れられていない」

「まさか丹三は助蔵の懐に狙いをつけて知立まで遠出したわけじゃありますまい」

八百亀《やおかめ》が聞いた。

「丹三はこの半年も前から昔の職場の仲間にちょこちょこと連絡をとって、金座の近況を探っていた。そこで助蔵が京都に出向いていることを知った。丹三が金座にあった頃《ころ》、助蔵と格別親しい間柄というほどでもなかったそうな。それが東海道を下ってまで、助蔵を待ち受けたとしたら、どう考えても助蔵自身より金座が狙い、あるいは新小判の意匠が目的と考えるのが筋《すじ》だ。が、さっきも言ったが、新小判のことは幕府はまだ公表されてない、秘中の秘だ。丹三がそれを知って近付いたとは助蔵も疑ってない。だが、丹三が大きな狙いを持って接近し、離れようとしないことに不安を感じた助蔵は、まず自分の身に何かあったときのために小刀に墨《すみ》を使って、自分の内股《うちまた》に金座、助蔵と彫《ほ》りこんだ……」

手先たちの間から緊張の吐息が漏《も》れた。

「そのうえで丹三が何を狙いに接近してきたか、丹三に探りを入れてもいた。が、丹三の背後に何者かがいるらしく、なかなか丹三も尻尾《しっぽ》を出さない。丹三と助蔵は丁々《ちょうちょう》発止《はっし》、互いの腹を探り合いながら、品川まで辿《たど》りついたことになる。助蔵は所帯を持とうと決めていた女郎の秋世を訪ねる前に、女郎たちが葬られる南願寺を訪ねて住職に道中日誌を預けていた。これだ」

宗五郎が手先たちに見せた。

「それから信濃屋に上がり、荷物を預けたあと、最後の最後に品川の浜の廃屋《あばらや》で丹三と、もうひとりの剣客と会ったと思える。そこで何があったか……分かっていることは剣客に襲われて殺され、船に乗せられて戸田川《とだがわ》の渡しまで運ばれて、岸辺に捨てられた。丹三はな、金座の持ち船を上手に使い、櫓《ろ》の扱いは慣れたものだという。今、聞いてきた。さて、戸田からの帰り船は丹三ひとりであったと思える。となると剣客のねぐらは戸田あたりにあるのかもしれない」

「親分、丹三をはじめ、一味は助蔵に何をさせようとしていたんで。東海道の知立宿から丹三が口説《くど》きに口説いてきたことだ、何も道中日誌に書き残してないんで」

八百亀が聞いた。当然の疑問でもある。

「丹三は使い走りだ。助蔵と江戸まで一緒に来る、それが役と思える。助蔵に漏らしたことがあるとすれば、手伝ってほしいことがある、そうすれば秋世の身請けの金なんぞすぐに出ると秋世の名を出すことぐらいだろう。だが、手伝いの内容はとうとう品川まで喋《しゃべ》らなかった。ともかく品川に仲間が待っていて、仕事の内容と助蔵の割前を話すからと言っただけだ」

「助蔵は金座のことを思い、深入りしてしまったね」

「ということだ」

八百亀の意見に宗五郎が賛成した。

「金座を一味が狙っているとしたら、一大事だ。おれのご先祖は手首を斬《き》り落とされながらも裏口を守りなさった。おれたちも命を捨てても幕府《おかみ》の金座は守らねば、金座裏を名乗ってきた面目がつぶれる」

「へえ、重々承知してますぜ」

八百亀が応じた。

「常丸、政次、金座に行って用人の後藤喜十郎《きじゆうろう》様に会え。丹三をよく知っていた者を二人ほど選んで待機させている。二人を連れてな、しほに会うんだ」

「丹三の似顔絵ですね」

常丸が答えた。

「おお、何枚か描いてもらったら、八百亀たちは明日《あした》っから、そいつを持って丹三の行方《ゆくえ》を当たれ」

「丹三が潜んでいそうなねぐらの見当《けんとう》はつきますかえ」

「御薬園に変わった保次郎《やすじろう》は、丹三が深川でいい顔になっているという噂《うわさ》を聞いたという。ここにな、金座に勤めていたとき、出した請け人の名があらあ。一人は本所深川に住む叔父《おじ》だ、ここいらから始めて虱《しらみ》つぶしに当たるんだ」

宗五郎から手配りする八百亀に紙片が渡された。

「常丸、政次、おめえらは明日から板橋宿に出向いてな。剣客が潜んでいそうな場所を洗い出せ」

「へえ」

「女男松《めおとのまつ》の親分の手を借りるんだ、仁左《じんざ》には亮吉のことも頼んである。二つとも頭に入れて泊まりこみで動け」

宗五郎は手先たちの手配りを終えると、

「おれはこれから寺坂《てらさか》の旦那《だんな》に会って今後のことを相談申し上げる」

と立ち上がった。

「おお、これだこれだ。丹三の顔そっくりだ」

金座役人の二人がしほの手並みに感嘆の声を上げたのは、豊島屋を訪れてものの半刻もしないうちだ。

しほが役目を果たしてほっと安堵《あんど》の色を見せた。

画面には線描ながら、世の中に不満を抱いたように尖《とが》った顔が活写されていた。

「よし、すまねえが何枚か同じものを描いてくれないか」

常丸が頼んだのをしおに金座の二人は豊島屋から金座に戻っていった。

「どうだ、近ごろ一段と腕を上げたろう」

清蔵《せいぞう》は自分が描いたように胸を張った。その手には熱燗《あつかん》の徳利《とっくり》と田楽《でんがく》があった。

「それでおめえたちは明日《あした》っからこいつを持って丹三捜しか」

清蔵が盆を政次らの前に置くと、出来上がった一枚をひらひらとさせた。すると酔眼の顔で通りかかった兄弟駕籠《かご》屋の繁三《しげぞう》が絵に見入って、

「豊島屋の旦那、こいつは何か悪者かえ」

「おおそうだ、おめえたち兄弟もただぼうっと江戸の町を流しているんじゃないよ。頭にこいつの顔を叩きこんで、どこかで出会ったら金座裏にご注進するんだ、わかってるね」

「旦那はおれっちに常丸たちの真似《まね》をさせようって算段か」

「繁三、ごたごた吐《ぬ》かしちゃいけないよ。文句があるなら、滞《とどこお》った飲み代をそっくり払ってから言いな。番頭さん、繁三の勘定書を持っておいで」

清蔵は帳場に座る番頭に合図した。

「へえへえ、ただ今」

清蔵と番頭に掛け合われてはかなわない。

「旦那、それを言いっこなしだ。おれたちだって遠慮しいしい飲んでいるんだからよ」

先棒《さきぼう》の弟の繁三はお喋りだが、後棒《あとぼう》の兄の梅吉《うめきち》は無口ときている。豊島屋の常連で鎌倉河岸《かまくらがし》裏の住人だ。

「おめえさん方が手柄《てがら》を立てるようなことがあったら、借金を棒引きにしてやるよ」

「なんだって、よく見せてくんな」

繁三が張り切った。

二人の会話を聞いていた馬方《うまかた》や船頭が、

「おれっちでもいいかえ」

「だれだってかまいません。手柄を立てた者には豊島屋の清蔵がちゃんと褒美《ほうび》を出しますからね」

しほの描いた人相描きが酔客の間を一巡した。

金座裏の手先たちに必要な六枚ほどを描き足したしほに常丸が言った。

「政次とおれは明日っから板橋宿の銀蔵《ぎんぞう》親分のところに居候《いそうろう》して、助蔵さんを殺したと推量される剣客捜しだ」

「板橋には亮吉さんがいるんじゃないの」

「ああ、そうだ。親分は口では亮吉がその気になるまで捜す気はないと言っていたがな、銀蔵親分に頼んで、亮吉の行方をあたってもらっていなさるんだ」

「そうか、やっぱり金座裏も心配していなさるんだ」

清蔵がしみじみ言った。

「親分は、亮吉が板橋付近にいることを承知で政次とおれに探索を命じなすったのさ」

しほはうんうんとうなずいた。

「ここにいるのは身内のような人間ばかりだ。いい機会だ、政次に言っておこう」

常丸が改まった。

「亮吉が金座裏を出た端緒《きっかけ》についてだ」

「八百亀の兄さんに見張りに精を出せって怒られたせいじゃないの」

「そんなことであいつが家出なんかするものか」

「そうだな、それなら亮吉の奴《やつ》、これまでも何十度となく家出してなくちゃならないからね」

清蔵が賛同した。

「しほちゃん、こいつはおれの推量だが、まず間違ってはいめえ。亮吉がしほちゃんに小雀《こすずめ》を預けた日の前夜、亮吉は下駄貫《げたかん》の兄いと組んで仕事をしていた。おそらくな、下駄貫の兄いが政次のことを吹きこんだんだと思う」

「吹きこんだって、どういうこと」

「うん、政次が松坂屋《まつざかや》から金座裏に身を移した経緯《いきさつ》だ」

清蔵としほがうなずき、政次は相変わらず沈黙を守っていた。

「政次が金座裏に来たのはただの手先になるためじゃねえ。政次、おまえは黙ってな」

口を開こうとした政次を常丸が制した。

「だれもがうすうすと承知していることだが、亮吉はそこまで気が回らなかった。そいつを下駄貫の兄いに指摘されて、動揺したんだと思う」

「常丸さん、おまえさんの言われるとおりだ。下駄貫と亮吉は反《そ》りが合わない。その兄さんから思いもしないことを言われて、亮吉は正気を失った」

清蔵がうなずきながら言った。

「政次、おまえはとっくに気がついていたろう。下駄貫の兄いはあんな気性《きしょう》だ、悪く思うな」

「常丸兄さん、ありがとうございます」

政次が頭を下げた。

「兄さんが推量されていることがあたっているかどうかわかりません。私は必死で兄さんたちの探索を見習う、今はこれしか考えておりません」

「それでいい」

清蔵が兄弟弟子たちの会話を大きくうなずいて受け止めた。

「板橋で亮吉さんが見つかるといいわね」

政次が今度は首肯《しゅこう》した。

「しほさん、雀に餌《えさ》をやっておいたぜ」

前掛けの上を二重に折りこんで相撲《すもう》の化粧回しのように腹の上に巻いた、小僧《こぞう》の庄《しょう》太《た》が言いに来た。

「ありがとう。庄太さんが上手に世話してくれるんで雀はいつでも飛び立てるわ」

「雀を放すのが先か、亮吉が鎌倉河岸に戻ってくるのが先か……」

清蔵の呟《つぶや》きが豊島屋に寂《さび》しく響いた。

亮吉は石神井川の流れに立っていた。が、もはや秋風が吹く夜の川にはほたるの姿もない。

(腹、減ったな)

戸田川の土堤《どて》で恵まれた二朱の金はもはや使い果たしていた。

宿場に行けばなんぞ余りものでもくれるところがあるかもしれない。そう思った亮吉は重い足を引きずって、加賀藩の下屋敷の東側を中山道《なかせんどう》の板橋宿へ向かった。

裏門を大きく迂回《うかい》して門番に見とがめられないように用心した。江戸の町を大手を振って歩いていたときは、そんなことなど気にもかけなかった。だが、物貰《ものもら》い同然の姿に落ちた今、そんな用心が身についていた。

畑作地の間の道を中山道の平尾《ひらお》宿まで出た。板橋宿は平尾宿、仲宿、下板橋宿の三宿を称して板橋宿という。平尾宿は江戸にもっとも近いところだ。

刻限は五つ(午後八時)前だが、さすがに五街道の一つ、戻り馬やら空駕籠が往来して賑《にぎ》やかだ。

亮吉は食べ物屋の明かりを探した。すると加賀邸の表御門の手前に赤い破れ提灯《ぢょうちん》が風に吹かれているのが見えた。馬方や中間《ちゅうげん》相手にめしや酒を飲ませる煮売《にうり》酒屋だ。一度、亮吉は裏口を訪ねて、親父から追い払われていた。

あれは明るい刻限だった。夜ならば残りものでも恵んでくれるかもしれない。

そう考えた亮吉は縄暖簾《のれん》のかかった表から裏口に回ろうとして店を覗《のぞ》いた。さすがに街道に面した酒屋だ。飲み食いする客たちで満員だった。

焼き魚の匂《にお》いが亮吉の腹を刺激した。

（糞《くそ》っ）

路地に回った。開け放たれた格子窓から酔客の声が響いてくる。そして、食べ物の匂いも流れてきた。

「ここで小便しちゃいけないよ」

女の声に怒鳴られた。見るとごみを出しにきた女中だった。

「姉さん、すまない。残り物があったら分けてくれまいか」

「なんだい、おまえはおこもさんかえ」

「成りたてだ」

「おこもの新米《しんまい》だって」

暗がりを透《す》かし見ていた女は、

「待ってな」

と姿を消した。

亮吉は空《す》きっ腹を我慢するために足踏みしながら待った。すると、

「ほれ、旦那に見つかんないように食いな」

と竹皮に包んだものを渡してくれた。

「ありがとうよ、きっと礼はするからな」

「おこもさんの礼なんぞ、あてになるもんかえ」

女が顔を引っこめた。

二

亮吉は温かい包みを懐にすると路地から急いで通りに出た。すると五、六人連れの浪人者が縄暖簾から出てきて、危うくぶつかりそうになった。

「気をつけろ、下郎《げろう》」

「すまねえ、お侍」

亮吉はその場を逃げたい一心でぺこぺこ謝った。

「物貰いか、無礼者が」

酒に酔った若い浪人は亮吉の首ったまに手を伸ばしながら、

「こやつ、拾浄寺《じゅうじょうじ》の庫裏に連れていったぶろうか」

「止《や》めておけ。そうでなくても平岩《ひらいわ》どのに無断で酒を飲みに出たのだ。これで騒ぎを起こしたら、明日の稽古《けいこ》が激しいぞ」

と仲間の一人が止めた。

亮吉は伸ばされた手を避けようと姿勢を低くした。すると臭《にお》いがむうっと漂って、

「こやつの臭いは堪《たま》らんぞ」

「眞弓《まゆみ》、物貰いなんぞにかまうでない。大事の前の小事ということを忘れるな」

「運がいい奴だ」

一行は亮吉を置き去りにすると街道を歩き出した。

亮吉はしばらく呆然《ぼうぜん》としていた。

(平岩だって！　拾浄寺の庫裏だって！　なんてこった、あれは夢じゃなかった)

寿福寺《じゅふくじ》で聞いた侍の声は〝平岩〟のものだったのだ。それにじゅうじょうのてらじゃない。拾浄寺の庫裏の聞き違いだった。

亮吉の手先魂に火が点《つ》いた。

腹が減っていることなど忘れて、声高に話しながら進む浪人たちのあとを追跡し始めた。

平川用水に架かる土橋を渡った浪人たちは明かりも点けずに滝野川《たきのがわ》村の畔道《あぜみち》を確かな足取りで進んでいった。ということは平岩たちが長いこと、拾浄寺の庫裏で暮らしているということだ。

亮吉はおよそ一丁（約百九メートル）ほどあとを尾行していったが、どこをどう歩いているのか見当もつかなかった。中山道からおよそ半里も歩いたか。林の中にさほど大きくもない無住《むじゅう》の寺があった。

片側の戸が外れかけた山門に姿を消した一行からしばらく時をおいて亮吉はその場に辿りついた。

本堂にぼうっとした明かりが点《とも》った。

「糞っ、こんなところに巣くっていやがったか」

無住だが手入れはされていると見えて、そこそこのたたずまいだ。

（どうしたものか）

亮吉はしばし迷ったあと、

（まずは腹ごしらえだぜ）

と山門を見ることのできる松の木の下に座りこんで懐の竹皮包みを取り出した。女中は急いで握ったらしい大きな握り飯と沢庵《たくあん》、それに焼き鯖《さば》の切り身を添えてくれていた。

（こいつはご馳《ち》走《そう》だ。どうやら亮吉様に運が向いてきたというもんだ）

亮吉はゆっくりと貰い物の握り飯にかぶりついた。

大きなげっぷをした亮吉は膨《ふく》らんだ腹をぽんぽんと叩いて、立ち上がった。

「金座裏の亮吉さまのお手並みをごろうじろ」

闇《やみ》に向かって呟いた亮吉はするりと山門を潜《くぐ》り抜け、両側から薄《すすき》の穂が垂《た》れた石畳を寺に向かって進んだ。本堂前は剣道の稽古でもするのか、地面が固く締まっていた。

明かりは住職の住居だったと思えるあたりから漏れてきた。

亮吉は破れ草履《ぞうり》を懐に入れると裸足《はだし》になって床下に潜りこんだ。蜘蛛《くも》の巣がないこともない。が、長い年月、廃寺でなかったことは床下の空気の流れがさほどよどんでいないことでわかる。

亮吉は話し声のする方角へ這いずっていった。

「なぜ断りもなしに酒など飲みに出た。あれほどお務め前は我慢せえと命じてあるではないか」

「平岩どの、それよりもそろそろわれらの報酬《ほうしゅう》を決めて頂きたいものですな」

中年の声がした。

「それに手付け金だ」

「さようさよう」

しばらく沈黙があった。

「そなたらはお務めの内容を子細《しさい》に知ろうともせずに報酬を決めなさるか」

「押し込み、人斬り、強奪……それ以上の何があると申されるか」

別の声が答えた。

「押し込む先が、ちと厄介《やっかい》」

「どこでござるな」

「それはな、明日にもお頭からの連絡《つなぎ》があろう。その後に申そうか」

押し問答がしばらく続いたが平岩は強引に押し切った。

亮吉は高鼾《たかいびき》が聞こえ始めた部屋の下から遠のきながら、当分、拾浄寺の本堂の床下に泊まることを決めた。

常丸と政次は四つ半（午前十一時）過ぎに板橋宿の乗蓮寺《じょうれんじ》前にそば屋を営む女男松の銀蔵親分を訪ねて、宗五郎からの口上を伝えた。同席している手先は仁左一人だ。

「ほう、下手人の身許《みもと》が割れたか」

「ええ、手引きしたのはかつて金座に務めていた同僚の丹三と思えます」

「で、手をかけた者がこのあたりにまだ潜んでいると金座裏では睨《にら》んでいるのだな」

銀蔵は問い、

「ちょいとうちではごたごたがあってな、古手の手先たちが手を抜いてやがる。頼りになるのは仁左一人で、調べが行き届かなくてすまねえ。仁左もてんてこ舞いしているんだが……」

と腹立たしげな顔をした。

「ともかくおまえさん方が出張ってくれたのはなによりだ。仁左、おめえが二人の案内に立ちな」

「へえ」

と畏《かしこ》まった仁左とは、常丸たちは相撲取りのたんぽ槍岩松《やりいわまつ》の事件で一緒に働いている。

「仁左兄い、よろしく引き回してくんな。使い走りはいくらでもおれと政次とでするからよ」

常丸が言い、政次も頭を下げた。

「こちらこそよろしく」

二人は昼飯代わりにそばを馳走になったあと、

「行ってらっしゃいな」

とはるの声に送られて、板橋宿の通り、中山道に出た。さすがに四宿の一つだ、旅人や商人、馬方に駕籠と往来が多い。

「浪人たちが巣くう隠れ家探しは後回しにしてな、常丸さんと政次さんを案内したいところがある、いいかえ」

仁左が言い出し、常丸が答えた。

「郷《ごう》に入っては郷に従えだ。どこへでも連れていってくんな」

三人は中山道を江戸の方角に戻った。すると宏壮《こうそう》な加賀藩の下屋敷の表門が姿を見せ、その前を通り過ぎた。

「昨日さ、知り合いの百姓がそばを食いにきて、寺の床下に若い男が寝泊まりしているって話していきやがった。お前さんたちが来る前に見てこようと思っていたが、いろいろとあって行けねえでいたところだ。ちょうどよかった」

「亮吉かえ」

「街道筋だ。旅籠賃をけちる旅人がさ、寺や神社に泊まっていくからなんとも言えねえ。これまでも何人もあてが外れた」

「手を煩《わずら》わせてすまねえ」

「なあに、うちでも手があればもう少し調べがつくところだがな」

「橋三《はしぞう》兄いたちは今もすねてなさるか」

苦笑いした仁左が答えた。

「親分に一度叱《しか》られてさ、辞《や》めるだの辞めないだのと、この数日は親分の家にも寄り付かない有様《ありさま》だ」

「そいつは弱った。おまえさんも苦労しなさるね」

「仕方ねえ、新参者が跡目《あとめ》だ婿《むこ》だと言われりゃ、古手はすねたくもなろうというもんだ」

「仁左さん、青二才のおれが言うのもなんだが、今、膿《うみ》は出しておいたほうが後々いい。変な手打ちはしないこった」

「橋三兄いらの始末は親分さんにお任せだ。おれはおれで目の前の御用を務めるだけだ」

仁左は街道から左に折れて滝野川村の黄金色に実った田圃《たんぼ》の間を石神井川へと連れていった。

今日も秋日和《びより》でのどかだ。

三人の手先の背に穏《おだ》やかな日射しが落ちて、風が頬《ほお》を撫《な》でていく。

石神井川の流れをこえたところに寿福寺の屋根が見えてきた。

「ここいらにはほたるが棲《す》んでいてな、夏の夕暮れはなんとも美しい」

「はるさんと見物に来なさったか」

「そういうことだ」

常丸のからかいを仁左が平然と受け流した。

「こいつは参った」

山門の前に法事から戻った様子の僧侶が一人、鮮《あざ》やかな橙《だいだい》色の袈裟《けさ》を着て、三人が来るのを待ち受けていた。

「新玄和尚《しんげんおしょう》、こんにちは」

「やっぱり仁左さんだったか」

仁左は常丸らを江戸から来た御用の者だと紹介すると、

「寺に若い男が住んでいるそうで」

と聞いた。

政次は山門の後ろからふいに亮吉が飛び出してくるのではと爪先《つまさき》立ちで見た。

「はいはい、一月《ひとつき》にもなるかねえ。床下に寝泊まりしているのは知っていたが、火を使うわけじゃなし、悪さをするわけでもない、そのままにしておいた。お上の手を煩わすような顔でもないがねえ」

住職の新玄は亮吉を見かけた様子だ。

政次は懐からしほに描いてもらった似顔絵を出すと、

「和尚様、この男でございますか」

と見せた。目を細めて見入った新玄が、

「間違いない、この若い衆だ」

と答えた。

「今もいましょうか」

「さてな、昼間はふらふらと外を歩いているようでな、夜にならなければ戻ってはこぬ」

新玄は三人を床下に案内しようと山門を潜って先に立った。

「あの者はこの二人の朋輩でしてね、ちょいと気紛《きまぐ》れを出して家出をしたんで」

「なにっ、御用を務める方でしたか」

新玄が振り返った。

白い眉毛《まゆげ》に秋の日があたって光っていた。

「若いうちはいろいろと迷うでな」

「そういうことです」

新玄が連れていったのは庫裏から離れた本堂の横手だ。床下に空気を入れる穴の板枠がすれて、出入りした様子が窺《うかが》えた。

「気配はねえな」

仁左が呟く。

「亮吉、いるかえ」

しゃがんだ常丸が穴の奥に声をかけた。だが、森閑《しんかん》として答えはない。

「和尚様、お帰りでしたか」

四人が振り向くと小坊主が箒《ほうき》を手に近付いてきた。

「床下の若い衆はどこかに出かけられたか」

「昨日から戻っていませんよ」

小坊主は確かめた様子で答えた。

「政次、ここにいることはわかった。どうするな」

常丸が聞いた。

「和尚様、床下を見ていいですか」

入って調べると言う政次に新玄がうなずいた。

政次は機敏にも大きな体を折り曲げて、穴に頭を突っこんだ。小柄な亮吉ならするりと抜けようが、政次だとようやく潜る程度の穴だ。なんとか体を伸び縮みさせて穴を潜った。すると手に柔らかいものが触った。

政次は体の位置を変えた。

穴から光が射してきて、亮吉が寝泊まりしていた干し藁《わら》を浮かび上がらせた。

（亮吉……）

胸の内で友の名を呼んだ。

（おまえに嫌われてまで私は金座裏の名跡《みようせき》など継ぎたくない、継がなくていいんだ）

そう言うとごろりと干し藁に政次は寝転がった。すると床板に木切れでこすって書いたらしい文字がかすかに見えた。

政次
彦四郎《ひこしろう》

しほ

（馬鹿め……）

亮吉は寂しさを友の名を書くことで紛《まぎ》らせていたか。

「何かあったか」

常丸の声がした。

潤みかけた瞼《まぶた》を拳《こぶし》で拭くと政次は、

「兄さん、なんにもありませんよ」

と明るく答えた。

仁左は山門に戻る途中、亮吉が戻ったら、直《す》ぐに知らせてくれと新玄和尚に何度も頼んだ。

「相《あい》分かったでな、心配なさるな」

仁左を先頭に中山道に戻りかけた政次は、ふと御用のことを思い出し、聞いてみる気になった。

「和尚様、この板橋宿にうろんな剣客が居候しているという家をご存じありませんか」

「うろんな剣客とな」

石段の上に立った新玄が遠くを見る目付きをしてしばらく考えこんだ。

「心当たりがありますんで」

政次が問いただす。

「一昨日《おととい》、板橋界隈《かいわい》の寺衆の集まりがあってな。だれぞが雑談に、商人に寺内の納屋《なや》を貸したら、本堂を乗っ取られた、浪人者が何人も住みついて困っておると話しているのを小耳に漏れ聞いた」

「その寺ってどこです」

仁左が戻りかけていた道から石段下に引き返して聞いた。

「それがどうしても思い出せん。愚僧とじかに話をしたわけではないからな」

「和尚さん、話をしたお坊さんの近くに見知った顔はありませんでしたか」

「そう言われれば、池袋村の東林寺《とうりんじ》さんの赤ら顔があったような、なかったような」

どうやら集まりのあと、酒が出たらしい。その席でのことのようだ。

「池袋の東林寺ね、これから行ってみますぜ」

「間違っているかもしれんぞ」

「和尚さんに文句は言いに来ませんよ、無駄足もわっしらの仕事のうちだ」

目的ができた三人の足は速くなった。

中山道の北側から街道を突っ切って、畑と田圃の間の道を用水路を何本も横切りながら、三人は秋のつるべ落としの日と競争で歩いた。

東林寺は池袋村のほぼ中央に位置している。

三人が庫裏を訪ねると住職の日達《にったつ》は通夜に出ているとか、小僧に聞いて池袋村の庄屋の屋敷に回った。そこでようやく日達を捕まえることができた。

仁左が寿福寺の和尚の名を出して御用の筋を尋《たず》ねると、

「なにっ、一昨日の集まりの席でか……」

としばらく考えていたが、

「わしもはっきりとはせん。巣鴨《すがも》村の宝性院《ほうしょういん》だったと思うな」

という答えだ。

三人は日がとっぷりくれた田圃道を東に向かってひたすら歩き続けた。


昼前まで床下で頑張っていた亮吉は、床下の穴から平岩宣十郎《せんじゅうろう》が仲間相手に厳しく稽古をつける風景を見物した。

鹿島《かしま》の神伝といわれる新当流《しんとうりゅう》の剣術、棒術、槍《そう》術、薙刀《なぎなた》百般の達人、平岩の動きは素早く力強い。なによりこれまで修羅場《しゅらば》を潜ってきたらしい実践の剣術には凄《すご》みがあった。

「それそれ、そんなことで人ひとり斬れるか」

「棒振りでは血も流せぬわ」

などと言いながら、袋竹刀《しない》で容赦《ようしゃ》なく相手を叩き伏せた。

稽古が二刻(四時間)余り続いて終わったとき、仲間たちはふらふらになりながら井戸端《いどばた》に行ってへたりこみ、

「これも仕事のうちか」

「報酬をたっぷり貰わんと割が合わんぞ」

などと平岩宣十郎への嫌《いや》みを言い合った。だが、面と向かって抗弁する気概のある者はいないようだ。

村のおばばが朝昼兼用の食事を作って、平岩以下が庫裏に膳《ぜん》を並べて食事をする間に亮吉は床下を抜け出した。どこかに行って貰い物をしなければ、腹の虫が収まらなかった。

板橋宿を避けて、滝野川村の百姓屋を訪ねて回り、葬式が行われるらしい庄屋の勝手口で斎《とき》の残り物を貰った。

どうにか腹を満たした亮吉は田圃道を拾浄寺に戻ってくると床下に潜りこんだ。昨日の今日だ。慣れた動きに、亮吉の油断があった。

剣客たちは庫裏に集まってざわざわと酒を飲んでいる。

半刻もした頃、庫裏に緊張が走った。

「瓢箪《ひょうたん》の猪左衛門《いざえもん》のお頭のお出《いで》じゃ」

平岩の声がして粛然《しゅくぜん》とした空気が漂った。

亮吉は床下の地面に、平岩の名とともに、

(ひょうたんの猪左衛門)

と指で書いた。

「長いこと待たせましたな」

瓢箪の猪左衛門のお頭と呼ばれた男の声は初老の落ち着きがあった。上方訛《かみがたなま》りが混じる声をよく聞き取ろうと床下を移動した。

「今晩、この寺を引き払います」

「どちらに行きますので」

浪人の一人が聞いた。

「むろん江戸でおます」

亮吉は聞き耳を立てた。

「戸田川に船を用意させてます。それでな、江戸の隠れ家に移動しますのじゃ」

「おつとめはいつにございますかな」

「まずは金座裏の宗五郎を暗殺せなあきまへん」

亮吉はそんなことをさせて堪るかと中腰になった。

（親分があぶない）

と書いた。

「金座裏？　何者でござるか」

浪人が問い返した。

（金座裏の宗五郎の名も知らねえ田舎《いなか》浪人が……）

そう思った亮吉の頬に冷たいものが当てられた。

「物貰いにしちゃあ、怪《あや》しげな挙動だぜ」

いつの間にか亮吉は数人の男たちに囲まれていた。

「どうする気だ」

「あれ、薄汚ねえ顔だと思ったが、おめえは金座裏の駆け出しじゃなかったか」

「おれの面を知っているおめえは、金座で働いていた丹三だな。引っ括ってやろうか」

　虚勢を張る亮吉の中腰の鳩尾《みぞおち》に刀の鐺《こじり》が突っこまれた。

「ぐえっ」

　という呻《うめ》きを漏らしながら倒れかかった亮吉は懐手にしていたしほの空財布を投げ捨て、その直後に意識を途絶《とだ》えさせた。


　仁左、常丸、政次の三人が宝性院の別寺、滝野川村外れの拾浄寺に到着したとき、四つ半（午後十一時）を過ぎていた。東林寺の日達から宝性院の住職が喋ったことだと聞き出し、巣鴨村の宝性院を訪ねて、ようやく拾浄寺のことを知ったのだ。

　開け放たれた山門の中を常丸らは覗いてみたが人の気配はなかった。

「ちょいとおかしいな」

　仁左が呟く。

「踏みこんでみますか」

　常丸の言葉に仁左が黙って山門を潜った。

　庫裏に明かりが点っていた。

　仁左らは無人と察していても、身構えて腰高障子を引いた。すると庫裏全体に慌《あわ》ただしくどこかへ引き払った様子があった。大徳利が転がり、酒がまだ入った茶碗が残され、食い物が食べ散らかされている。

「逃げやがったな」

三人は手分けして寺の本堂や宿房を見て回った。

残されているのは綿のはみ出た夜具や汚れた褌《ふんどし》、怪しげな絵草紙《えぞうし》や無数の袋竹刀くらいのものだ。再び酒の臭いが染みついた庫裏に戻ってきた。

「おれっちが調べ回っていることが漏れたかな」

仁左が自問するように言った。

「考えられねえこともねえが、今日の今日だぜ」

常丸は今ひとつ釈然としなかった。

政次はふいに鳥が飛び立つように姿を消した庫裏の光景を眺《なが》めながら、

(なぜ急に慌てふためいて消えたか)

と考えていた。

(行灯《あんどん》を消し忘れていくほどの異変が起こったのではないか)

と推測を進めた。

「まずここには戻っちゃ来めえ」

「常丸さん、十中八九、間違いないとこだ」

「一味が移った先は江戸かな」

「助蔵殺しから二月、仕事《つとめ》が近くなって江戸に舞台を移したな」

二人の先輩の会話を聞きながら、政次は見落としはないか考え続けていた。

「政次、板橋宿は銀蔵親分と仁左兄いに任せて、おれっちは金座裏に早々に戻ろうか」

常丸が異変を親分に知らせに走ろうと言った。

「兄さん、床下を調べたい」

「なんだって！　ここにも亮吉が寝泊まりしていたというのか」

「わかりません。でも、気になるんです」

「好きにしねえ」

政次は庫裏の板の間から三和土《たたき》に飛び下りた。すると仁左が壁に掛けられていた提灯に行灯から火を移して、羽目板を外して床下に潜りこもうとした政次に持たせた。

「仁左さん、ありがとうございます」

「おまえさんの相手をしていると、手先と話している気分にならないぜ」

「なにしろ呉服屋の手代が長いものでして」

そう言い残した政次は湿った床下にするりと入りこんだ。

提灯の明かりを差し出して床下を照らしつけた。すると地面を大勢の人間が這い回った痕跡《こんせき》が残っていた。

（亮吉……）

不安な思いに苛《さいな》まれた。

政次は乱れた地面に近付いた。

争いの跡に間違いない。

政次は提灯を大きく移動させた。すると柱石の蔭に浮かんだものがある。汗に塗《まみ》れた空財布だ。手にとると、しほが持っていた財布に似ていた。それに鎌倉河岸裏の出世不動《しゅっせふどう》の御札もあった。やはり亮吉はここにいたのだ。そして、一味に捕縛《ほばく》された……。

（なんてことだ）

政次は財布を手に提灯を掲げた。すると地面に明かりが乱れた文字を拾い出した。

（親分があぶない……）

亮吉が親分と書く人間は金座裏の宗五郎しかいまい。

「兄さん、仁左さん！」

政次は声を張り上げた。二人の手先が機敏に応じて床下に潜りこんできた。

「何があった、政次」

地面を這いずってきた常丸にしほの財布と出世不動の御守りを見せた。

「確かにしほのものだな」

念を押す常丸に政次は、

「出世不動の御札は鎌倉河岸の人間しか持ってませんよ」

と答えながら、明かりを移動させた。

（ひょうたんの猪左衛門）

と指で書かれた文字が浮かんだ。

三

常丸と政次が金座裏に汗みどろで走り戻ってきたのは九つ（午前零時）過ぎのことだ。

格子戸《こうしど》を叩く音に住み込みの手先たちが気づき、

「常丸兄い、政次、なんぞあったか」

と玄関の戸と門前の格子戸を開いた。

二人は夜露《よつゆ》を肩に落として格子戸を潜った。

「親分を起こしてくんな」

常丸が仲間に言う前に宗五郎も起きていた。寝間着《ねまき》のまま、長火鉢の前で血相を変えた二人の手先を迎えた。おみつも寝間着に羽織をかけながら姿を見せた。

「亮吉の身になんぞあったか」

宗五郎が心配した。

「親分、それなんで」

泣きそうな顔の常丸が言い、

「政次、おめえの手柄だ。おめえから親分に申し上げろ」

と聞き込みの報告を譲った。

「はい」

政次はしほの財布を指し示すと、急転した一日を順を追って告げた。

金座裏の居間と広間に緊張が走った。

順序立った政次の報告は終わった。

瞑目《めいもく》して聞いていた宗五郎はすぐには答えなかった。そして、長い間をおいて、

「亮吉め……」

と呟いた。

「おまえさん、亮吉にまさかってことは……」

さすがにおみつの声もおろおろしていた。

「始末するんなら拾浄寺でしていよう。ともかく明日、女男松のところから知らせがなければ、亮吉は生きて江戸に移されたってことだ」

「親分」

常丸が呼びかけた。

「瓢箪の猪左衛門たあ、一味の頭目でしょうかね」

宗五郎はゆっくりと双眸《そうぼう》を見開いた。

「瓢箪の名に覚えがある。明日、与力《よりき》の今泉《いまいずみ》様と寺坂の旦那と相談してからな、おめえらには話す」

宗五郎の静かな物言いの中に重い緊張があった。

「常丸、政次、ようやった」

二人はようやく手拭《てぬぐ》いで額の汗を拭いた。

「これで助蔵殺しと亮吉の家出が一緒になったってことだ。明日《あした》っから丹三のねぐらをしゃかりきになって探し出せ」

「へえっ」

手先が声を揃《そろ》えた。

「常丸、政次。助蔵の死体を船で品川から戸田まで運ぶ小細工をする一味だ。平岩とかいう剣客たちもおそらく戸田川を下って、江戸に入ったと思える。おめえらは大川《おおかわ》ぞいに本所深川を聞き込みに回れ」

「へえ」

「はい」

二人の手先が返答した。

寺坂毅一郎《きいちろう》を早朝に訪ねた宗五郎はしばらく話し合ったあと、二人連れ立って吟味《ぎんみ》方《がた》与力今泉修太郎《しゅうたろう》の役宅の冠木門《かぶきもん》を潜った。すると玄関先に槍《やり》持《も》ち、草履《ぞうり》取り、挟箱《はさみばこ》持ち、若党などが顔を揃えて主人の出を待っていた。

「これはこれは寺坂様に金座裏の親分がお揃いで」

と老小者《こもの》の杉造《すぎぞう》が迎えた。

「旦那様にございますな」

火急《かきゅう》の事と察した杉造は、すぐに二人の訪問を奥に告げ知らせた。

二人が修太郎の居間に通されると、主は茶の肩衣《かたぎぬ》を身につけて奉行所《ぶぎょうしょ》に出仕するばかりの様子であった。

「朝から二人が顔を揃えてくるとは容易ならぬ事態じゃな」

「ちと急ぎますゆえ役宅まで押しかけてございます」

「そのような斟酌《しんしゃく》は無用」

と言い切った修太郎は小者を奉行所に走らせ、少し出仕が遅れる旨《むね》を連絡させると座り直した。

「申せ、寺坂」

「わっしから話させて頂きます。今泉様もご存じの金座手代助蔵殺しの一件が急転してございます……」

と宗五郎はそう前置きして、常丸と政次が探り出してきた板橋宿での出来事を克明《こくめい》に語った。

「なんと、おまえの手先が一味の手に落ちたか」

「今泉様、亮吉にはしばらく頑張ってもらうしかありますまい。それよりも大事なことは、お上の御金座《ごきんざ》が凶盗に狙われていることにございます」

「いや、その前に邪魔な宗五郎を暗殺しようとしておる」

寺坂が言い出した。

「わっしのことはご心配なく。わが身くらい、なんとでも守れますよ」

「金流しの十手で降り懸かる火の粉を払うのはそなたの腕では難しいことではあるまい。だがな、宗五郎、寺坂が心配しているのは亮吉の拉致《らち》もそなたの暗殺の企《くわだ》ても金座の押し込みもすべて同じ瓢箪の猪左衛門一味の策動、一つひとつ別々に考えるわけにはいかぬということじゃ」

「分かっております、今泉様」

「ところで瓢箪の猪左衛門とは何者だ。覚えはあるか」

修太郎が父の宥之進《ゆうのしん》の隠居《いんきょ》に伴い、北町奉行所与力を拝命してまだ四年にもならない。

「お父上の宥之進様はご存じの名にございますよ」

「北町と関わりがある男か」

へえ、と答えて宗五郎は言った。

「確か九年前の天明《てんめい》九年（一七八九）の正月のことにございました。三宅島《みやけじま》流人の瓢箪の猪左衛門が漁師の船を奪って、仲間二人と嵐の海に乗り出し、伊豆に漂着したのでございます」

「猪左衛門は何をいたして流人になったな」

「金持ちの後家を三人ばかりたらしこんで金を奪い、邪魔になった女を括《くく》り殺した凶悪な野郎でして」

「そのようなものが遠島《えんとう》で済んだか」

「こいつが強情な野郎でして、殺しは一切認めません。それに巧妙にも証拠を始末して、仲間と口裏を合わせて、女たちが殺された時刻、仲間と博奕《ばくち》をしていたと強弁しましたんで。お上《かみ》じゃあ、老中《ろうじゅう》の許しを得て拷問《ごうもん》にもかけましたが、金は女から貰ったの一点張りでとうとう右膝《ひざ》を砕《くだ》いても、殺しは吐きませんでした。そこで他に犯した脅迫の数件を立件して、北町奉行曲淵甲斐守《まがりぶちかいのかみ》様が三宅島遠島を命じられたのでございますよ」

「いくつにあいなる」

「遠島になったのが確か三十六でございました。今では四十五、六のはずで」

「捕まえたのは宗五郎、そなたか」

「はい。こいつが凶悪な野郎でして、長脇差《わきざし》を振り回して手先を何人か怪我《けが》させました。わっしが足がらみに押し倒してようやく取り押さえました。そのとき、野郎は、金座裏、この恨《うら》み、かならず晴らすぜと切れ上がった両眼を血走らせて、叫んだものにございますよ」

「瓢箪とはまた変わった名だな」

「へえ、親父が瓢箪で作った花入れやら酒入れを商《あきな》っておりましてね、瓢箪屋の倅《せがれ》が縮まって瓢箪になったのでございますよ。ですが、この猪左衛門の顔がまた長くて瓢箪のようにしゃくれているんで。それに申してよろしいかどうか……」

と宗五郎は迷った末に言った。

「それと、こやつの一物《いちもつ》が瓢箪のように長いそうで。この持ち物で年増《としま》女を虜《とりこ》にしていたようなんです」

「呆《あき》れたな、そのように特徴のある顔なら島抜けしたあと、すぐにも捕縛できたろうに」

「そこでございます。わっしらも島抜けの知らせをもらって、当座は緊張して待ち受けておりました。だが、野郎は江戸に舞い戻らなかった。そいつが九年ぶりに江戸に帰ってきたようなんで」

「今泉様、なんとしても御金座襲撃を阻止して、瓢箪の猪左衛門の首を獄門台に晒《さら》さねば、江戸の治安は危機に陥《おちい》りますぞ」

寺坂も口を揃えた。

「寺坂、宗五郎、奉行所の調書をすぐさまに調べてな、瓢箪が江戸にいた当時のことなどを改めてみよう。それとじゃ、お奉行に面談いたしてどう手配りするか、ご相談申し上げる。なんといっても金座は勘定《かんじょう》奉行所の支配じゃからな」

「お願い申します」

寺坂と宗五郎は用件を達して畏まった。

「宗五郎、いま一度申す、無理をするなよ、そなたの代で金座裏の名が終わるようだと、われらばかりかお奉行まで辞職せねばならぬわ」

「そんな大袈裟《おおげさ》な……」

「いや、そなたは将軍家の許された金流しの十手持《じっても》ち。われら与力同心といっしょになるものか」

修太郎が半分真顔で言い、出仕のために立ち上がった。

助蔵の死体が発見された戸田川は、下流に行って荒川と名を変え、新綾瀬川と合流して大川となる。常丸と政次はその早朝から彦四郎が船頭の猪牙舟《ちょきぶね》で隅田村《すみだむら》の鐘ヶ淵《かねがふち》付近から大川沿いに聞き込みを続け、浪人剣客が潜んでいそうな場所を洗い出していた。

なにしろ亮吉の命が関わっているのだ。

三人とも岸辺に船を舫《もや》っては汗みどろになって走り回った。だが、隅田村から寺島《てらしま》村《むら》に下ってもまだ手がかりはなかった。

「政次、亮吉は大丈夫だよな」

大男の彦四郎が泣きそうな声で聞く。

「彦四郎、朝から何度同じことを聞くんだ」

「だってよ、おれ、心配で心配で」

「だから、こうして駆け回っているんだろうが」

とっくに昼は過ぎていた。

「政次、彦四郎、なんぞ腹に入れよう」

常丸が言い出したのは、めしの暖簾を見つけた橋場《はしば》の渡しだ。

「おりゃ、食いたくねえ」

と言いながらも彦四郎が渡し船を避けて、猪牙舟を岸辺につけた。

「長丁場《ながちょうば》になるかもしれねえんだ。万が一のとき、力が出ないようじゃ、手先は失格だ」

常丸が言い、店先に盆を持って立っていた年老いた親父に、

「なんぞ食わしてくんな」

と言った。

「鮒《ふな》の甘露煮《かんろに》に里芋《さといも》の煮たものくらいしかねえぜ。汁は蜆《しじみ》だ」

「おお、それで結構。めしは丼《どんぶり》に盛ってくんな」

常丸が注文して、縁台に腰を下ろして渡しを見た。今しも対岸の浅草橋場町から渡しが着こうとしていた。

「あいつはよ。一人になると空《から》っきしだからな、今ごろ泣いているぜ」

「彦、無駄なことばっかり繰り返していると、兄さんに頼んで龍閑橋に帰すぜ」

政次に言われてしばらく黙っていたが、

「おれよ、めしはいらねえ。ここいらあたりを聞いてくらあ」

と立ち上がった。そのとき、

「お待ちどお様」

と親父と小女と二人で盆にめしを運んできた。

「政次の言うとおりだ。これじゃ使い物にならねえ、綱定《つなさだ》に帰すか」

常丸が言い出し、また彦四郎は尻《しり》を落ち着けた。だが、めしを前にすると彦四郎は黙々と箸《はし》を動かして、あっという間に丼めしを平らげ、お代わりをした。

「じいさん、おれたちは金座裏で御用を承る宗五郎のところのものだが、この辺に怪しげな浪人たちが引き移ってきたところはないかい」

「浪人だって」

「いやさ、移ってきたとしたら、今朝のことだ」

「今朝のことがわかるものか」

そう答えて親父は言った。

「こっち岸はな、どこも古くからの人ばかりだ。よそ者が来ればすぐにわかるもんさ」

「向こう岸に心当たりがあるというのか」

「浪人にはないね」

と親父が答えたとき、お代わり、と彦四郎が三杯目を出した。

その日の日没を常丸たちは源森川《げんもりがわ》が大川に注ぐ小梅村《こうめむら》で迎えた。この下流は大名屋敷や旗本屋敷の間に町家が混じる密集地となる。

「彦四郎、引き上げようか」

常丸が疲れた声を上げた。

「うん」

と彦四郎は返答したが、すぐに行動を起こそうとはしなかった。

「これ以上、日が落ちての聞き込みは無理だぜ。いったん金座裏に戻って、親分の指示を仰ごう」

彦四郎が櫓を取り上げたとき、政次が常丸に聞いた。

「兄さん、橋場のめし屋はいつまでやっていますか」

「渡しもそろそろ終わりだ。めし屋も暖簾を下げていようぜ」

常丸がどうしたという顔で政次を見た。

「兄さんが向こう岸に心当たりはあるかと聞いたときのことだ。親父は浪人にはないねと含みを持った返答をした。そのときに彦四郎が三杯目のお代わりをしたんで、話は尻切れトンボに終わりましたね」

「ああ、おれもあれは胸に突っかえていたんだ」

常丸はその情景を思い出すように考えこんだ。

「確かに浪人にはねえと答えたな。もしかしたら怪しげな町人か何かに覚えがあったかもしれねえ……」

「……わかりません。ただ、含みを残した返答が気になって」

「戻るか」

今度は彦四郎が櫓に飛びついて、一息に力を込めた。

猪牙舟は再び舳先《へさき》を上流へと向け、船足を速めた。

橋場の渡しに猪牙舟が着いたとき、渡しも終わり、河原のめし屋は戸締まりをしていた。だが、そこに寝泊まりしているのか、明かりが漏れていた。

「遅くにすまねえ。昼間、めしを食った金座裏の手先だ。聞き忘れたことがあるんだ、開けてくんな」

常丸が大声を上げて、締め立てられた戸の向こうに呼ばわった。しばらくこちらの様子を窺う様子がした。

「怪しいものじゃねえ、金座裏の手先の常丸だ」

ようやく心張棒《しんばりぼう》を外《はず》す音がして、戸が薄く開かれた。

昼間の年寄りだった。

「兄さん方、またなんだい」

「おめえさんは向こう岸にさ、怪しげな浪人には心当たりねえと返答なさったな」

「確かにしたさ、それがどうした」

「もしかしたら、浪人者でなくてさ、心当たりがあるんじゃねえかと思ってさ、聞きに戻ってきたんだ」

親父が三人の顔を順繰《じゅんぐ》りに見て、聞いた。

「それをわざわざ……」

「そうだ」

「驚いたぜ」

「無駄足だったか」

親父は顔を横にゆっくりと振った。

「そいつは知らねえ。おれが橋場の太郎吉《たろきち》に聞いた話だと、橋場町と今戸町の入会地《いりあいち》、浅茅《あさじ》ケ《が》原《はら》の百姓家にさ、上方訛りの男たちが何人か、何か月も前から移り住んできたそうだ。こいつらは昼間、ひっそりして過ごし、夜になると仲間が集まってきてよ、夜明け前にはまた散っていくって話だ。まずは堅気《かたぎ》じゃあるめえ、賭場《とば》でも開いているんじゃねえかとね、太郎吉は言っていたがね。このことがあったからさ、おれは浪人には心当たりがねえと答えたんだろうよ」

「橋場の太郎吉さんは何をしている人だえ」

「寺島村に野菜を買い出しに来てさ、そいつを浅草界隈でぼて振り商いしている男だよ」

「住んでいるところがわかるか」

「橋場町は総泉寺《そうせんじ》の東側、大門通りから裏に入った五平《ごへい》長屋の住人だよ」

「助かった、恩にきるぜ」

三人は猪牙舟に戻ると大川を左岸から右岸へと一気に渡った。

金座裏では足を棒にして歩いた八百亀たちが戻ってきた。どの顔も疲労を重く顔に張りつかせて、成果のないことを示していた。

「兄いたちも駄目かえ」

だんご屋の三喜松《みきまつ》が八百亀らを迎えた。

「丹三の足取りは何年も前からなしだぜ」

居間には寺坂毅一郎がいて、煙草《タバコ》を吸っていた。

「あとは常丸と政次の組だけか」

宗五郎が呟いた。

寺坂は黙っている。

金座裏では皆が押し黙り、重い空気が流れた。

太郎吉は酒を飲んで、早寝をしていた。

常丸たちがすまねえと言いながらも起こすと酔眼を訪問者に向けて、

「もう、朝かえ、徳《とく》さん」

とだれか仲間と間違えたか、聞いた。

「いや、おれっちは金座裏の手先だ。ちょいと聞きたいことがあってよ」

「よしてくんな。おれは朝が早いんだ」

搔巻《かいまき》きを頭から被《かぶ》ってごろりと横になった。

「まあ、待ってくれ、兄い。一つだけ答えてくんな。おめえが橋場の渡しのめし屋の親父に喋った一件だ」

「おれが何を喋ったって」

太郎吉はまた起き上がった。寝間着の裾《すそ》から褌が覗いている。

「浅茅ヶ原の百姓家にうさん臭い連中がいるそうじゃないか」

「ああ、あれかい。あいつら、引っ越したぜ」

「いつのことだ」

「二、三日も前のことかね」

「行き先は知らねえか」

「おれは青物のぼて振りだ。お上の御用はつとめてねえ」

常丸と政次はがっくりと膝から力が抜けた。

「すまねえ、寝入りばなを起こしてよ。寝てくれ」

二人が九尺二間のせまい三和土から長屋の路地に出ようとすると、

「何がすまねえだ、冗談じゃねえぜ。目が覚めちまったぜ」

とぼやきながら、水瓶《みずがめ》に這い寄り、柄杓《ひしゃく》を突っこんだ。

「後釜《あとがま》は今朝越してきたぜ。おっかなそうな浪人者ばかりだ……」

と言い出した。


彦四郎が金座裏に荒い息で飛びこんできたとき、刻限は四つ（午後十時）を大きく回っていた。

親分の宗五郎も八百亀ら手先たちも顔を揃えて、しけた顔をしていたところだ。

「親分、板橋宿から姿を消した浪人どもの巣を見つけたぜ！」

彦四郎が、獲物を銜《くわ》えて飼い主の許に戻ってきた猟犬のように喚《わめ》き立てた。

「おおっ！」

手先たちの間からどよめきが起こった。

「でかしたな、彦四郎」

宗五郎が褒めた。

おみつが手早く急須《きゆうす》から注いだ茶を一息に飲んだ彦四郎が、

「浅草裏の浅茅ヶ原の百姓屋だ。常丸さんと政次が見張っていらあ」

と叫んだ。

「いるのは浪人どもだけか」

「ああ、十人はいる気配だ。夜明け前に橋場に荷船をつけて、浪人たちだけが浅茅ヶ原に入ったのを早起きの百姓に見られていた。板橋宿から船で浅草に来られるとはなんぞと大声で喋っていたそうだ」

「亮吉は一緒にいそうか」

「そこまでまだ手が回らねえや」

「彦四郎、まだ力は余っているか」

「ああ、親分自ら橋場に出陣だね、断られたって行くぜ」

宗五郎が供の手先を指名した。

「野郎どもは今朝移ってきたばかりだ、今晩の務めということはあるまい。だがな、万が一ということもある。下駄貫、おめえが留守組の頭だ、気を抜くな」

へえっと下駄貫が黒い顔を縦《たて》に振って受けた。

「おみつ、常丸たちのめしを用意してくんな」

「言うには及ばず、できているよ。彦四郎さん、おまえもだんご屋に櫓を預けて、めしを食いながら戻りな」

だんご屋の三喜松は素人《しろうと》ながら、櫓を上手に漕げた。

「へえ、合点《がってん》だ」

宗五郎が神棚の金流しの十手を背の帯に差し落とした。

おみつが玄関先で切り火を打つ。それを背中に受けて、宗五郎、八百亀、三喜松、それに彦四郎が御堀端に走った。

四

橋場と今戸の二つの町の入会地の浅茅ケ原は月光に薄《すすき》の穂を白く光らせて、南北に長く広がっていた。

板橋宿から移ってきた浪人たちの潜む百姓家は普段入会地で作業するときに使われる茅葺《かやぶ》きだった。

宗五郎らが彦四郎の案内で浅茅ケ原に到着したとき、常丸だけが明かりの漏れる家を眺めていた。

「親分」

「よくやったな」

「今、政次が念を入れに行ってます。気取《けど》られるなと言ってありますから無理はしますまい」

そう言っているところに政次が姿を見せた。

「ご苦労だったな」

「頭分の平岩はいる気配ですが、亮吉はいませんね。浪人たちはさっきまで酒を飲んで騒いでましたが、一人ふたりと寝につきました」

「瓢箪の猪左衛門はどこぞに別の隠れ家を持っているってわけだ。ともあれ、今晩のところはつとめはなさそうだな」

「まずありますまい」

常丸が答えた。

「瓢箪が動き出すのはそう遠い先のことではあるまい。八百亀、明日から浪人どもを見張る手配をしろ」

「へえ、承知で」

宗五郎は丑《うし》の刻（午前二時）まで待機したあと、

「八百亀、だんご屋、朝には応援を寄越《よこ》す。それまで辛抱《しんぼう》しな」

と二人に後を任せた。

常丸、政次を連れた宗五郎が橋場の河岸に戻ると猪牙舟から彦四郎の高鼾が聞こえてきた。

「彦四郎」

政次がやさしく揺り起こした。

「うん、引き上げかえ」

猪牙舟が流れに乗ったとき、

「三人には長い一日だったな」

と、宗五郎が労を労《ねぎら》った。

金座裏の手先たちが交替で浅茅ヶ原を見張った。だが、平岩宣十郎も浪人たちもごろごろしているばかりで外に出る気配はない。

食事は今戸橋の長屋に住む後家のおせんが魚や野菜を竹籠《たけかご》に担《かつ》いできて料理を作り、飯を炊く。それが三度繰り返され、一日が終わった。

「つなぎがない」

との報告を受けた宗五郎は、煙草を吸いながら考え、

「常丸、政次。めし炊きのおせんの長屋に見張りに立て。気取られるんじゃないぞ」

と二人の手先を後家の周辺に張りつかせることにした。

白鬚《しらひげ》の渡しの下流、大川のほとりにあるめし炊き、おせんの長屋はじめじめとした低地にあって、付近ではなめくじ長屋と呼ばれていた。

おせんは屋根から落ちて死んだ瓦《かわら》職人の亭主と所帯を持ったときから、なめくじ長屋に住んでいた。少しばかりねじが外れた女で、受け答えも間延びして鈍間《のろま》だった。

三日目の夕刻、ちびた下駄を引きずるように戻ってきたおせんを二人の男の子が迎えた。

「寺子屋の先生がよ、おっ母《かあ》にって」

七つばかりの倅が習字の手習い帳を差し出した。

「字は上手になったか」

「ああ、褒められたぜ」

おせんは竹籠を長屋の入り口に下ろすと手習い帳をその中に置き、井戸端に走って今度は子供たちの夕餉《ゆうげ》の仕度に掛かった。

常丸と政次は大川の岸辺に浮かべた釣り船からこの様子を眺めていた。

金座裏では宗五郎が寄り合いに出るために羽織を引っ掛け、

「おまえさん、気をつけて」

とおみつに見送られて、本両替町《ほんりょうがえちょう》の通りに出た。ちょうど兄弟駕籠屋の繁三と梅吉が通りかかった。

「親分、そのなりは御用じゃねえな」

「柳橋での寄り合いだ。乗っけてもらおうか」

「ありがてえ、今日は三隣亡《さんりんぼう》でかすばかりだ」

「ならば、寄り合いを待ちねえ。帰りも頼もうか」

「こいつはついたぜ」

代々宗五郎家では、出入りの大名家や旗本高家の留守居役やら用人らと春と秋、顔を合わせる寄り合いがあった。何か揉《も》め事《ごと》が起こったときのために、日頃《ひごろ》から町方と親交を重ねておくという留守居役たちとの宴席だ。

金座裏から小伝馬町《こでんまちよう》を抜け、浅草橋で神田川を渡った浅草下半右衛門町に寄り合いの料亭はあった。

繁三と梅吉は二刻ばかり時をつぶし、珍しく酩酊《めいてい》してふらふらの宗五郎を這《ほ》う這《ほ》うの体《てい》で駕籠に乗せた。

帰りは柳橋を渡った。

刻限は四つ（午後十時）を過ぎて、人通りもない。どこかで犬が遠吠《とおぼ》えをした。

「兄弟、親分さんがこんなに酔うなんて、明日はお天道様《てんと》が西から上がるぜ」

先棒の弟が言い、後棒の兄が、

「ああ、親分だって酔いたいときもあらぁ」

と珍しく言葉を吐いた。

繁三はふと前方に立つ一つの影を見た。

懐手をした浪人だ。

繁三は進む方向を変えた。

影は動く気配がない。

「ごめんよ」

繁三が殺気を漂わせた浪人のかたわらを通り過ぎようとしたとき、

「駕籠屋、命が惜しくば、駕籠を置いていけ」

と影が沈んだ声で命じた。

「冗談は言いっこなしだ。商売道具を置いていけるものか」

足を緩《ゆる》めて答えた。

「死にたいか」

声はあくまで平静だった。それが一層不気味なものを兄弟に予感させた。

「さ、侍、物盗《ものと》りならやめておきなせえ。客は江戸でも名高い金流しの親分さんだ」

「その金座裏の十手持ちに用事があるのじゃ」

影がいきなり剣を抜き打ちにすると切っ先を駕籠の垂れの奥に突っこんだ。

神速の剣捌《さば》きだ。

「ああっ！」

繁三の悲鳴と同時に、剣が突っこまれたのとは反対側に宗五郎が転がり出た。

「待っていたぜ、平岩宣十郎」

「おのれ、たばかったか」

「たばかったもないもんだ。おめえさんを誘い出したのよ」

宗五郎の手が背に回り、一尺六寸の金流しの長十手が駕籠先の小田原提灯の明かりにきらめいた。

起き上がった宗五郎に酔った様子はなかった。駕籠の棒先を回った宗五郎は自ら平岩の前に出た。

「繁三、梅吉、怪我するといけねえ。離れてな」

兄弟駕籠屋は宗五郎の注意に十間ばかり離れたところまで走ると、息を飲んで対決を振り返った。

平岩宣十郎が気力をため直して、剣を上段に振りかぶった。

宗五郎は十手を斜めに立てて、構えていた。

間合いは三間。

その姿勢で両者は動かなくなった。

繁三と梅吉には無限に長く感じられた時間が流れた。

神田川から風が吹き上げてきて、駕籠先の提灯が揺れ、射し掛ける明かりが左右に動いた。

「きえっ！」

怪鳥《けちよう》のような気合いを発した平岩宣十郎が突進した。

一気に間合いが切られ、平岩の上段の剣がしなるように宗五郎の眉間《みけん》に落ちてきた。

宗五郎も前屈《まえかが》みに走った。

金流しの十手がひらめき、落ちてくる剣の刃を下から叩きつけるように撥《は》ねた。

火花が散って、両者が駆け違った。

「おのれ!」

くるりと反転した平岩宣十郎の視界に見回りの御用提灯の明かりが入った。

「運がいいやつじゃ。今宵《こよい》は見逃して遣《つか》わす」

抜き身の剣を片手に平岩宣十郎は柳橋の方角に走って消えた。


翌日から動きが止まった。

浅茅ケ原の浪人たちの百姓屋に訪ねてくる者もなく、平岩も浪人たちも外出をする様子はなかった。

二日、三日と時が流れていった。

鎌倉河岸の豊島屋では、兄弟駕籠屋が宗五郎と剣客平岩宣十郎の未完の戦いを飽きずに語っていた。

しほは亮吉の身をひたすら案じていた。

「諦《あきら》めましたかねえ」

下駄貫が見回りにきた宗五郎に言った。

「瓢箪の奴、おれっちが気を抜くのを待っているのよ」

宗五郎は長い時間、考えた末に外出の仕度をおみつに命じた。

「今日はわっしらが供をいたしやす」

と八百亀が言い出した。

「真っ昼間だぜ、それにご町内だ。おれ一人で十分だ」

宗五郎はそう言い残すとふらりと金座裏を出て、一刻後には戻ってきた。

が、宗五郎はどこに行ったか、八百亀らにも話さなかった。

夕刻から木枯《こが》らしのような烈風が江戸の町を吹き荒れた。

なめくじ長屋のおせんのところに若い男が、

「恵吉さんが寺子屋に手習い帳を忘れなさったんでね、持ってきましたよ」

と届けに来た。

「常丸さん、ちょいと変じゃありませんか。この前からおせんと子供は何度も手習い帳をやりとりしましたね」

「ああ、寺子屋が弟子の忘れた手習い帳をわざわざ届けるものか。おかしいな」

常丸が釣り船を河岸に着け、

「政次、野郎を尾《つ》けてみな、ぬかるなよ」

と政次を送り出すと、自分はおせんの動きに注目した。

政次は油断のない挙動でなめくじ長屋を出た若い男を細心の注意で距離をおき、尾行していった。

橋場の通りに出ると、男の歩き方は前屈みから肩を怒らせるような猛々《たけだけ》しいものに急に変わった。

山谷《さんや》堀に架かる今戸橋を渡った男が入ったのは、聖天町《しょうでんちょう》の浅草寺領に囲まれた町家で、どこぞの商家の別宅のような造りだ。あたりに目を配って、するりと屋内に姿を消した男の背に、危険と血の匂いを政次は感じていた。そして、別宅からは、何人もの人間が潜んで醸し出すただならぬ空気が漂ってきた。

時をおいて、政次が別宅の前を通り過ぎると、

「手習い教授」

の看板が門前にかかっていた。が、あまり流行《はや》っているとも思えない。

(瓢箪一味の盗っ人宿だな)

政次はそう考えながら、別宅の周りをぐるりと回った。

同じ刻限、おせんが浅茅ケ原の百姓屋に向かって長屋を出た。

おせんが手習い帳を届けに百姓屋を訪ねたあと、浪人たちの動きが急に慌ただしく

なり、ばたばたと仕度をし始めた様子を常丸はしっかりと確かめた。

深夜になってさらに風が増した。

御城近くの御作事奉行《おさくじ》と小普請奉行《こぶしん》の定小屋の間から火が出た。火は風に煽《あお》られて、炎を立ちのぼらせ、定火消《じょうびけし》の火の見番が発見、太鼓が鳴らされ、

「御作事奉行定小屋付近より出火！」

と言う声が響いて、たちまち大騒ぎになった。

定火消、方角火消と御城を守る火消しが出動し、町火消は御堀前で待機に入った。

むろん月番北町奉行所もただちに動いた。

そんな最中、今度は日本橋から京に向かう東海道筋、新右衛門町《しんえもんちょう》の雑貨問屋付近から火が出た。すると待機していた町火消はすぐに反転して、町家の消火に駆けつけていった。

金座裏では異変が起ころうとしていた。

定火消の格好をした一団が御堀から船を一石橋《いっこくばし》に着け、上陸した。

火事装束に厚地の刺子頭巾《さしこずきん》の一団は出火騒ぎの御作事奉行所の小屋には向かわず金座に走り、しころ頭巾の頭目が表門前に立つと大声を張り上げた。

「金座長官後藤庄三郎《しょうさぶろう》どのに申し上げる。金座火付《ひつけ》の密告あり、われら定火消一番組、村越和吉郎《むらこしわきちろう》以下警戒にまかり越した、開門されよ」

「ご苦労に存ずる」

すぐに声が応じ、潜り戸が開いて町人が一人姿を見せた。

「門番、われら定火消じゃ、ただちに開門を!」

「瓢簞の猪左衛門、年貢《ねんぐ》の納《おさ》め時よ」

町人が叫び、手に金流しの十手が光った。

二十数人の定火消仕度の盗賊たちを指揮するしころ頭巾が頭巾をむしり捨てた。すると島抜け以来の数々の血の所業を五体と顔に染み付かせた瓢簞の猪左衛門の凶相が現われた。

「宗五郎、この時を待っていたぜ!」

瓢簞が腰に差した剣を抜いた。

「瓢簞、金座手代の助蔵を殺した上に火付をして、火事騒ぎに乗じて定火消装束で金座に押し入ろうたあ、いい度胸と褒めておこうか」

「宗五郎、今晩は逃さぬ。命は貰った」

瓢簞のかたわらから剣客平岩宣十郎が叫んだ。するとそれに呼応するように表門が薄く開き、股立《ももだ》ちに襷《たすき》掛け、頭に白鉢巻の寺坂毅一郎が姿を見せた。

「そなたの相手は北町定廻同心寺坂毅一郎じゃ！」

町奉行所同心の中でも直心影流《じきしんかげりゅう》の腕は一、二を争う寺坂毅一郎が叫ぶと平岩宣十郎の前に立《た》ち塞《ふさ》がった。

それをにっこり笑って見た宗五郎が、

「おれは代々金座裏をお守りするのが務めだ。だが、今夜ばかりは後藤様のお許しを得て、表門を守ってみせようか」

「これでもやるかえ、宗五郎」

火消装束の中から腕と胴をぐるぐる巻きにされた亮吉が連れ出され、瓢簞の猪左衛門の刃が憔悴《しょうすい》し切った若者の首筋に当てられた。

「お、親分」

「亮吉」

宗五郎と亮吉の視線が激しく交錯《こうさく》した。

「自慢の金流しを捨てねえな、そっちの同心もだぜ」

瓢簞の猪左衛門の剣の刃が強く当てられた。すると亮吉の首筋からすうっと糸を引いて血が流れ出した。

「子分を見殺しにしていいんだな！」

「親分、こやつの言うことを聞いちゃならねえ！」

亮吉が叫び、

「本気だぜ！」

と瓢箪が喚き返したとき、定火消装束の一人がするすると瓢箪の猪左衛門に歩み寄り、いきなりその背に体当たりを食らわせた。

「な、なにをしやがる！」

手下の造反に瓢箪は憤怒の表情を見せながら、宗五郎の前に転がった。体当たりをした定火消は頭巾を脱ぐと亮吉の体を抱いて、表門の前、寺坂のかたわらに走った。

「おおっ、政次か」

寺坂は叫ぶと突進してきた平岩宣十郎の胴を腰を据えて、深々と撫《な》で斬っていた。

（どおっ……）

と平岩が横倒しに倒れた。

慌てて立ち上がろうとする瓢箪の猪左衛門の眉間を、びしりと金流しの十手が叩きつけた。

「引き上げじゃ！」

定火消の一団から声が上がり、退路の御堀に走り戻ろうとした。

そのとき、一団を北町奉行所の御用提灯がぐるりと取り囲んだ。

「政次」

「亮吉」

二人の幼馴染《おさななじ》みは金座の表門前で固く抱き合った。


翌日、江戸の町に読売《よみうり》が飛び交った。

なにしろ江戸城近くの大名屋敷と町家に火付して、その騒ぎに乗じて金座に乗りこみ、後藤家の蓄財金と幕府の金塊を強奪していこうとした事件が発生したのだ。

鎌倉河岸の豊島屋でも清蔵やしほが昼前からじりじりしながら、金座裏の手先が姿を見せるのを待っていた。

まず豊島屋に飛びこんできたのは船頭の彦四郎だ。

「亮吉は無事だったぜ！」

「よかった」

しほの瞼が潤んで、

（ありがとう）

と胸の内で叫んでいた。

「御城はてんやわんやだな」

清蔵が御城を見上げた。

「おおっ、火付に金座襲撃が同時に起こったんだ」

「なんとしても火事も金座も大事にならずに済んでよかったよ」

「宗五郎親分がお奉行様と相談されて、町火消たちを密《ひそ》かに待機させていたんだとよ」

「だから、火が早くに消し止められたのか」

「そうらしいや」

彦四郎の情報はそんなものだ。

「亮吉さんはどうしているの」

「八丁堀のお医師のところに連れていかれた。怪我は大したことはねえが、疲れ切っているそうだ。まあ、あいつのことだ、一日二日もすれば元気になるよ」

と言った彦四郎が思い出し笑いした。

「清蔵さん、しほちゃん、亮吉のやつさ、夏じゅう、風呂《ふろ》も入ってねえだろう。体じゅうからにおいがして臭《くさ》いったらないって、常丸さんが笑っていたぜ。まずは医師が済んだら、風呂に入れろと親分も命じなさったそうだ」

「おこも暮らしをしていたんだからな。まあ、垢《あか》じゃ死ぬまいよ」

夕暮れ前、なんと亮吉が政次と常丸に付き添われて、豊島屋に姿を見せた。

小柄な体が一回り小さくなり、頬も殺《そ》げ落ちていた。風呂に入ったあとなのか、小さな顔がてらてらと光っていた。

「亮吉さん」

亮吉がぺこりと、しほたちに頭を下げた。

「どうしても豊島屋に顔を出したいというので、おかみさんの許しを得て連れてきたんだ」

政次が言った。

「まあ、座れ」

清蔵が小座敷に亮吉を座らせた。

「心配したのよ、みんな」

「すまねえ」

亮吉が小さな声で謝った。

「まあ、いい。こいつの話は元気になってから聞こう。政次、夜中に何があったか知らせろ」

と捕物好きな清蔵が政次をせっついた。

「旦那、まだお調べの最中、親分も奉行所で調べに立ち会っておられますよ」

「だからさ、おまえの知っているところでいい」

困った顔を常丸に向けた政次に、仕方ないなと常丸が許しを与えた。

「発端《ほったん》は、手代の助蔵さん殺しですがね、どうやら元刻印方にいた丹三が助蔵さんを金座破りの一味に引き入れようとして断られ、とどのつまり殺してしまった。そこからすでに昨晩の襲撃はほころびが生じていたんです……」

「めし炊きのおせんはお頭の瓢簞の猪左衛門と浪人たちのつなぎ役なのさ。いや、倅の通う寺子屋が一味の隠れ家でね、おせんも倅も何も知らされず、手習い帳を受け渡しては瓢簞の指示が浅茅ヶ原の浪人たちに伝わる仕組みだ。おれたちがそれに気づいたのは、昨日の夕暮れのことだ。政次は手習い帳を届けにきた男を、おれはおせんを尾けて、決行のことを知ったのさ」

常丸が政次の説明を補足した。

「おれは、このことを金座裏に知らせに走った。ところが政次は隠れ家に忍びこんで、火事装束に着替える一味の一人を大胆にも倒してさ、縁の下に引きずりこみ、そいつの装束をはぎ取って自ら着て、素知《そし》らぬ顔で一味に加わっていたんだ」

「まあ、政次さんたら危ないことを……」

しほが政次に視線をやった。

「しほ、政次ならそのくらいなことはやりかねないよ。ともかくな、瓢箪一味がいくら火付して江戸を騒ぎに陥《おとしい》れ、その隙《すき》に金座破りを決行しようとしても、飛んで火にいる夏の虫だったというわけだ」

清蔵が納得《なっとく》したように言った。

「そうさ、親分がすべて手配りなさって待っておられたんだ。それにしても寺坂の旦那が金座に入りこんで一味を待ち受けていたとはおれも気がつかなかったよ」

常丸が苦笑いした。

「瓢箪は獄門台は間違いないな」

「明日あたりからお調べが本格的に始まりますがね、島抜け、助蔵さん殺し、火付、金座破り未遂……命がいくらあっても足りませんよ」

「昔から天網恢恢疎《てんもうかいかいそ》にして漏らさずと言ってな、悪人の運命は決まっているものさ」

清蔵のいつもの感想で話は一段落ついた。

「亮吉兄い」

と言う声がした。

小僧の庄太が鳥籠《とりかご》を提《さ》げて立っていた。

「小雀か……」

「もう小雀じゃないぜ」

庄太が籠をしほに渡し、しほが亮吉に差し出した。

「庄太さんが大事に育ててくれたのよ。返すわよ、亮吉さん」

「こんなに大きくなりやがって」

鳥籠の中で騒ぐ雀を見た亮吉が声を上げて泣き出した。

常丸と清蔵が顔を見合わせ、

(今日は仕方ない、好きなだけ泣かせよう)

と暗黙の会話を交わした。

泣き叫ぶ亮吉がふいに立った。

「どうした、亮吉」

鳥籠を両腕に抱えた亮吉に政次が聞いた。

「大きくなった雀をいつまでも籠の中に入れておくのは酷《こく》だ。逃がしてやる」

小座敷からひょろひょろと亮吉が立ち上がり、政次としほが従った。すると戸口に彦四郎の大きな体があって、

「へへっ、独楽鼠《こまねずみ》が帰ってきやがったぜ」

とこちらも泣き笑いした。

四人が向かった先は鎌倉河岸の老桜の下だった。

「これで亮吉も一皮むけますかね」

「ああ、あいつら四人も大人になるかもしれないな」

常丸の言葉に清蔵が応じた。

奉行所の潜り戸から呉服橋《ごふくばし》に出た金座裏の宗五郎は、房州白浜に戻った秋世に助蔵殺しが解決を見たことをどう知らせようかと考えながら橋を渡った。

すると鎌倉河岸から風に乗って、

「わあっ、雀が飛んだ！」

という歓声が弾《はじ》けて伝わってきた。

（あいつらか……）

宗五郎の孤影を月光が薄く照らした。

解説

小柳治宣《おなぎはるのぶ》

多くの登場人物をいかに描き分けるか——そこに小説の面白さの秘訣《ひけつ》がある。トルストイの『戦争と平和』や『アンナ・カレーニナ』などは、その極致といえるのではなかろうか。だが、これはそれほど容易なことではない。視覚に訴える劇画やテレビであれば、いかに多くの人物が登場しようが一目瞭然《いちもくりょうぜん》、はっきりと区別がつく。しかし、同じことを活字（文字）で表現しようとすると、十人の人物を描き分けることはきわめて難しい。しかも〝区別〟するために、あまりに個性的に描き過ぎるとリアリティが失われてくる。自然体でありながら読み手が、はっきりと区別できるように描くことが、小説の面白さを生む作家の〝業《わざ》〟ともいえる。

ということを念頭に置きながら、「鎌倉河岸捕物控」シリーズをみてみよう。捕物帳としては、異例の作品である。では、どこが〝異〟なのか？　捕物帳の典型としてすぐに思い浮かぶのが野村胡堂《こどう》の「銭形平次捕物控」だが、そこでは平次と八五郎の親分・子分のペアが事件を追及する形で物語が進行する。先行作品の「半七捕物帳」（岡本綺堂《きどう》作）が、シャーロック・ホームズ譚《たん》を手本としただけに、わが国の捕物帳は、岡っ引きとその手下一人か二人を加えた少人数での捜査が主流であった。最近の捕物帳も、こうしたパターンを踏襲するのが一般的、というよりも大半がそうである。それに対して、本シリーズは、金座裏の宗五郎親分の指揮の下に、多くの手先や下っ引きが事件に当たる。金座裏の宗五郎の住まいは、警察の捜査部屋を髣髴《ほうふつ》させる。主なメンバーだけでも、亮吉、政次（本書から手先の仲間入りをする）、八百亀、下駄貫、稲荷《いなり》の正太、常丸、髪結い新三《しんざ》（下っ引き）、旦那の源太（下っ引き）、だんご屋の三喜松、左官の広吉、と十指にのぼる。

これに、亮吉と政次の幼なじみの船頭彦四郎と酒問屋豊島屋で働くしほが加わる。というよりも、この四人の若者たちが本シリーズのタテ系の役割を果たすメインキャラクターといってもいい。したがって本シリーズは、金座裏の宗五郎を要《かなめ》とした捕物帳の世界と、四人の若者が江戸の〝鎌倉河岸〟というコミュニティで成長していく様を描いた青春時代小説の世界とが融合した特異な作品とみなすこともできる。それだけに、二つの世界にかかわる人物たちの描き分けがシリーズの生命線にもなってくるわけである。改めて言うまでもなく著者の筆は、多くの登場人物たちを鮮やかに、しかも生き生きとした姿で描き分けている。

従来の日本的に小さくまとまった「捕物帳」の路線をあえて踏襲せずに、大河小説《ロマン》的枠組みの捕物帳を創造しようとしたところに、本シリーズに対する著者の作家的野心が感じられもするのである。

このように、従来の捕物帳とは異質の世界を構築しようとする本シリーズは、その筋立て（プロット）にも工夫が凝らされている。本書を例にとると、ここには第一話「屋台騒動」から第六話「御金座破り」までの六つの、いわゆる捕物帳が収められている。第一話から第五話では、屋台のてんぷら屋の殺害、少女勾引《かどわかし》、辻斬《つじぎ》り、借金の二重取り詐欺、偽金作りといった事件が発生する。それを金座裏の宗五郎親分の指揮の下捜査していくことになる。もちろんそこには、何らかの形で例の四人の若者がかかわっていくことにもなるわけである。いわば、読者は一話完結の短編（捕物）小説の妙味をまずは味わうことになる。一般の捕物帳ならばそこまでだが、本シリーズの本当の面白さは、こうした何本かのヨコ系を成す捕物譚に、さらに一本、スケールの大きな事件が絡んでくるところにあるのだ。

その大きな事件とは、本書でいえば、金座の手代、助蔵が戸田川の渡しで斬殺《ざんさつ》されたことが発端となっている。助蔵は、小判改鋳に伴う極秘任務で京に上っていたが、被害に遭ったのはその帰途のことであった。助蔵は、京で作られた新小判の意匠を持参していた可能性が高い。もし、その意匠の仕様図が犯人の手に渡ったとすると、偽小判が大量に市中に出回ることにもなりかねない。それは、幕府の貨幣制度を揺るがす大事件に発展する可能性を秘めてもいた。金座とは特殊な関係にある金座裏の宗五郎に金座長官から極秘裏に捜査して欲しいとの依頼があったのは当然のことといえた。

本書の全編を通じて、この助蔵殺しの捜査が他の事件の捜査と並行しながら行われることになる。その過程で板橋宿の女男松《めおとのまつ》の銀蔵親分とその手下の仁左《じんざ》、銀蔵の娘のはるといった新たなキャラクターが加わる。そこからは仁左とはるとのサブストーリーがまた生まれてきたりもする。それにしても、本書だけでもいったい何人の十手持ちが登場することだろうか。著者の描き分けの業も、シリーズ三冊目にして一層の冴《さえ》をみせているようにも思えてくる。

金座に絡む奸計《かんけい》の真相は、第六話「御金座破り」で明らかにされるが、その間にいくつかの伏線が張られており、ミステリーとしても楽しめるような工夫が巧みに施《ほどこ》されてもいる。いってみれば、こちらの大きな事件の捜査は、長編を読む楽しさを味わせてくれるというわけである。とすると、本書一冊で短編数本と長編一本とが楽しめるということでもある。

だが、それだけではない。先にも指摘したように、本シリーズは、これに大河小説的な味わいが加わることになる。それは四人の若者たちの〝青春グラフィティ〟といってもいい。捕物帳の名を借りて、実は著者が本当に描きたかったのは、こちらの方ではないか——と私などは思ってしまう。かほどに彼らの〝物語〟は、瑞々《みずみず》しく、そして熱い。シリーズ一冊目の『橘花の仇』では、三人の青年がそれぞれ想《おも》いを寄せる酒問屋豊島屋の看板娘しほを中心に〝物語〟が展開した。彼女の父親が殺され、その仇討ちを四人で実行しようというのだ。続く二冊目『政次、奔る』では、当時は老舗《しにせ》呉服問屋松坂屋の手代であった政次が主人公となる。松坂屋の隠居が正体不明の剣客に襲われ、政次が相手に立ち向かって何とかその場を切り抜ける。が、隠居は転倒したとき頭を打ち、意識不明に陥ってしまう。

そして本書では、その政次が松坂屋を辞めて金座裏に手下として住み込むことになって替わる。政次のデビュー編かと思いきや、〝物語〟の主役は手下としては先輩の亮吉に取る。政次が宗五郎親分の後継者になるために金座裏に来たのだという噂《うわさ》に傷付き、行方を晦《くら》ましてしまったのだ。物乞《ものご》いにまで身を落とした亮吉だったが、助蔵殺しの一味の情報をひょんなことから得ることになる。続巻の『暴れ彦四郎』では、船頭の彦四郎が〝物語〟の主役を演ずることになるのである。

というように、本シリーズは、〝一冊で三度おいしい〟思いを味わうことができる稀有《けう》な「捕物帳」といえる。だが、そのおいしさの核となっているのは、やはり金座裏の宗五郎親分の特異性であろう。将軍家御目見《おめみえ》の古町《こまち》町人で同心や与力でさえも一目置くというそのキャラクターは、前代未聞といってもいい。もちろん、金座裏という設定は著者の創造の産物であろうが、これほど経済的に豊かな（したがって住み込みも含めて多くの手下を養えるわけだが）十手持ちには、おそらく読者も出会ったことがないのではなかろうか。しかも、金流しの長十手という天下御免の護符を身に帯びているのである。こうした超《スーパー》十手持ちの宗五郎が派手な振舞いをせず、あくまでも〝大人〟として扇の要に居座っているからこそ、本シリーズも地に足の着いた真のエンターテインメントになっているのではなかろうか。そのあたりをじっくりと味わっていただきたいものである。

（おなぎ・はるのぶ／文芸評論家）

本書は、二〇〇二年一月に刊行された同書を
改訂の上、新装版として刊行したものです。

時代小説文庫
さ 8-21

御金座破《ごきんざやぶ》り 鎌倉河岸捕物控《かまくらがしとりものひかえ》〈三の巻《さんのまき》〉（新装版）

著者 佐伯泰英《さえきやすひで》
2002年1月18日第一刷発行
2009年5月18日新装版第二刷発行

発行者 大杉明彦

発行所 株式会社 角川春樹事務所
〒101-0051 東京都千代田区神田神保町3-27 二葉第1ビル

電話 03(3263)5247[編集] 03(3263)5881[営業]

印刷・製本 中央精版印刷株式会社

フォーマット・デザイン＆シンボルマーク 芦澤泰偉

ISBN978-4-7584-3360-0 C0193
http://www.kadokawaharuki.co.jp/[営業]
fanmail@kadokawaharuki.co.jp[編集] ご意見・ご感想をお寄せください。

弦月の風 八丁堀剣客同心

鳥羽 亮

書き下ろし

日本橋の薬種問屋に賊が入り、金品を奪われた上、一家八人が斬殺された。風の強い夜に現れる賊——隠密廻り同心・長月隼人は、過去に江戸で跳梁した兇賊・闇一味との共通点に気がつく。そんな中、隼人の許に綾次と名乗る若者が現れた。綾次は両親を闇一味に殺され、仇を討つため、岡っ引きを志願してきたのだ。綾次の思いに打たれた隼人は、兇賊を共に追うことを許すが——。書き下ろし時代長篇。

逢魔時の賊 八丁堀剣客同心

鳥羽 亮

書き下ろし

夕闇の神田連雀町の瀬戸物屋に賊が押し入り、主人と奉公人が斬殺された。賊は金子を奪い、主人の首をあたかも獄門首のように帳場机に置き去っていた。さらに数日後、事件を追っていた岡っ引きの勘助が、同様の手口で殺されているのが発見される。隠密同心・長月隼人は、その残忍な手口に、強い復讐の念を感じ縛され、打首にされた盗賊一味との繋がりを見つけ出すが……。町方をも恐れない敵に、隼人はどう立ち向うのか？大好評書き下ろし時代長篇。

時代小説文庫

佐伯泰英 橘《きっ》花《か》の仇 鎌倉河岸捕物控

書き下ろし

江戸鎌倉河岸にある酒問屋の看板娘・しほ。ある日武州浪人であり唯一の肉親である父が斬殺されるという事件が起きる。相手の御家人は特にお構いなしとなった上、事件の原因となった橘の鉢を売り物に商売を始めると聞いたしほの胸に無念の炎が宿るのだった……。しほを慕う政次、亮吉、彦四郎や、金座裏の岡っ引き宗五郎親分との人情味あふれる交流を通じて、江戸の町に繰り広げられる事件の数々を描く連作時代長篇。

佐伯泰英 政次、奔《はし》る 鎌倉河岸捕物控

書き下ろし

江戸松坂屋の隠居松六《しょうろく》は、手代政次を従えた年始回りの帰途、剣客に襲われる。襲撃時、松六が漏らした「あの日から十四年……亡霊が未《いま》だ現われる」という言葉に、かつて幕閣を揺るがせた若年寄田沼意知《たぬまおきとも》暗殺事件の影を見た金座裏の宗五郎《そうごろう》親分は、現在と過去を結ぶ謎の解明に乗り出した。一方、負傷した松六への責任を感じた政次も、ひとり行動を開始するのだが――。鎌倉河岸を舞台とした事件の数々を通じて描く、好評シリーズ第二弾。

時代小説文庫

佐伯泰英

御金座破り

鎌倉河岸捕物控

書き下ろし

戸田川の渡しで金座の手代・助蔵の斬殺死体が見つかった。小判改鋳に伴う任務に極秘裏に携わっていた助蔵の死によって、新小判の意匠が何者かの手に渡れば、江戸幕府の貨幣制度に危機が——。金座長官・後藤庄三郎から命を受け、捜査に乗り出した金座裏の宗五郎……。鎌倉河岸に繰り広げられる事件の数々と人情模様を描く、好評シリーズ第三弾。

佐伯泰英

暴れ彦四郎

鎌倉河岸捕物控

書き下ろし

亡き両親の故郷である川越に出立することになった豊島屋の看板娘しほ。彼女が乗る船まで見送りに向かった政次、亮吉、彦四郎の三人だったが、その船上には彦四郎を目にして驚きの色を見せる老人の姿があった。やがて彦四郎は謎の刺客集団に襲われることになるのだが……。金座裏の宗五郎親分やその手先たちとともに、彦四郎が自ら事件の探索に乗り出す！　鎌倉河岸捕物控シリーズ第四弾。

時代小説文庫

佐伯泰英
古町《こまち》殺し 鎌倉河岸捕物控

書き下ろし

徳川家康・秀忠に付き従って江戸に移住してきた開幕以来の江戸町民、いわゆる古町町人が、幕府より招かれる「御能拝見」を前にして立て続けに殺された。自らも古町町人である金座裏の宗五郎をも襲う刺客の影！ 将軍家御目見得格の彼らばかりが狙われるのは一体なぜなのか？ 将軍家斉も臨席する御能拝見に合わせるかのごとき不穏な企みが見え隠れするのだが……。鎌倉河岸捕物控シリーズ第五弾。

佐伯泰英
引札屋おもん 鎌倉河岸捕物控

書き下ろし

「山なれば富士、白酒なれば豊島屋」とうたわれる江戸の老舗酒問屋の主・清蔵。店の宣伝に使う引札を新たにあつらえるべく立ち寄った引札屋で出会った女主人・おもんに心惹かれた清蔵はやがて……。鎌倉河岸を舞台に今日もまた、さまざまな人間模様が繰り広げられる——。金座裏の宗五郎親分のもと、政次、亮吉たち若き手先が江戸をところせましと駆け抜ける！ 大好評書き下ろしシリーズ第六弾。

時代小説文庫

佐伯泰英

下駄貫の死

鎌倉河岸捕物控

書き下ろし

松坂屋の隠居・松六夫婦たちが湯治旅で上州伊香保へ出立することになった。一行の見送りに戸田川の渡しへ向かった金座裏の宗五郎と手先の政次・亮吉らだったが、そこで暴漢たちに追われた女が刺し殺されるという事件に遭遇する……。金座裏の十代目を政次に継がせようという動きの中、功を焦った手先の下駄貫を凶刃が襲う！　悲しみに包まれた鎌倉河岸に振るわれる、宗五郎の怒りの十手——新展開を見せはじめる好評シリーズ第七弾。

佐伯泰英

銀のなえし

鎌倉河岸捕物控

書き下ろし

〝銀のなえし〟——ある事件の解決と、政次の金座裏との養子縁組を祝って贈られた捕物用の武器だ。宗五郎の金流しの十手とともに江戸の新名物となる、と周囲が騒ぐのをよそに冷静に自分の行く先を見つめる政次。そう、町にはびこる悪はあとを絶つことはないのだ。宗五郎親分のもと、亮吉・常丸、そして船頭の彦四郎らとともに、ここかしこに頻発する犯罪を今日も追い続ける政次たちの活躍を描く大好評シリーズ第八弾！

時代小説文庫

佐伯泰英
白虎の剣
長崎絵師通吏辰次郎

書き下ろし

陰謀によって没落した主家の仇を討った御用絵師・通吏辰次郎《とおりしんじろう》。主家の遺児・茂嘉とともに、江戸より故郷の長崎へ戻った彼は、オランダとの密貿易のために長崎会所から密命を受けたその日に、唐人屋敷内の黄巾党《こうきんとう》なる秘密結社から襲撃される。唐・オランダ・長崎……貿易の権益をめぐって暗躍する者たちと辰次郎との壮絶な死闘が今、始まる！『悲愁の剣』に続くシリーズ第二弾、待望の書き下ろし。

（解説・細谷正充）

佐伯泰英
道場破り
鎌倉河岸捕物控

書き下ろし

赤坂田町の神谷道場に一人の訪問者があった。朝稽古中の金座裏の若親分・政次が応対にでると、そこには乳飲み子を背にした女武芸者の姿が……。永塚小夜と名乗る武芸者は道場破りを申し入れてきたのだ。木刀での勝負を受けた政次は、小夜を打ち破るも、赤子を連れた彼女の行動に疑念を抱いていた。やがて、江戸に不可解な道場破りが続くようになるが――。政次、亮吉、船頭の彦四郎らが今日も鎌倉河岸を奔る、書き下ろし好評シリーズ第九弾！